Michael T. McGuire   Der Faktor Mensch im neuen Europa

Der Faktor Mensch im neuen Europa

Möglichkeiten und Grenzen der wirtschaftlichen Entwicklung bis zum Jahr 2010

herausgegeben von
Michael T. McGuire
und dem
Gruter Institute For Law And Behavioral Research,
Portola Valley, USA

Luchterhand

Die Deutsche Bibliothek – CIP-Einheitsaufnahme

Der Faktor Mensch im neuen Europa : Möglichkeiten und Grenzen der wirtschaftlichen Entwicklung bis zum Jahr 2010 / hrsg. von Michael McGuire. – Neuwied ; Kriftel ; Berlin : Luchterhand, 1993
ISBN 3-472-00984-5
NE: McGuire, Michael [Hrsg.]

Danksagung
Die großzügigen finanziellen Unterstützungen von Gilbert de Botton und Gordon Getty machten die Tagung möglich, aus der dieses Buch hervorging. Gleichermaßen großzügige Beiträge an Zeit und Ideenreichtum kamen von den Teilnehmern (einschließlich de Botton und Getty), die sich mit den komplexen menschlichen Problemen, denen sich gegenwärtig die Europäer gegenübersehen, direkt auseinandersetzten.

Margaret Gruter
President
Gruter Institute for Law and Behavioral Research

Umschlaggestaltung: Reckels/Schneider – Reckels/Weber, Wiesbaden
Satz: Hagedornsatz, Berlin
Druck: Wilhelm & Adam, Heusenstamm
Printed in Germany, 1993

Inhalts-verzeichnis

Teil 3: Verhalten und wirtschaftliche Entscheidungen

Einführung

Michael T. McGuire

In Europa finden Veränderungen in einem nie zuvor gekannten Ausmaß statt. Einstmals vertraute politische, wirtschaftliche und rechtliche Systeme, zum Teil schon bis zur Unkenntlichkeit umgewandelt, kämpfen darum, sich von ihrer Vergangenheit zu befreien und sich zu rüsten für das, was kommen wird. Täglich erleben wir, wie die Ereignisse von gestern neue Interpretationen erfahren und die Aussichten für das Morgen revidiert werden. Diese Veränderungen und die Schlüsselrolle, die der menschlichen Natur bei der Erklärung dieser Vorkommnisse zufällt, sind Gegenstand dieses Buches.

Unser Verständnis dessen, was diese Veränderungen um uns herum auslöst, ist bei weitem nicht vollständig. Genausowenig läßt es sich vorhersagen, wie sich die wirtschaftlichen und politischen Ereignisse künftig weiterentwickeln werden. Man betrachte beispielsweise die Veränderungen der letzten fünf Jahre in den »zwei« Deutschlands und in der Sowjetunion oder die stürmischen Bemühungen vieler osteuropäischer Länder, marktwirtschaftliche Systeme einzuführen. Keines dieser Ereignisse war in dieser Form vorausgesehen worden. Und diese Tatsache wirft eine Menge Fragen auf. Was hat es mit unseren Analysen und unserer Sicht der Ereignisse auf sich, daß sie uns in die Irre führen? Welche wirtschaftlichen, politischen, rechtlichen oder sonstigen Ideen sind am besten geeignet, denjenigen als Richtschnur zu dienen, die versuchen, Europa eine Form für das 21. Jahrhundert zu geben?

Noch vor fünf Jahren konzentrierte sich das politische und wirtschaftliche Szenario für ein Europa im Jahr 2010 in erster Linie auf die Europäische Gemeinschaft und die Veränderungen, welche die »Vereinigten Staaten von Europa« bei ihren Mitgliedsländern und anderen Weltwirtschaften auslösen würden. Die meisten Experten waren sich wohl darüber einig, daß die

---

Danksagung
Wolfgang Fikentscher, Gordon Getty und Mark Jones haben dankenswerterweise hilfreiche Anmerkungen zu früheren Entwürfen dieser Einleitung beigesteuert.

Beziehungen zwischen der Europäischen Gemeinschaft, Osteuropa und der UdSSR weiterhin gespannt bleiben würden und man andauernde Spannungen hinsichtlich solcher Themen wie Menschenrechte, Auswanderung und Handel zu erwarten hätte. Die Zeiten haben sich jedoch geändert und mit ihnen dieses Szenario. Heute sieht es etwa wie folgt aus: Im Jahr 2010 wird die Europäische Gemeinschaft (EG) ihre Mitgliederzahl von 12 auf 15–18 erhöht haben. Die kürzlich getroffene Vereinbarung zwischen der EG und der Europäischen Freihandelsgemeinschaft (EFTA), in der Island, Norwegen, Schweden, Finnland, die Schweiz, Liechtenstein und Österreich zusammengeschlossen sind und die zusammen mit der EG den Europäischen Wirtschaftsraum bildet, wird in Kraft bleiben, die Interdependenz der Mitglieder wird wachsen (Kuehn, 1991). Die ehemaligen Sowjetrepubliken und vielleicht auch einige ihrer osteuropäischen Nachbarn werden eigene politisch-wirtschaftliche Allianzen entwickeln. Durch Zusammenbindung dieser politischen, wirtschaftlichen, ethnischen und kulturellen Einheiten werden »Meta-Allianzen« entstehen, die Handelsvereinbarungen, Verträge über Rüstungsbeschränkungen und rechtliche Abkommen umfassen. An vielen Stellen Europas werden alte und neue Konflikte, ausgelöst durch religiöse, ethnische und kulturelle Unterschiede und durch nationalistische Strömungen, mit den Bemühungen kollidieren, politische Einheit und wirtschaftliche Parität zu erreichen.

Wir wissen, daß unser heutiges Szenario vermutlich inkorrekt ist. Warum? Natürlich gibt es hierfür viele Gründe, in erster Linie sind es die Modelle, an Hand derer wir uns Verständnis erwerben, Vorhersagen machen und Entscheidungen treffen. In aller Regel übersehen solche Modelle wichtige Kriterien der menschlichen Natur, so etwa die Intensität religiösen Glaubens, sprachliche Präferenzen, ethnische Identifikation, Sehnsucht nach traditioneller Lebensweise, Skeptizismus im Hinblick auf Autoritäten und die Stärke von Ideologien. Jedes einzelne Kriterium kann die Art, wie wir leben, denken und Beziehungen eingehen beeinflussen, was auch häufig geschieht. Die Öffnung der europäischen Grenzen für Gastarbeiter veranschaulicht diesen Punkt. Auf den ersten Blick könnte man vermuten, daß die unbeschränkte Ein- und Auswanderung dazu führen könnte, die von Nation zu Nation bestehenden Unterschiede in wirtschaftlicher Entwicklung, Verfügbarkeit von Bodenschätzen und Stellenangebote, zum Verschwinden zu bringen. Auf den zweiten Blick erkennt man aber, daß man sich mit der Ein- und Auswanderung eine Menge Probleme einhandelt. Dazu gehören Konflikte, die auf ethnischen, religiösen und sprachlichen Unterschieden beruhen, Auseinandersetzungen über Arbeitnehmerrechte,

Sozialunterstützung, Wohlfahrt und die Anwendbarkeit lokaler Rechtsvorschriften auf Menschen mit anderen Gepflogenheiten, außerdem die möglichen unerwünschten wirtschaftlichen Folgen, die sowohl Gast- wie Abstammungsland berühren. Man kann sich unschwer vorstellen, daß in dem Maße, in dem die Verschiebung von Arbeitskräftereservoirs die nächsten Jahrzehnte in Europa bestimmen wird – und solche Verschiebungen sind wahrscheinlich – der größte Teil Europas sich zu einem Pulverfaß wirtschaftlicher, politischer und rechtlicher Zwietracht entwickeln wird.

Das größte Potential für Auseinandersetzungen scheint gegenwärtig in Osteuropa und in den Sowjetrepubliken vorhanden zu sein. Die Länder des Europäischen Wirtschaftsraums sind davon jedoch nicht ausgenommen. Auch sind sie nicht länger gegen Ereignisse immun, die sich tausende von Kilometern entfernt zutragen. Die Begriffe »Osteuropa« und »Westeuropa« haben ihre frühere Bedeutung verloren, da geographische, ideologische und wirtschaftliche Grenzen verschwunden sind, die eine halbes Jahrhundert lang Gültigkeit hatten. Es ist schwierig, sich wirtschaftliche und politische Gedanken über einen Teil Europas zu machen, ohne gleichzeitig nicht nur die anderen Teile, sondern auch Asien, den Nahen Osten, Afrika und Nord- und Südamerika in die Betrachtung miteinzubeziehen. Europa hat sich sich seit 1987 verändert. Zweifellos wird es sich weiterhin verändern, wobei es nicht im geringsten absehbar ist, wie diese Veränderung aussehen wird.

Vielleicht hat es in diesem Jahrhundert noch keine Zeit gegeben, in der so viele widerstreitende Gefühle und Glaubensrichtungen, unterschiedliche Präferenzen und Ressentiments deutlich geworden sind, wie heute. Hierzu nur einige Fakten: Mehr als 50% der europäischen Bevölkerung ist der Ansicht, daß Teile der Nachbarländer zu ihrem Vaterland gehören; daß es strengere Regeln für Einwanderer geben sollte; daß Männer und Frauen ungleich behandelt werden; daß die Regierung verschwenderisch und ineffizient ist; daß es in anderen Ländern einen höheren Lebensstandard gibt; daß Politik langweilig ist; und, daß Bücher, in denen gefährliche Ideen dargelegt werden, aus den Büchereien entfernt werden sollten[1]. Die Bedenken der Menschen werden angeführt von der Sorge wegen der Arbeitslosigkeit, gefolgt von der Angst vor wirtschaftlicher und politischer Instabilität,

[1] Los Angeles Times, 17. September 1991. Ergebnisse einer Umfrage vom Mai und Juni 1991 unter 13000 Menschen in neun europäischen Ländern und drei sowjetischen Republiken. Jeder Teilnehmer wurde eine Stunde lang interviewed.

sinkendem Lebensstandard, mangelhafter Fähigkeiten der Regierung, schlechtem Zustand der Umwelt und Kriminalität. Das übliche Vokabular und die Modelle, die für die Diskussion solcher Themen und als Richtlinie für die zu ergreifenden Maßnahmen verwendet werden, sind der Politik und der Wirtschaft entnommen. Es bedarf jedoch dringend eines neuen Vokabulars und neuer Modelle. Solange solche nicht entwickelt worden sind, bleibt das Verständnis der Ereignisse in Europa und anderswo ungenau und Entscheidungen, die in bester Absicht getroffen werden, fehlgeleitet.

Die Ein- und Auswanderung ist weder die einzige, noch zwangsläufig die wichtigste Thematik, mit der sich Europa auseinanderzusetzen hat. Wie bereits erwähnt, sind jahrhundertealte ethnische und religiöse Differenzen, die bis vor kurzem noch durch den imperialen Kommunismus unterdrückt worden waren, wieder an die Oberfläche gelangt. Viele dieser Differenzen sind nicht nur aus geschichtlichen Gründen unvermeidbar, sondern auch wegen ihrer Bedeutung für die individuelle Identität und jene Gruppe. Innerhalb gewisser Grenzen können solche Differenzen wünschenswert sein. Ein großer Teil des Interesses an anderen Ländern und so auch der Tourismus basiert auf den von Nation zu Nation bestehenden ethnischen und religiösen Unterschieden und den damit zusammenhängenden Verhaltensweisen. Außerhalb dieses Rahmens werden solche Differenzen die Bemühungen um wirtschaftliche Effizienz und Parität sowie die politischen Bestrebungen, eine länderumspannende Stabilität zu erlangen wahrscheinlich behindern. Ein ähnlicher Gesichtspunkt betrifft wirtschaftliche Ungleichheit. Ungleichheit ist bei kultureller Diversität wahrscheinlich leichter zu ertragen, vor allem deshalb, weil es kulturelle Alternativen zu wirtschaftlichem Erfolg gibt. In dem Maße, in dem das neue Europa ein Europa schwindender Diversität wird, werden voraussichtlich die Ungleichheiten deutlicher werden, die ethnischen Differenzen stärker ans Licht treten und die Auseinandersetzungen um Ressourcen zunehmen. Dann ist da noch das Thema Sprache. Wird es oder sollte es eine gemeinsame Sprache für ganz Europa geben oder nur eine für Handelszwecke (wie dies in weiten Teilen Asiens der Fall ist), oder sollte die Sprachenvielfalt gewahrt bleiben?

Die Bankensysteme sind ein weiteres Thema. Mit den verschiedenen Systemem (z. B. dem deutschen, japanischen oder amerikanischen) sind bestimmte wirtschaftliche Optionen verbunden. Die Wahl des Steuersystems hat gleichermaßen Einfluß auf Optionen und Restriktionen. Bei den Rechts- und Gesetzessystemen steht man vor einem weiteren Problem. Die Relevanz von Gesetzen ist häufig von Land zu Land verschieden, hauptsächlich weil Verhaltensweisen und Ereignisse unterschiedlich aufgefaßt, bewertet und erklärt werden.

Zusätzlich gibt es eine Myriade politischer Streitfragen. Die Führung der Europäischen Gemeinschaft ist eine davon. Unilaterale oder gemeinsam bestimmte Außenpolitik eine andere. Sollte Europa (oder die vielen Europas) versuchen, eine Position zu erlangen, von der aus es sich dem Einfluß der Vereinigten Staaten oder Asiens bei internationalen Fragen der Politik oder des Handels entgegenstellen kann?

Auch Schulen und die Erziehung gehören zum Gesamtbild. Sollte es innerhalb der EG einheitliche Stundenpläne geben? Sollte die Erziehungspolitik auf lokaler, nationaler oder multinationaler Ebene festgelegt werden? Die Liste ließe sich endlos fortsetzen.

Das Hauptthema dieses Buches befaßt sich damit, daß unsere wenig eindrucksvolle Bilanz im Verständnis und in der Vorhersage politischer, sozialer und wirtschaftlicher Ereignisse eine unmittelbare Folge unserer Versäumnis ist, entscheidend wichtige Informationen über die menschliche Natur in unser Denken miteinzubeziehen. Wir müssen unsere Theorien über das Funktionieren wirtschaftlicher, politischer und rechtlicher Systeme, ethnischer und religiöser Gruppen erweitern und revidieren. Wo lassen sich diese Informationen am besten finden? Die Antwort dieses Buches lautet: im Bereich der »modernen Biologie«.

Um die Perspektive zu verdeutlichen, könnte eine kurze Rückschau auf einige Merkmale der Biologie der letzten 40 Jahre hilfreich sein. Seit den 50er Jahren gab es in praktisch allen Bereichen der Biologie erhebliche Fortschritte, die von detaillierten Entdeckungen im Bereich der Molekularbiologie und Physiologie bis zu dem der Verhaltensursachen reichen. Es sind die Verhaltensursachen, die am unmittelbarsten von Interesse sind. Vier Jahrzehnte intensiver Erforschung des menschlichen Verhaltens haben zwei Wahrheiten erkennen lassen: Menschen, wie andere Spezies auch, treten mit vielen, in starkem Maße *prädisponierten* Verhaltensweisen in die Welt. Diese Prädispositionen sind die Folge der für die Spezies typischen genetischen Informationen. Bekannte Beispiele sind etwa die Mutter-Kind-Bindung; die kindliche Fremdenangst; Handeln im Eigeninteresse; Täuschung anderer, um bestimmte Ziele zu erreichen; Selbsttäuschung; vorzugsweise Aufwendung von Zeit und Mittel für Familienangehörige; Geschwisterrivalität um die Verteilung elterlicher Zuwendung und Mittel; Entwicklung und Aufrechterhaltung eines sozialen Unterstützungsnetzes außerhalb familiärer Bande; riskantes Verhalten männlicher Heranwachsender; männliche Wanderung im frühen Erwachsenenalter; weibliche und männlich sexuelle Eifersucht; unterschiedlicher männlicher und weiblicher Einsatz bei der Aufzucht von Nachwuchs; Xenophobie (Fremdenhaß) und In-Group- und Out-Group-Verhalten; Ausbildung von Hierarchien; Wettstreit um Ressourcen. Die Liste der Verhaltensweisen ist lang und eindrucksvoll und liefert das Grundgerüst, auf dem Varianten im Verhalten von Individuen und Gruppen aufbauen. Da der *Homo sapiens* flexibel und anpassungsfähig ist und die Umweltbedingungen variieren, steht zu erwarten, daß prädisponierte Verhaltensweisen mit unterschiedlicher Häufigkeit und Intensität auftreten. Dennoch verschwinden solche Verhaltensweisen nicht. In verschiedenen sozialen und physischen Umgebungen erfolgt die Bindung zwischen Mutter und Kind auf unterschiedliche Weise, doch sie erfolgt in jedem Fall. Werden solche Bindungen gebrochen, so geschieht dies zu einem hohen emotionalen Preis für beide Seiten. Täuschung kommt bei verschiedenen Individuen und Kulturen auf unterschiedliche Weise zum Ausdruck, ist aber allgegenwärtig, wobei Menschen die in extremem Umfang betrügen, gesellschaftliche Ächtung erfahren. Welche Ressourcen wertgeschätzt werden, differiert von Kultur zu Kultur. Doch die Auseinandersetzung um Ressourcen hält unvermindert an, und in sozialen und ressourcenreichen Hierarchien kämpft der einzelne eher für eine größere Mobilität nach oben als nach unten. Ähnliche Auseinandersetzungen finden zwischen In- und Out-Groups statt, besonders auf der Ebene der Ethnien. Xenophobie gehört ebenso zu unserer Ausstattung wie Lachen und Wut. Solche Verhaltensweisen sind die »Gaben« unserer Natur, immer gegenwärtig und immer einflußreich. Jede einzelne läßt sich modifizieren, doch gibt es Grenzen.

Nicht einmal die Kultur ist davon ausgenommen. Die Kultur – lange als Gegenstück zur Biologie angesehen – läßt sich heute leichter verstehen, wenn wir unsere starke Prädispositon in Betracht ziehen, uns für die unsere Familienangehörigen einzusetzen, uns Ressourcen anzueignen, persönliche und Gruppenterritorien zu bilden und zu verteidigen, Ideologien auszuarbeiten und daran zu glauben, uns mit unseresgleichen zu verbinden und andere zu meiden, abweichendes Verhalten zu bestrafen und in unserem Fortpflanzungsverhalten wählerisch zu sein. Verschiedene Kulturen spiegeln verschiedene Wege wider, wie unterschiedliche Gruppen die grundlegenden Verhaltenszüge unserer Spezies arrangiert und organisiert haben. Verschiedene Gruppen arrangieren und organisieren sich auf unterschiedliche Weise. Die Verhaltensweise sind jedoch in allen Kulturen gegenwärtig. Politische, wirtschaftliche und rechtliche Erklärungen und Entscheidungen, die diesen Punkt außer Acht lassen, programmieren gleichermaßen ihre eigene Irrelevanz.

Ein spezifischeres Beispiel kann dies deutlich machen. Das Thema der Umwelterhaltung und -verbesserung wurde deshalb gewählt, weil sowohl Bürger als auch Erzieher, Rechtsanwälte, Wirtschaftswissenschaftler, Politiker und Geschäftsleute darin involviert sind, Probleme zu lösen, für deren Lösung es eines tieferen Verständnisses der Verhaltensbiologie bedarf.

Die Erhaltung und Verbesserung der Umwelt ist kostspielig. Sie erfordert, daß viele einzelne Individuen, Produzenten, Landwirte und andere ihre Gewohnheiten verändern. Es geht um viel mehr, als nur Beseitigung von Unrat. Es müssen sich die Produktionsmittel, die Arten des Wettbewerbs sowie das Konsumverhalten und die Ziele jedes einzelnen ändern. Entscheidungen zugunsten der Umwelt treffen oft auf politischen Widerstand, besonders dann, wenn sie unerwünschte Folgen nach sich ziehen, wie Konsumbeschränkungen in manchen Bereichen, erhöhte Arbeitslosigkeit und/oder höhere wirtschaftliche Kosten. Andererseits lösen politische Entscheidungen, die die Umweltthematik außer Acht lassen, Zynismus hinsichtlich der Praktiken und Motive der Regierenden aus. Ansätze zu einer rechtlichen Regelung werden erschwert durch die Tatsache, daß die Handlungen einzelner oder kleiner Gruppen einen tiefgreifenden Einfluß auf den öffentlichen Bereich haben können. Zwar kommt es bisweilen zur Bestrafung für solchen Mißbrauch, die entstandenen Schäden werden jedoch selten behoben.

Es gibt eindeutige biologische Ursachen für den Widerstand, auf den die Bemühungen zur Umweltverbesserung so häufig stoßen. Eine davon ist, daß die Primaten einschließlich des *Homo sapiens* in einer Weise evolviert sind, daß in erster Linie die Erreichung kurzfristiger Ziele angestrebt wird. Der Einsatz von Zeit und Energie für Familienangehörige und für Freunde, der Erwerb von Ressourcen und ein Obsiegen im Wettbewerb, das sind die Ziele die uns vorrangig beschäftigen. Die Lösung vieler Umweltprobleme erfordert jedoch ein Verhalten, das langfristige Auswirkungen hat; das heißt ein Verhalten, bei dem Kosten anfallen, lange bevor sich ein Nutzen realisieren läßt. Eine zweite Ursache ist darin zu sehen, daß Primaten nicht dazu prädisponiert sind, ihre Umwelt zu erhalten oder zu verbessern, wenngleich sie sie interessanterweise verteidigen. Wenn das Ausmaß des Schadens einen bestimmten Punkt erreicht hat, wird eine neue, unverbrauchte Umgebung aufgesucht. Bis vor kurzem hatte dieses Verhalten nur geringe Folgen. Wir lebten in einer physischen Umwelt, die sich selbst so rasch wiederherstellte, wie sie abgebaut wurde. Die Strategie des Ausbeuten-und-Weiterziehens kann jedoch in der heutigen überbevölkerten und hochgradig verschmutzten Welt kaum mehr Anwendung finden.

Das Thema der Umweltverbesserung und -bewahrung spitzt sich zu, wenn es um die Privatisierung von Grundbesitz geht. Welche Verantwortungen sind tatsächlich mit der Nutzung des eigenen Landes verbunden? Rechtliche und politische Haltungen, welche die Nutzung von Land strengen Beschränkungen unterwerfen, haben bestimmte wirtschaftliche Folgen. Im Gegensatz dazu kommt es bei unbeschränkter Nutzbarkeit zu gesundheitlichen, langfristigen wirtschaftlichen, ästhetischen Folgen und zu einer Beeinflussung der Lebensqualität. Diese widerstreitenden Alternativen sind für die Revitalisierung Osteuropas und der Sowjetrepubliken von zentraler Bedeutung, da diese Länder auf die Privatisierung von Grundbesitz in Gebieten zusteuern, in denen die Umwelt über ein Jahrhundert lang ausgebeutet und mißbraucht worden ist. Diese Länder werden weiterhin ihre natürlichen Ressourcen ausbeuten und ihre Produktion steigern müssen, wenn sie eine funktionierende Marktwirtschaft schaffen wollen. Wenn sie dies jedoch ohne rigorose Beschränkungen und energische Anstrengungen zur Wiederherstellung der Umwelt tun, sind schwerwiegende Langzeitfolgen unausweichlich.

Der Umfang, die Einzigartigkeit und die Dringlichkeit der Umweltprobleme, denen wir und andere Spezies sich gegenübersehen, die hohen Kosten, die mit einer Änderung der gewohnheitsmäßigen Ausbeutung und der mißbräuchlichen Produktionspraktiken verbunden sind, die kompetitive Natur des Menschen und das zusätzliche Erfordernis, ein hohes Maß an umwelterhaltenden Verhalten seitens der Bürger zu erhalten, wirft die Frage auf: Sind die rechtlichen, wirtschaftlichen und politischen Konzepte und Arbeitsmittel, die heute in Gebrauch (oder Planung) sind, erfinderisch und großzügig sowie stark genug, um den Mißbrauch der Umwelt einzudämmen und die ernsthafte Wiederherstellung der physischen und biologischen Welt zu erleichtern? Aus biologischer Sicht lautet die Antwort: Nein. Gesetze können sich bestenfalls mit ganz offensichtlichem Mißbrauch befassen und ein begrenztes Maß an Verhaltensänderung bewirken. Wirtschaftliche Anreize sind ähnlichen Grenzen unterworfen. Genauso häufig wie sie erfolgreich sind, führen sie auch zu wirtschaftlicher Ungleichbehandlung bei dem Bemühen, die angestrebten Ziele zu erreichen. Alle Appelle an die Menschen, ihre menschliche Natur aufzugeben, sind vergessen. Und die Politiker sind oft zwischen den verschiedenen Interessen gefangen.

Wahrscheinlich findet man dann zu den effektivsten Lösungen für Umweltprobleme, wenn man auf die Kenntnis jener biologischen Bedingungen baut, die ein hohes Maß an mittelbarer Reziprozität ermöglichen. Hierbei kommen die Handlungen eines einzelnen Individuums unbekannten anderen zugute. Von entscheidender Bedeutung ist auch eine deutliche Verbesserung der Kommunikation, doch das ist eine andere Geschichte, die teilweise an anderer Stelle erörtert wird (Gruter, 1991).

In vielerlei Hinsicht können die Erkenntnisse der modernen Biologie uns helfen, unser Verständnis von Politik, Wirtschaft, Recht und Ethnizität zu vertiefen. Aus einer Perspektive gesehen, liefern diese Erkenntnisse neue Informationen über das menschliche Verhalten, Informationen, die uns teilweise vertraut sind: da wir Produkte der Evolution sind, wurde das, was wir und andere tun bereits erkannt, wenngleich es oftmals in nichtbiologische Begriffe gefaßt wurde. Vertrautheit ist jedoch etwas anderes als tiefgehendes Verständnis.

Aus einer anderen Perspektive betrachtet, helfen uns neue Informationen über das menschliche Verhalten, ein besseres Verständnis zu erlangen, mit Hilfe dessen Regeln und Entscheidungen effektiver gestaltet werden können. Diese werden dann wirksam sein, wenn sie ein Verhalten belohnen, auf das der einzelne sich wahrscheinlich einlassen wird oder das er leicht erlernen kann. Sie werden unwirksam sein, wenn sie ein Verhalten bekräftigen, auf das sich die Menschen aller Voraussicht nach nicht einlassen werden. Zum Beispiel waren Bemühungen, den individuellen Konsum einzuschränken, dann effektiv, wenn sie nur geringe wirtschaftliche Folgen nach sich zogen. Im Gegensatz dazu haben sich die Bemühungen der Regierenden, Ballungszentren zu reduzieren und die Leute umzuverteilen, weitgehend versagt. Das alles soll nicht heißen, daß eine Würdigung der modernen Biologie die Lösung der angesprochenen Probleme sicherstellt. Sie kann aber die Kluft zwischen unserer gegenwärtigen Art und Weise, die Dinge zu erklären, und einer tiefergehenden Würdigung von Ereignissen und deren Ursachen verringern.

Über die Fortschritte der modernen Biologie ist viel geschrieben worden, besonders zum Verbessern politischer, wirtschaftlicher und rechtlicher Erklärungen von Verhaltensweisen (Gruter, 1991; Masters und Gruter, 1992). Dieses Buch will weder diese Schriften über biologische Erkenntnisse noch die gegenwärtigen Ereignisse in Europa abhandeln. Es hat sich zwei andere Ziele gesetzt. Es konzentriert sich zunächst auf ausgewählte Merkmale der menschlichen Natur, die sich unabhängig davon manifestieren, welches politische oder wirtschaftliche System gerade herrscht. Zum anderen befaßt es sich damit, wie diese Merkmale häufig zur Quelle von Spannungen, Konflikten und manchmal auch der Kooperation werden und wie diese im Hinblick auf die Zukunft Europas innerhalb gewisser Grenzen beeinflußt werden können. Man kann unmöglich alle wichtigen Entscheidungen vorhersagen, die die Europäer in den nächsten beiden Jahrzehnten treffen müssen, und darauf erhebt dieses Buch auch keinerlei Anspruch. Was dieses Buch aber bietet, könnte noch wichtiger sein: es stellt einen Rahmen und eine Reihe von Erkenntnissen zur Verfügung, die sich sowohl auf gegenwärtige, wie auch auf künftige soziale, politische und wirtschaftliche Fragen anwenden lassen, denen sich Europa gegenübersehen wird. Von dieser Sichtweise aus werden mit den folgenden Kapiteln fortlaufend neues Vokabular und neue Modelle entwickelt, die zu einem vertieften Verständnis wirtschaftlichen, politischen und rechtlichen Verhaltens führen können.

Zudem konzentriert sich das Buch auf politische und wirtschaftliche Entscheidungen, die entweder mittelbar oder unmittelbar grundlegende Merkmale der menschlichen Natur beeinflussen. Unser Ansatz geht also in zwei Richtungen: unsere menschliche Natur drückt sich in bestimmten Verhaltensweisen aus, und politische, wirtschaftliche, rechtliche und andere Verhaltensweisen beeinflussen das Maß, die Intensität und die Form, die unsere menschliche Natur annimmt.

Eine Bemerkung zum Wort Beeinflussung. Wir erachten diesen Begriff nicht als negativ. Regierungsvertreter, Wirtschaftswissenschaftler, Lehrer, Priester, Eltern, Freunde, Arbeitgeber und Biologen versuchen allesamt, das Verhalten anderer zu beinflussen. Streit besteht nur hinsichtlich der *Mittel*, mit denen Einfluß genommen wird, und des *Zwecks*, für den die Mittel eingesetzt werden. So gesehen liefern uns die Erkenntnisse der modernen Biologie entscheidende Einsichten für eine optimale Beeinflussung und Kursbestimmung für das Europa der nächsten Jahrzehnte.

Inwiefern geben die vorgenannten Punkte nun den folgenden Kapiteln Gestalt, bzw. wie werden sie von ihnen gestaltet?

Das Buch gliedert sich in drei Abschnitte. Der erste Abschnitt befaßt sich mit Biologie. Alfonso Troisi bespricht die große Bedeutung bestimmter Arten kooperativen Verhaltens für das Überleben und Wohlergehen großer politischer und wirtschaftlicher Gruppierungen. Es wird aufgezeigt, wie biologische Prädispositionen und Zwänge in bedeutsamer Weise Ausmaß und Art der Kooperation beeinflussen und sich unmittelbar auf politische und wirtschaftliche Ereignisse auswirken, die von Europa, seinen Staaten und deren Bürgern herbeigeführt werden. Michael McGuire analysiert die Beziehung zwischen dem Erreichen arttypischer biologischer Ziele und der Zukunftsbewertung des einzelnen. Es wird dargelegt, wie sich unterschiedliche Bewertungen unmittelbar auf politische und wirtschaftliche Ereignisse und Gesetzestreue auswirken. Gordon Getty behauptet, daß die Verhaltensweisen in der Natur eine Investition in die Gene und damit in die Jungen darstellen. Biologisch gesehen bedeutet diese Investition die Übertragung von »Fitness« über Generationen hinweg; wirtschaftlich gesehen läßt sich das Maß, in dem Fitness übertragen wird, als Konsum definieren. Bestimmte wirtschaftliche Maßeinheiten werden dann anhand demographischer Daten und der Generationsspanne erklärt. Lionel Tiger analysiert den Rückgang der Reproduktion in den Industrieländern Westeuropas. Dieser Rückgang hat nicht nur Auswirkungen auf einheimische Arbeitskräfte und Märkte, sondern stellt auch neue Anforderungen an den Arbeitsplatz, der emotionale und soziale Befriedigung bieten soll, wie es vormals die Familien oder Kleingruppen taten.

Der zweite Teil befaßt sich mit der Beziehung zwischen Kultur und Biologie. Paul Bohannan geht im einzelnen auf die charakteristischen Merkmale bekannter und neu auftretender Organisationen ein, wobei diese als »soziale Werkzeuge« betrachtet werden. Er analysiert sodann die Opposition gegen diese Werkzeuge, die in unsere Spezies eingebaut sind und legt dar, wie menschliche Gesellschaften darauf hinarbeiten, das Akzeptieren und Anwenden neuer Werkzeuge zu vermeiden. Roger Masters stellt die wirtschaftlichen und politischen Folgen, die mit dem in Europa wogenden nationalen und ethnischen Spießertum verbunden sind, den Bemühungen gegenüber, zu einer politischen Einigung zu finden und nationale und ethnische Spannungen zu reduzieren. George Fletcher spricht eine Reihe von Themen an, wie etwa kulturelle Autonomie, wirtschaftliche Zusammenarbeit und Stabilität sowie die Menschenrechte, Themen, die sich als mittelbare oder unmittelbare Folge des Fehlens eines klaren linguistischen Modells für Europa ergeben.

Der dritte Teil des Buches befaßt sich mit Verhalten und wirtschaftlichen Entscheidungen. Robert Cooter betont, wie notwendig es auf nationaler und nationenübergreifender Ebene ist, sich zu bestimmten wirtschaftlichen Systemen, etwa Bankensystemen zu bekennen, natürliche Unvollkommenheiten der Wirtschaftsmärkte auszugleichen und die wirtschaftliche Entwicklung und Zusammenarbeit zu lenken, anzuspornen und zu stabilisieren. Robert Frank behauptet, daß, verglichen mit den traditionellen Methoden, eine Besteuerung des durch die jeweilige Stellung bestimmten

Konsums eine bessere Alternative für den Umgang mit wirtschaftlicher Ungleichheit böte, als Mechanismen wie Sicherheitsbestimmungen, Arbeitszeitbeschränkungen und die Ausarbeitung detaillierter Arbeitsverträge. Michael Lehmann analysiert schließlich die Wichtigkeit des Wettbewerbs als eines Entdeckungsprozesses und zwar nicht nur in der wirtschaftlichen Arena, sondern auch im Hinblick auf unser besseres Verständnis des menschlichen Verhaltens.

Teil 1: Biologie und Gesellschaft

Biologische Grenzen der Kooperation in politischen Großgruppen

Alfonso Troisi

Ein hohes Maß an Kooperation ist eine wesentliche Voraussetzung für das Überleben und Wohlergehen großer menschlicher Institutionen, wie etwa der Europäischen Gemeinschaft. Die Kooperation in solchen Institutionen wird großenteils von Regeln bestimmt, die über unmittelbare Transaktionen zwischen einzelnen hinausgehen, welche die eigentliche Domäne der Verhaltensbiologie sind. Die biologische Sichtweise kann dennoch einen Beitrag zum Verständnis der Dynamik der Kooperation in großen politischen Gruppen leisten. Die Regeln, durch welche die Interaktionen von Einzelpersonen untereinander bestimmt werden, beeinflussen mitunter auch die Regeln, nach denen sich die Beziehungen zwischen Gruppen, Gemeinschaften und rechtlichen Organen gestalten. Darüber hinaus bleiben unmittelbare Transaktionen zwischen Einzelpersonen nach wie vor eine wichtige Komponente für das globale Funktionieren eines sozialen Systems: Die Kooperation von einzelnen ist die Voraussetzung für Ordnung und soziale Harmonie. Deshalb kann die biologische Sichtweise zu einem erweiterten Verständnis für Politiker und Wirtschaftsfachleute bei ihrer Suche nach den wirksamsten Mitteln zur Förderung der Kooperation führen.

Die Beurteilung der Wahrscheinlichkeit eines hohen Maßes an Kooperation in großen menschlichen Gemeinschaften durch den Biologen stellt eine Mischung aus Pessimismus und Optimismus dar. Auf der einen Seite postuliert die Evolutionstheorie, daß die natürliche Auslese den einzelnen dazu bestimmt, sich dem eigenen egoistischen Interesse gemäß und nicht zum Wohle der Gemeinschaft zu verhalten, in der er lebt. Und doch ist jedem Verhaltensbiologen klar, daß Individuen häufig mit anderen zusammenarbeiten: Unter bestimmten Umständen mögen kooperative und altruistische Verhaltensweisen adaptiver sei, als egoistisches Verhalten.

In diesem Aufsatz werde ich Ergebnisse vorlegen, die zeigen, daß der menschlichen Kooperation biologische Schranken gesetzt sind, da die Evolution den Menschen dazu bestimmt hat, diskrimativ und sehr selektiv vorzugehen, wenn es um sein kooperatives Verhalten geht. Ich vertrete die

Ansicht, daß diese biologischen Schranken teilweise überwunden werden könnten, wenn man die Mechanismen für das Zustandekommen kooperativen Verhaltens manipuliert. Aus ethischer Sicht wären allerdings nicht alle Folgen einer solchen Manipulation positiv zu bewerten. Das pro und contra einer Manipulation der biologischen Mechanismen, welche die menschliche Kooperation lenken, sollte im Licht einer Reihe kultureller Werte betrachtet werden, die über die Biologie hinausreichen.

Der vorliegender Artikel ist wie folgt aufgebaut. Zuerst gebe ich einen kurzen Überblick über die Hypothesen zur Entwicklung menschlicher Kooperation, die derzeit vertreten werden. Dabei richte ich mein besonderes Augenmerk auf die Beschreibung der biologischen Schranken, die dem Zustandekommen kooperativen Verhaltens gesetzt sind. Danach konzentriere ich mich auf die Primärmechanismen, die das Zustandekommen kooperativen Verhaltens unter verschiedenen sozialen Bedingungen lenken. Als drittes werde ich einige Szenarios beschreiben, in denen solche Primärmechanismen manipuliert werden können, um ein kooperatives Verhalten auch unter solchen Umständen zustandezubringen, die diesem eigentlich entgegenzustehen scheinen. Zuletzt werde ich mich mit den ethischen Problemen auseinandersetzen, die sich in Zusammenhang mit einer Manipulation der Mechanismen ergeben, die das kooperative Verhalten bestimmen.

Die Evolution von Kooperation

Gemäß der Evolutionstheorie haben verschiedene Individuen im allgemeinen widerstreitende Interessen. Der Grund liegt darin, daß die sexuelle Reproduktion das Individuum dazu bringt, genetisch einmalig zu sein. Eine lange Geschichte genetischer Individualität bedeutet, daß Individuen evolvieren, die sich so verhalten, als ob ihre Lebensinteressen einzigartig wären (Alexander, 1987). Deshalb läßt sich aus evolutionärer Sicht erwarten, daß die Kooperation zwischen einzelnen die Ausnahme und nicht die Regel ist. Unter gewissen Umständen scheinen die Interessen verschiedener Individuen jedoch zusammenzufallen.

Arten der Kooperation

Der erste Fall liegt dann vor, wenn sich bestimmte Ziele nur (oder am besten) durch Kooperation erreichen lassen. Dann lohnt sich eine Kooperation für zwei oder mehr Individuen, denn jeder zieht daraus einen unmittelbaren Nutzen. Ethologische Studien liefern uns viele Beispiele für diese Art von Kooperation, den sogenannten »Mutualismus«: eine einzelne Löwin ist nicht sehr leistungsfähig, wenn es darum geht, ein Zebra zu erlegen, jagt sie jedoch gemeinsam mit einem anderem Weibchen, so verbessert sich ihr Jagderfolg in solchem Maße, daß die Vorteile den Nachteil überwiegen, das Fleisch der einmal erlegten Beute teilen zu müssen (Krebs und Davies, 1987). Diese Art der Kooperation hat vermutlich bei der Entwicklung der menschlichen Sozialsysteme eine entscheidende Rolle gespielt.

Kooperation in der Form des Mutualismus stellt keine Bedrohung für das Prinzip der natürlichen Auslese dar, denn die kooperierenden Individuen verbessern ihre eigene Kondition. Altruismus ist eine andere Sache. Definiert man Altruismus als ein Handeln, das darauf abzielt, die Zahl der im Leben gezeugten Nachkommen eines anderen auf Kosten des eigenen Überlebens und der eigenen Reproduktion zu erhöhen, dann sollte sich Altruismus nach dem Prinzip der natürlichen Auslese nicht entwickeln. Die moderne Evolutionstheorie liefert uns jedoch eine Erklärung für solch helfendes Verhalten, das uns altruistisch erscheint. Manchmal scheinen sich Individuen in einer Weise zu verhalten, durch die sie die Kondition anderer unmittelbar auf Kosten der eigenen Kondition fördern. Untersucht man dies jedoch von einem umfassenderen Standpunkt aus, so stellt sich heraus, daß ein offenbar altruistisches Verhalten Teil einer langfristigen egoistischen Strategie ist: es zahlt sich auf lange Sicht aus.

Der unmittelbarste Weg zur Fortpflanzung der eigenen Gene liegt für ein Individuum in der Produktion von Nachwuchs. Die Produktion von Nachwuchs ist jedoch nicht der einzige Weg, den ein Individuum einschlagen kann, um seine Gene in nachfolgende Generationen einzubringen. Auch Verwandte haben gemeinsame Gene. Der in der Natur beobachtete Altruismus spielt sich hauptsächlich zwischen nahe verwandten Individuen ab. Ein Individuum wird in den künftigen Generationen genetisch stärker vertreten sein, wenn es nahen Verwandten hilft, die aufgrund ihrer Abstammung identische Kopien der eigenen Gene in sich tragen. Der Begriff der Verwandtschaftsselektion beschreibt den Vorgang, wonach ein Verhalten wegen seiner günstigen Auswirkung auf Verwandte, wie etwa Geschwister, Nichten und Neffen oder Onkel und Tanten, bevorzugt wird. Was die Evolution betrifft, so macht es keinen Unterschied, ob man Genkopien produziert, indem man eigenen Nachwuchs großzieht oder Verwandten dabei hilft, Nachwuchs zu produzieren: welchen Weg die Gene auch nehmen, die Folge der Auslese ist eine Veränderung in der relativen Genhäufigkeit im Gen-Pool der Population (Krebs und Davies, 1987).

Nach der Theorie der Verwandtschaftsselektion nimmt der Altruismus ab, wenn der Grad genetischer Verwandtschaft geringer wird. Diese Voraussage hat sich sowohl bei der menschlichen, wie auch bei anderen Spezies bewahrheitet (Sherman und Holmes, 1985). Eine weitere Konsequenz der verwandtschaftlichen Selektionstheorie, die damit in Zusammenhang steht und für das Verständnis von Kooperation in großen menschlichen Gruppen von besonderer Bedeutung ist, liegt darin, daß Individuen aller Wahrscheinlichkeit nach die Disposition ererben, mit Hilfe derer sie andere, je nachdem wie nahe sie ihnen verwandt sind, unterschieden können (Nepotismus).

Die Selektion könnte ein altruistisches Handeln noch in anderer Weise befürworten, nämlich dann, wenn das Verhalten für den Gebenden in der Zukunft zu einer vorteilhaften Gegenleistung führt, die größer ist als die ursprünglichen Kosten. Anders als beim Mutualismus besteht beim reziproken Altruismus immer die Gefahr, daß der altruistische Akt vom Empfänger nicht erwidert wird. Trivers behauptet, daß unsere Vorfahren in unserer jüngsten Evolutionsgeschichte einer starken Selektion ausgesetzt waren, die sie eine Reihe reziproker Interaktionen entwickeln ließ. Dies sei deshalb geschehen, weil bei unseren Vorfahren alle Voraussetzungen für die Entwicklung eines reziproken Altruismus gegeben waren, wie eine lange Lebensspanne, eine niedrige Zersplitterungsrate, ein Leben in kleinen und stabilen sozialen Gruppen und die Fähigkeit, einander zu erkennen und sich an frühere Begegnungen zu erinnern (Trivers, 1985).

Alexander hat das ursprüngliche Konzept des reziproken Altruismus weiter ausgearbeitet und unterscheidet zwischen unmittelbarer Reziprozität, bei der der Hilfeempfänger selbst die Schuld zurückzahlt und mittelbarer Reziprozität, bei der andere (auch die Gesellschaft als ganzes) und nicht der Empfänger die Schuld zurückzahlen (Alexander, 1979). Unmittelbare Reziprozität berührt Reputation und Status und führt dazu, daß der einzelne in seiner sozialen Gruppe aufgrund seiner Interaktionen durch Leute, mit denen er in der Vergangenheit interagiert hat oder mit denen er möglicherweise noch in Interaktion treten wird, laufend beurteilt und wieder neu beurteilt wird (Alexander, 1987).

Grenzen der Kooperation

Aus genetischer Sicht mag es eine falsche Wahl sein, zu kooperieren. Deshalb haben sich bestimmte Schranken herausgebildet, um der Gefahr entgegenzuwirken, daß sich ein Individuum wahllos auf kooperatives Verhalten einläßt.

Von den drei oben skizzierten Arten der Kooperation (Mutualismus, Nepotismus und Reziprozität), erfordert der Mutualismus das geringste Maß an Unterscheidungsfähigkeit, da die Rückzahlung unmittelbar erfolgt. Bei dieser Art sozialer Kooperation kann es zu kurzen Interaktionen zwischen Parteien kommen, die sich kaum kennen oder die hinterher wahrscheinlich nicht wieder interagieren werden. Die meisten sozialen Transaktionen erfordern jedoch eine viel größere Bindung und Verpflichtung, weil sie lange Verzögerungen (z. B. bei langfristigen Zielen) und komplexe Austauschvorgänge mit sich bringen. Bei nepotistischen Interaktionen liegt die Belohnung des Altruisten im genetischen Bereich, und das Hauptproblem liegt in der Unterscheidung zwischen Verwandten und Nicht-Verwandten. In modernen Nationen ist die Wahrscheinlichkeit einer Interaktion mit Nicht-Verwandten bedeutend größer als in kleinen Gruppierungen, in denen die Menschen die längste Zeit ihrer Evolutionsgeschichte lebten. Bei der Reziprozität liegt das Hauptproblem für den Altruisten darin, sicherzustellen, daß er die Gegenleistung erhält. Dies wird dann am ehesten der Fall sein, wenn die Interaktionen häufig sind, denn in der Frühphase der Beziehung kann der Altruist auf eine fehlende Erwiderung dadurch antworten, daß er künftige Hilfsleistungen unterläßt. Die Wahrscheinlichkeit, eine entsprechende Gegenleistung zu erhalten ist um so höher, je geringer das Maß an sozialer Instabilität und je kleiner die soziale Gruppe ist, und umgekehrt. Um es nochmals zu sagen, die großen politischen Gruppen unterscheiden sich beträchtlich von den kleinen und stabilen sozialen Gruppen, die der Entwicklung der Reziprozität bei den frühen Menschen Vorschub geleistet haben.

Die unmittelbare Reziprozität funktioniert unter solchen sozialen Gegebenheiten am besten, bei denen der moralischen Beurteilung der persönlichen Reputation ein hoher Stellenwert zukommt und den Mitgliedern der Gemeinschaft die Möglichkeit gegeben wird, andere laufend zu beurteilen. Eine solche Beurteilung ist in modernen Gesellschaften viel schwieriger als in kleinen Gruppen mit einer geringen Zersplitterungsrate. Betrüger werden durch ein Sozialsystem begünstigt, daß es ihnen erlaubt, rasch die Interaktionspartner zu wechseln.

Kooperation aus evolutionärer Sicht

Eine evolutionäre Betrachtung der Kooperation legt die Vermutung nahe, daß sich altruistische Dispositionen in der Biologie der menschlichen Spezies herausgebildet haben. Eine positive Folgerung der evolutionären

Sichtweise besagt, daß der Mensch nicht von Natur aus egoistisch ist und daß man es dem Menschen nicht unbedingt erst beibringen müsse, sich kooperativ zu verhalten. Auf der anderen Seite zeigt die evolutionäre Sichtweise auch ganz deutlich, daß sich bestimmte Schranken herausgebildet haben, um der Gefahr entgegenzuwirken, daß sich der einzelne wahllos auf kooperatives Verhalten einläßt.

Es sollte noch erwähnt werden, daß die obige Analyse der Entwicklung von Kooperation bei der menschlichen Spezies auf der individuellen Selektionstheorie basiert, die heute die gängigste Theorie ist, um die Entwicklung altruistischen Verhaltens bei Tieren zu erklären. Nicht alle Evolutionsbiologen sind sich jedoch darüber einig, ob dieses theoretische Modell auch auf die Entwicklung altruistischen Verhaltens beim Menschen anzuwenden ist. In der Diskussion über die Evolution menschlicher Ethik behauptet Mayr, daß kulturelle Gruppenselektion Altruismus ebenso wie andere Tugenden, die die Gruppe selbst auf Kosten einzelner Individuen stärken, bevorzugen könnte: »Die Bedeutung einer Schwerpunktverlagerung von der Verwandtschaftsmoral zur Ethik ist ein Schritt in der menschlichen Evolution, der bisher nicht ausreichend hervorgehoben wurde« (Mayr, 1988: 78). Diese Hypothese, selbst wenn ihr heuristischer Wert zugeschrieben werden kann, wird im vorliegenden Artikel nicht weiter erörtert.

Primärursachen kooperativen Verhaltens

Primärmechanismen in Gegenüberstellung zu Endzielen

Um die Dynamik der menschlichen Kooperation verstehen zu können, ist es von entscheidender Bedeutung, zwischen Primärmechanismen und Endzielen zu unterscheiden.

Zu den Primärmechanismen zählen diejenigen äußeren und inneren Faktoren (physiologischer, psychologischer und verhaltensmäßiger Natur), die ein Individuum veranlassen, sich auf eine bestimmte Weise zu verhalten. Primärmechanismen werden durch spezifische Reize aus der Umgebung aktiviert, die mit der inneren Bedingung des Individuums interagieren. Diese innere Bedingung determiniert den Grad der Reaktion eines Individuums auf die äußeren Reize. Endziele sind diejenigen Ereignisse oder Umstände, die zu den Überlebenschancen und dem reproduktiven Erfolg eines Individuums beitragen. Um ein Endziel zu erreichen muß sich das Individuum auf eine bestimmte Weise verhalten. Dies wird dadurch ermöglicht, daß spezifische Primärmechanismen ausgelöst werden, die das Individuum dazu bringen, »die richtige Wahl« zu treffen.

In der natürlichen Umgebung war die Verbindung zwischen Primärmechanismen und Endzielen in hohem Maße vorhersagbar. Folglich war es wahrscheinlich, daß die Reize, welche die Primärmechanismen auslösten und die Verhaltensvorgänge, welche aufgrund dieser Aktivierung erfolgten, schließlich zu den Ereignissen führten, die den Endzielen entsprachen. Nehmen wir das Fütterungsverhalten als Beispiel. In der natürlichen Umgebung war die Selektion von süß schmeckenden Nahrungsmitteln adaptiv, da dies der Aufnahme kalorienreicher Nahrung entsprach. Durch künstliche Manipulation lassen sich jedoch die beiden Vorgänge (das Essen von Süßem und das Aufnehmen von Kalorien) voneinander abkoppeln, etwa bei Nahrungsmitteln, die kalorienfreie Süßstoffe enthalten. Dies ist möglich, da Organismen durch natürliche Auslese im allgemeinen dazu bestimmt worden sind, eher auf solche Hinweise zu achten, die eng mit den Endzielen (etwa Süße) verbunden sind, als auf die Endziele selbst (etwa den Kaloriengehalt).

Ich habe den Unterschied zwischen Primärmechanismen und Endzielen dargestellt, um deutlich zu machen, daß wir darauf programmiert sind, gegenüber solchen Individuen altruistisch zu sein, die spezifische Merkmale aufweisen.

Der Primärmechanismus der Kooperation

Welche Reize und Primärmechanismen bestimmen das kooperative Verhalten bei Menschen?

Die Theorie der Verwandtschaftsselektion fordert, daß ein Individuum sich je nach Verwandtschaftsgrad gegenüber anderen unterschiedlich zu verhalten hat, was dazu führen könnte, den Verwandtschaftsgrad zu anderen einzuschätzen. Wie gelingt das? Sozialbiologische Studien haben gezeigt, daß bei nichtmenschlichen Spezies das Erkennen von Verwandtschaftszugehörigkeit mit Hilfe verschiedener Mechanismen erfolgt. Es gibt Hinweise dafür, daß einige dieser Mechanismen auch bei unserer Spezies wirksam sind. Bedenkt man, daß bei den frühen Menschen wahrscheinlich eine enge Verbindung zwischen Verwandtschaftsselektion und Reziprozität bestand (Alexander und Borgia, 1978), so folgt daraus, daß sich die Primärmechanismen, die diese beiden Formen der Kooperation zustande bringen, großenteils überlappen. Eine kurze Darstellung dieser Mechanismen findet sich nachstehend (Krebs, 1987).

Phänotypisches Zusammenpassen setzt die Disposition voraus, jenen Individuen zu helfen, die ein phänotypisches Merkmal besitzen, das zu einem Merkmal des Helfenden oder seiner Verwandten paßt. Dieser Mechanismus erfordert, daß das Individuum lernt, einen unterscheidenden Aspekt seines eigenen Phänotypus (oder des Phänotypus seiner Verwandten) zu erkennen und diejenigen, die diesen besitzen, bevorzugt zu behandeln. Experimente mit Affen weisen darauf hin, daß diese in der Lage sind, phänotypisch zu ihnen passende Partner zu finden, wobei sie sich selbst als Modell dienen. Junge Makis, die fern ihrer Familienangehörigen großgezogen wurden, betrachteten ihre ihnen unbekannten Halbgeschwister länger und näherten sich ihnen öfter als ihnen unbekannte nicht-verwandte Tiere (Wu *et al.*, 1980). Es gibt zahlreiche Hinweise darauf, daß Menschen jene bevorzugen, die ihnen in vielerlei Hinsicht ähnlich sind. Ähnlichkeit ist mit interpersonaler Anziehung (Bersheid und Walster, 1978) und helfendem Verhalten (Krebs und Miller, 1985) positiv assoziiert. Wir scheinen darauf programmiert zu sein, Ähnlichkeit als genetische Verwandtschaft zu interpretieren und bereit zu sein, uns in altruistischer Weise für Verwandte einzusetzen.

Unter auf Assoziation basierender Präferenz versteht man die Tendenz, als Individuum diejenigen zu begünstigen, mit denen man vertraut ist. Vertrautheit kann von frühen Erfahrungen oder späterer extensiver sozialer Interaktion herrühren. Bei unserer Spezies ist Vertrautheit eng mit prosozialem Verhalten verknüpft. Es ist nachgeweisen worden, daß allein die Konfrontation mit einem anderen, und sei es durch wiederholtes Betrachten von Photographien, seine Attraktivität steigert und die Wahrscheinlichkeit erhöht, daß ihm Hilfe gewährt wird (Baer *et al.*, 1977).

Ein anderer Mechanismus, der das Zustandekommen helfenden Verhaltens begünstigt, ist die ortsbezogene Präferenz. Viele Tiere befolgen die Regel »hilf allen, die einen bestimmten räumlichen Bereich bewohnen«, wenn es darum geht, den potentiellen Empfänger eines altruistischen Aktes zu beurteilen. Vertrautheit und ein gemeinsames Wohngebiet stehen eindeutig in Zusammenhang. Sozialpsychologen haben wiederholt berichtet, daß Menschen dazu neigen, diejenigen zu begünstigen, mit denen sie häufig Umgang haben.

Es ist wahrscheinlich, daß unsere Vorfahren sich nach phänotypischem Zusammenpassen, Vertrautheit und räumlichem Bereich richteten, um zwischen verwandt und nicht-verwandt zu unterscheiden, wobei diese Primärmechanismen in der Umwelt, in der sie lebten, in hohem Maße mit genetischer Verwandtschaft verknüpft waren. In großen politischen Gruppen sind die Verwandtschaftsgrade praktisch zwischen allen Mitgliedern nahezu gleich Null. Es steht daher zu erwarten, daß es zwischen den einzelnen zu Konflikten über die Aufteilung der Ressourcen kommt. Wegen des Unterschieds zwischen Primärmechanismen und Endzielen sind die psychologischen und verhaltensmäßigen Programme, die zu menschlicher Kooperation führen, jedoch nicht narrensicher. Mechanismen, die in einer früheren Umgebung wirksam waren, könnten in der gegenwärtigen Umwelt weiterhin aktiviert werden, wenngleich sich die Umstände, die zu ihrer Ausbildung führten, drastisch geändert haben. Die Fehlbarkeit solcher Mechanismen ebnet den Weg für die Art von Manipulation, die künstliche Kooperation begünstigen kann, d. h. eine Kooperation, die biologisch gesehen ein Fehler ist, die wir aber aus sozialen Gründen für förderungswürdig halten.

Die Manipulation von Primärmechanismen

Dank seiner Kultur ist der Mensch als einzige Spezies in der Lage, sich soziale Ziele zu setzen und die Gesellschaft gemäß diesen Zielen zu planen. Das eröffnet nie dagewesene Chancen, birgt aber auch Gefahren. Wir könnten uns entschließen, die Mechanismen, die altruistisches Verhalten lenken, zu manipulieren, um die Kooperation in politischen Großgruppen zu fördern. Wenngleich nicht alle Folgen einer solchen Entscheidung negativ wären, so sollten doch einige der möglichen Gefahren in Augenschein genommen werden.

Wir sind beispielsweise in der Lage, die Primärmechanismen zu manipulieren, die mit dem phänotypischen Zusammenfinden zu tun haben. Zieht man in Betracht – und vieles spricht dafür – daß Rassendiskriminierung möglicherweise mit dem Erkennen physischer Merkmale zusammenhängt, die sich aus dem ethnischen Erbe ergeben, so könnte man daran denken, sogar die ererbten physischen Merkmale, wie Hautfarbe, Nasenform oder Haartypus zum Gegenstand möglicher Manipulation zu machen. Ich hoffe allerdings, daß nicht einmal die glühendsten Verfechter sozialer Utopien eine solche Möglichkeit ernsthaft in Betracht ziehen. Im Unterschied dazu werden in unserer Gesellschaft bereits umweltbedingte Quellen der Ähnlichkeit, wie Sprache, Bekleidungsstil und soziale Gewohnheiten einer bewußten oder unbewußten Manipulation unterworfen. Die überwiegende Kultur hat im allgemeinen Modellcharakter und man verlangt von Personen mit anderem kulturellen Hintergrund, daß sie sich diesem Modell anpassen, um sich besser sozial integrieren zu können.

Auch die Primärmechanismen, die sich auf Vertrautheit beziehen, haben bereits wichtige Veränderungen erfahren und sind weiterer Manipulation ausgesetzt. Die wachsende Mobilität, die auf die Entwicklung der Transportmittel zurückzuführen ist, hat in der jüngsten Vergangenheit dazu geführt, daß der einzelne sich mit immer größerer Wahrscheinlichkeit unbekannten Individuen ausgesetzt sieht. Ein Quantensprung in der Förderung kulturellen Austausches wurde allerdings dadurch bewirkt, daß dank des technologischen Fortschritts aktuelle Informationen von Millionen Menschen gleichzeitig erfaßt werden können. Kommunikation durch die Massenmedien scheint ein ideales Mittel zu sein, um die Barrieren zwischen verschiedenen kulturellen und ethnischen Gruppen abzubauen. Besonders visuelle Kommunikationsmedien, wie das Fernsehen können jene psychologischen Reaktionen auslösen, zu denen es in der Vergangenheit nur durch unmittelbare soziale Interaktion kam. Das Konzept des »globalen Dorfes« ist ein exzellentes Beispiel dafür, wie schnelle und kontinuierliche Kommunikation die physische Grenzen überwindet, ein Zusammengehörigkeitsgefühl zu begünstigen vermag.

Eine Gefahr dieser enormen Möglichkeiten zur Informationsverbreitung liegt darin, daß diese auch zur Indoktrination eingesetzt werden könnten. Das globale Dorf könnte sich tatsächlich in den »Big Brother« Huxleys verwandeln. Die Gefahr eines Mißbrauchs besteht vor allem bei solchen Informationen, die auf eine Förderung der Kooperation entfernt lebender Menschen abzielen, da sie, um effektiv zu sein, auf das Hervorrufen emotionaler Reaktionen und weniger auf die Stimulierung rationaler Erwägungen angelegt sein müssen. Eine zweite Gefahr ist darin zu sehen, daß ein Preis für die stärkere Kooperation der Verlust wertvoller Diversität zwischen einzelnen und Gruppen sein könnte. Der Prozeß der sozialen Integration könnte individualistische Werte zugunsten einer nicht unterscheidenden Loyalität gegenüber der Massengesellschaft ins Hintertreffen bringen. Als Folge davon könnten die sozialen Entwicklungen, die in den utopischen Romanen von G. Orwell und A. Huxley porträtiert werden, Wirklichkeit werden (Eibl-Eibesfeld, 1989). Wir halten kulturelle Vielfalt für wertvoll. Es ist interessant, daß die Evolutionstheorie auf einer anderen Ebene diese Wertung bestätigt: Das Leben strebt nach Diversität und die Variabilität zwischen Individuen ist von entscheidender Bedeutung für die Aufrechterhaltung des evolutionären Potentials.

Aus der in diesem Aufsatz entwickelten Evolutionsanalyse wird der Leser vermutlich den Schluß ziehen, daß wir uns nach dem Auflösen der Grenzen dem Dilemma gegenübersehen, daß Kooperation und Diversität im Widerstreit liegen. Nicht alle Biologen sind allerdings so pessimistisch, wie die deutlich suggestiven Worte von Eibl-Eibesfeldt veranschaulichen: »Gewiß lernen wir es, vor allem diejenigen zu lieben und zu achten, die wir persönlich kennen. Wenn sich unsere Fähigkeit zu lieben und zu vertrauen jedoch erst einmal in einer indivuellen Gruppe entwickelt hat, so sind wir auch in der Lage, uns emotional mit solchen Gruppenmitgliedern zu verbinden, die wir nicht kennen, indem wir uns mit ihnen identifizieren ... Mit anderen Worten, individualistische Werte und persönliche Bindungen stehen der Loyalität gegenüber der größeren Gesellschaft keineswegs entgegen. Sie sind vielmehr deren Voraussetzung« (Eibl-Eibesfeld, 1989: 663). Ich hoffe von ganzem Herzen, daß Eibl-Eibesfeldt recht behält.

Schlußbetrachtung

Die Mechanismen menschlicher Kooperation haben sich in kleinen und stabilen sozialen Gruppen herausgebildet, in denen die unmittelbare Transaktion zwischen Verwandten und Bekannten die Regel war. Wenn wir die Ebene der kleinen Gruppierungen verlassen und uns weiterbewegen zu höheren Organisationsebenen, kommt es zu einer grundlegenden Änderung: genetische Verwandtschaft, physiche und kulturelle Ähnlichkeit und Vertrautheit nehmen ab, während die Gefahr sozialer Konflikte zunimmt. Eine Möglichkeit, diese biologischen Schranken zu überwinden, liegt in der Manipulation der Mechanismen, die das Zustandekommen kooperativen Verhaltens steuern. Die Förderung eines Zusammengehörigkeitsgefühls durch Identifikation mit der Gruppe, die Minimierung kultureller Vielfalt und eine wachsende Vertrautheit durch beständigen Informationsaustausch können dabei helfen, die psychologischen und verhaltensmäßigen Programme zu aktivieren, die sich herausgebildet haben, um die Kooperation unter den für die frühen Menschen typischen sozialen Bedingungen zu fördern.

Das Pro und Contra solcher Manipulationsanwendung sollte allerdings berücksichtigt werden. Macht man von dieser Möglichkeit Gebrauch, so ergibt sich das ethische Problem, daß wertvolle individuelle und gruppenspezifische Unterschiede eliminiert würden, um die Kooperation voranzutreiben, was zu einer anonymen Massengesellschaft führen würde.

Verhaltensbiologie, Zukunftsbewertung und wirtschaftliche Leistung

Michael T. McGuire

Überall in Europa herrschen unterschiedliche und oftmals unbeständige wirtschaftliche und politische Zustände. In Jugoslawien muß man aufgrund der wirtschaftlichen, ideologischen und ethnischen Geschichte zwischen Serben, Kroaten und Slowenen unterscheiden. In Rumänien, der Tschechoslowakei, Bulgarien, den Sowjetrepubliken und den »zwei« Deutschlands sind Bürokratie und Industrie in unterschiedlichem Maße ausgereift. Auch zwischen den westeuropäischen Ländern, die sich auf gleicher Entwicklungsstufe zu befinden scheinen, und innerhalb derselben findet man erhebliche Unterschiede. So haben beispielsweise Sizilien, die Toskana, Schottland, England, Holland, Portugal und Griechenland ihre eigenen Rechtssysteme und individuelle Rechtsgeschichte, sie gehen alle unterschiedlich mit politischen und wirtschaftlichen Systemen um.

Innerhalb der nächsten 20 Jahre werden die Länder Europas eine unüberschaubare Anzahl politischer, wirtschaftlicher und rechtlicher Entscheidungen treffen. Einige dieser Entscheidungen werden zu erfreulichen Ergebnissen führen, andere nicht. In vielen Fällen werden die unerwünschten Entscheidungen das wirtschaftliche Wachstum einschränken, zu einer Verschwendung von Ressourcen führen und die öffentliche Unzufriedenheit schüren. Angesichts dieser Situation mag sich ein Biologe fragen: »Kann die Biologie unser Verständnis menschlichen Verhaltens bis zu einem Grade erhellen, daß weniger unerwünschte Entscheidungen gefällt werden?« Ich glaube, man kann diese diese Frage mit einem »Ja« beantworten. Diese Antwort gründet sich großenteils darauf, daß die Biologie Erkenntnisse liefert, die uns zeigen, wie die Menschen ihre Zukunft einschätzen und wie diese Einschätzung ihr Verhalten beeinflußt.

Danksagung
Mein Dank gilt Damon de Laszlo, Wolfgang Fikentscher, Robert Frank, Margaret Gruter, Mark Jones, Roger Masters und Terrence McGuire für ihre Kommentare zu früheren Entwürfen dieses Manuskripts sowie Toby-Ann Cronin für ihre Hilfe bei der Manuskriptvorbereitung.

Die Zukunftsbewertung

Der Begriff *Zukunftsbewertung* (Z_b), bezieht sich auf einen gefühlsmäßigen/kognitiven Zustand im Hinblick auf künftige Ereignisse. Ihre Bedeutung liegt in ihrer engen Verknüpfung mit dem Verhalten. Wird die Zukunft gut eingeschätzt, so verhalten sich die Menschen auf eine bestimmte Art. Wird sie nicht gut eingeschätzt, so verhalten sie sich anders. Die Art der Zukunftsbewertung ist natürlich nicht der einzige Faktor, der das Verhalten der Menschen beeinflußt. In ganz Europa stellt sie jedoch einen wichtigen Faktor dar, der im allgemeinen von Wirtschaftswissenschaftlern, Politikern und Juristen übersehen wird.

Z_b unterscheidet sich von dem, was man üblicherweise als »Antizipation« und »Erwartung« bezeichnet und auf die Vorhersage spezifischer künftiger Ereignisse hinweist. Z_b ist eine persönliche Sichtweise, in der sich Dinge widerspiegeln, wie der eigene Erfolg bei der Erreichung biologischer Ziele und die Einschätzung des Verhaltens anderer. Z_b läßt sich auch von »Hoffnung«, »Optimismus« und dem wirtschaftlichen Begriff der »Nützlichkeit« unterscheiden, wenngleich allen diesen Termini gemeinsame Züge anhaften. Hoffnung und Optimismus sind zukunftsbezogene Gefühlszustände, die mit spezifischen Ereignissen verknüpft sind, sie unterscheiden sich jedoch in halbunabhängiger Weise von der Z_b. Nützlichkeit, die sich auf eine bevorzugende Einschätzung bestimmter Produkte bezieht, mag zwar die Zukunft mit in Betracht ziehen, jedoch nur in einer sehr allgemeinen Weise (Cooter und Ulen, 1988). Der Begriff ist deshalb in dieser Diskussion nur von begrenztem Nutzen. Zwei Personen können zwar verschiedene $Z_b$en haben, aber doch hinsichtlich antizipierter, erwarteter oder erhoffter Ereignisse übereinstimmen: eine Senkung der Zinsraten für bevorzugte Kreditgeber wird zu verstärkten Kreditaufnahmen führen. Bei sonst gleichen Voraussetzungen wird eine Person mit hoher Z_b wahrscheinlich einen Kredit aufnehmen, während eine Person mit niederer Z_b dies wahrscheinlich unterlassen wird.

Die Z_b setzt sich aus einer Reihe von Faktoren zusammen:

- *Das reproduktive Endpotential lebender Verwandter*:
  grundsätzlich gilt, je größer die Zahl lebender und potentiell reproduktiver Verwandter, um so besser die Z_b.
- *Eine Einschätzung der eigenen Fähigkeit, das Wohlergehen und den reproduktiven Erfolg lebender und noch nicht geborener Angehöriger zu*

beeinflussen: je größer die eigene Fähigkeit zur Einflußnahme, um so besser die Z_b.
- *Unmittelbare Reziprozität*: je öfter man Verwandten und Freunden hilft und einem in Zusammenhang damit selbst wiederum geholfen wird, um so besser die Z_b.
- *Mittelbare Reziprozität*: mittelbare Reziprozität ist dann gegeben, wenn eine Person sich so verhält, daß sie anderen, die ihr vielleicht unbekannt sind, nützt. Je öfter jemand ein solches Verhalten zeigt und Nutznießer mittelbarer Reziprozität durch andere wird, um so besser seine Z_b.
- *Persönliches Überleben*: die Z_b sinkt im Falle ernsthafter Erkrankungen.
- *Unterkunft, Lebensqualität und die Vorhersehbarkeit und Verfügbarkeit des täglichen Bedarfs*: steigt die Vorhersehbarkeit und/oder Verfügbarkeit dieser Dinge, so verbessert sich die Z_b.
- *Sozialer Status*: ein hoher Status verbessert im allgemeinen die Chancen, sich Ressourcen anzueignen und Ereignisse zu beeinflussen. Je höher der soziale Status, um so besser die Z_b.
- *Religiöse, ethnische und kulturelle Anschauungen*: die verschiedenen Religionen, ethnischen Gruppen und Kulturen beurteilen die Zukunft unterschiedlich. Diese Anschauungen können die Z_b verbessern oder verschlechtern.
- *Die eigene Beurteilung der Regierung*: die eigene Ansicht über Fairneß und Seriosität der Regierung im Hinblick auf die Bedürfnisse der Bürger, die Ressourcengleichheit und die Behandlung von Umweltproblemen. Je mehr Fairneß und Seriosität man erkennt, um so besser ist die Z_b.
- *Die eigene Beurteilung der Gesetze und der Art, wie diese durchgesetzt werden*: wenn jemand das Gefühl hat, daß das Rechtssystem fair ist und wirksam angewendet wird, so ist seine Z_b gut. Die Z_b verschlechtert sich bei denjenigen, die das Gefühl haben, auf ungerechtfertigte Weise ausgeschlossen zu sein.[1]

Manche der oben genannten Punkte sind so abgefaßt, als würde es einen absoluten Maßstab für sie geben, während häufig eher ein relativer Maßstab anzuwenden ist. Der soziale Status ist am deutlichsten durch die Art der Eingebundenheit in die eigene Bezugsgruppe zu erkennen und ist weniger als absoluter Maßstab zu sehen.

[1] Frank (1992), vgl. S. 217 bis S. 239 dieses Buches: Menschliche Natur und Wirtschaftspolitik: Lektionen für Osteuropa.

Mit Hilfe der genannten zehn Punkte läßt sich eine zwingende Argumentation aufbauen, denn die ersten sieben Punkte sind Produkte unserer Evolutionsgeschichte. Analoge (vielleicht homologe) Verhaltensweisen kennt man bei nahe verwandten nichtmenschlichen Spezies (beispielsweise Schimpansen). Buchstäblich alle obengenannten Verhaltensweisen fanden sich bei sämtlichen gründlich studierten menschlichen Gesellschaften. Darüber hinaus gibt es gute theoretische Gründe für die Annahme, daß diese Verhaltensweisen durch natürliche Auslese geformt oder neugeformt wurden, daß sie in starkem Maße prädisponiert sind und für diese Prädispositionen in erster Linie genetische Informationen verantwortlich sind.

Behauptet man, daß genetische Informationen das Verhalten beeinflussen, hieße dies in der Tat, daß Menschen mit einer hohen Wahrscheinlichkeit in die Welt kommen, bestimmte Verhaltensweisen an den Tag zu legen und keine anderen. Wie alle für eine Spezies typischen Verhaltensweisen sind prädisponierte Verhaltensweisen bei praktisch allen Angehörigen der Spezies vorhanden und lassen sich leicht beobachten. Diese Verhaltensweisen variieren in ihren Einzelheiten oft von Kultur zu Kultur. So unterscheiden sich in Deutschland, im Irak und in Angola beispielsweise die kulturellen »Regeln« für die Unterstützung anderer, die Art der Hilfe, die angeboten werden sollte und den Zeitrahmen, innerhalb dessen die Hilfe zu erwidern ist. Und dennoch haben alle Kulturen Regeln für Hilfe und Wechselwirkung. Wie bei anderen Spezies auch gibt es hinsichtlich der Stärke prädisponierter Verhaltensweisen Unterschiede von Individuum zu Individuum. Einige Menschen stehen ihr Leben lang in Wechselwirkungen, andere nur ab und zu. Diese Unterschiede sollen im Rahmen dieser Diskussion jedoch außer Acht gelassen werden.

Genetische Informationen sind nicht die einzige Grundlage für die Z_b. Auch die soziale Umgebung, die Regierung und die Rechtssysteme nehmen Einfluß. Lebt man in einem sozialen Umfeld, in dem es nur unregelmäßig zu mittelbarer Wechselwirkung kommt und ist die Regierung korrupt, so wird man die Zukunft anders beurteilen, als wenn man regelmäßig indirekte Reziprozität erlebt und die Regierung seriös und fair ist. Die beiden letztgenannten Punkte aus der obigen Liste (die eigene Beurteilung der Regierung und die eigene Beurteilung der Rechtssysteme) sind zwar nicht unmittelbar an genetische Informationen geknüpft, sie sind aber deshalb von besonderem Interesse, weil sie durch staatliche und rechtliche Haltungen und Verhaltensweisen beeinflußt werden können.

Für den einzelnen mag man die zur Z_b beitragenden Faktoren additiv betrachten, wobei sich die Summe der Faktoren tabellarisch anhand eines

Kontinuum darstellen läßt (von hoher Z_b bis zu niederer Z_b). Hohe und niedrige Werte interagieren mit Verhaltensweisen innerhalb und außerhalb der Verwandtschaft, wie Abbildung 1 zeigt.

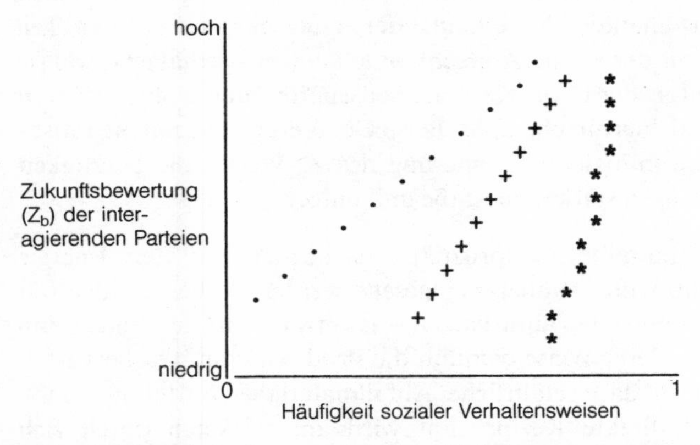

Abb. 1: Häufigkeit des nepotistischen Verhaltens und zweier weiterer Arten sozialen Verhaltens in bezug auf die Zukunftsbewertung (Z_b). **** = nepotistisches Verhalten; + + + + = unmittelbar reziprokes Verhalten; .... = mittelbar reziprokes Verhalten.

Abbildung 1 stellt die Veränderungen in der Häufigkeit dreier sozialer Verhaltensweisen in Beziehung zu verschiedenen Z_b-Werten dar. Die Linien beziehen sich auf nepotistisches, direkt reziprokes und indirekt reziprokes Verhalten. Die Abbildung geht davon aus, daß die »kausalen« Beziehungen zwischen den Variablen in zwei Richtungen wirken. Steigt beispielsweise bei einem wachsenden Z_b-Wert auch die Häufigkeit indirekterer Reziprozität und umgekehrt gilt: steigt die Häufigkeit indirekterer Reziprozität, so wächst auch der Z_b-Wert.

Von den drei in Abbildung 1 dargestellten Verhaltensweisen, ist das nepotistische oder verwandtschaftsbegünstigende Verhalten am wenigsten anfällig für Veränderungen der Z_b. Verwandte bleiben einander wichtig und sie investieren in breitem Umfang und in relativ konstantem Maße Zeit, Energie und Ressourcen in ihre Angehörigen, unabhängig vom jeweiligen Z_b-Wert. Einige Attribute der Verwandtschaft (Anzahl, altersmäßige Verteilung, Geschlecht, Gesundheit, Reproduktionspotential, Verwandtschaftsgrad) sind die Variablen, welche die Z_b beeinflussen. Unter gewissen Umständen kann das Ausmaß menschlicher Investition in Verwandte von dem Maß abhängen, in welchem helfendes Verhalten gegenüber Nicht-Verwandten an den Tag gelegt wird.

Unmittelbare (direkte) Reziprozität bezieht sich auf reziproke Hilfe, wenn also zwei Personen einander einen Gefallen erweisen, wobei diese Hilfe zeitversetzt stattfindet. Bei wirtschaftlichen Interaktionen liegt direkte Reziprozität dann vor, wenn die Firma A ihre Produkte zu ermäßigten Preisen an den Großhändler X verkauft, der seinerseits den größten Teil seines Geschäftes mit der Firma A macht. »Gefälligkeitsguthaben«, wie sie unter Vorstandsmitgliedern von Kapitalgesellschaften und Politikern weit verbreitet sind, sind hierfür ebenfalls Beispiele. Verglichen mit nepotistischem Verhalten beeinflussen Veränderung des Z_b-Wertes die Häufigkeit reziproken Verhaltens in stärkerem Maße und umgekehrt.

Unter mittelbarer (indirekte) Reziprozität versteht man, daß Zeit, Energie und Ressourcen zum Nutzen anderer eingesetzt werden, wobei die Identität der anderen nicht immer bekannt ist. Dies ist etwa dann der Fall, wenn jemand sich in besonderer Weise bemüht, die Produktqualität sicherzustellen oder dafür sorgt, daß gefährliche Abfallmaterialien ordnungsgemäß entsorgt werden. Indirekte Reziprozität wird am stärksten durch sich verändernde Z_b-Werte beeinflußt, wobei ein niedriger Wert eine deutliche Verminderung dieses Verhaltens nach sich zieht.

Jede der in Abbildung 1 dargestellten Verhaltensweisen hat wirtschaftliche Folgen. Nepotismus wirkt sich dabei wahrscheinlich am geringsten aus, wenngleich exzessive Vetternwirtschaft, wie sie manchmal in Familienunternehmen zu beobachten ist, Kontrolle über wertvolle Ressourcen und/oder politischer Einfluß wirtschaftliche Veränderung und Wachstum einschränken können. Direkte reziproke Beziehungen können wirtschaftliche Aktivitäten und Wachstum entweder fördern oder einschränken. Eine Förderung ist beispielsweise dann gegeben, wenn Vertragspartner einander vertrauen und die Kosten einer Transaktion reduziert werden. Zu Einschränkungen kann es leicht kommen, wenn monopolistische Praktiken, selektive Systeme für Geschäftbeziehungen oder voreingenommene Kaufpraktiken eher die Regel als die Ausnahme darstellen. Mittelbare Reziprozität hat subtilere Auswirkungen und beeinflußt, wie bereits erwähnt, die Bereitschaft des einzelnen, die Produktqualität aufrecht zu erhalten, gefährlichen Abfall ordnungsgemäß zu entsorgen und sich an die ethischen Normen zu halten, welche die Geschäftpraktiken bestimmen.

Die in Abbildung 1 dargestellten Zusammenhänge lassen sich anhand des Beispiels der Mediterranean Basin Initiative veranschaulichen, einer Initiative, die ins Leben gerufen wurde, um die Umweltbedingungen im Mittelmeer zu verbessern. Diese von allen ans Mittelmeer grenzenden Ländern

»befürwortete« Bemühung, hat meßbare Verhaltensänderungen bei den einzelnen, bei Gruppen und Nationen bewirkt. Die Teilnahme an dieser Initiative wurde sogar dann fortgesetzt, als einige der Mitgliedsländer einander den Krieg erklärt hatten. Trotz ihrer Differenzen und Konflikte haben die ans Mittelmeer grenzenden Länder erkannt, daß die Handlungen eines Einzellandes unmittelbar die Umweltqualität und die wirtschaftliche Produktivität der Nachbarländer beeinflussen und daß gemeinsame Anstrengungen besser als individuelle Bemühungen geeignet sind, die gewünschten Umweltverbesserungen zuwege zu bringen.

Bei den Teilnehmern ließ sich sowohl unmittelbare wie auch mittelbare Reziprozität deutlich beobachten. Einige Länder teilten Mittel und Fach-Kontrolle der Meeresverschmutzung und die Überwachung der Umwelt. Immer mehr Öltransportschiffe halten sich an bestimmte Be- und Entladevorschriften. In Griechenland wird derzeit eine Kläranlage errichtet. Das Abladen giftiger Chemikalien wurde eingeschränkt. Für Fischerei, Urlaubssport und in ästhetischer Hinsicht hat sich die Qualität in diesem Meeresbecken gebessert. Die Tatsache, daß es fast zwei Jahrzehnte in Anspruch nahm, einige Länder für die aktive Teilnahme an dieser Initiative zu gewinnen, vermittelt uns einen guten Anhaltspunkt für das Zeitmaß, das erforderlich ist, um komplexe multi-nationale Projekte in die Tat umzusetzen. Als Nutzeffekt dieser Bemühungen stieg jedoch die Z_b bei denjenigen Menschen, deren Leben unmittelbar vom Verschmutzungsgrad des Mittelmeeres abhängt, in beträchtlichem Maße.

Wenn eine hohe Z_b mit der Häufigkeit sozial kooperativen Verhaltens zusammenhängt, so hängt eine niedrige Z_b mit steigendem Wettbewerb um Ressorcen, mit Täuschungsverhalten, Mißtrauen und spezifischen wirtschaftlichen Konsequenzen zusammen. Diesen Zusammenhängen wollen wir in den Abbildungen 2 und 3 nachgehen.

Abbildung 2 zeigt den Zusammenhang zwischen dem Wert von Ressourcen und der Bereitschaft, bei hoher oder niedriger Z_b um diese zu wetteifern. Wettbewerb ist definiert als das Maß an Zeit, Anstrengung und Mitteln, das ein Wettbewerbsteilnehmer bei einer bestimmten Begegnung einsetzt, um an eine Ressource zu gelangen (z. B. Wasser, Nahrungsmittel, Behausung, Einfluß, Geld, Kunst, etc.).

Betrachtet man zunächst die Erkenntnisse aus Studien an nichtmenschlichen Spezies, so kann von dem Maß, in dem sich Tiere unter bestimmten Bedingungen auf Wettbewerb einlassen, auf eine Variable wie die Z_b schließen. Tiere riskieren bei der Verteidigung von Familienangehörigen

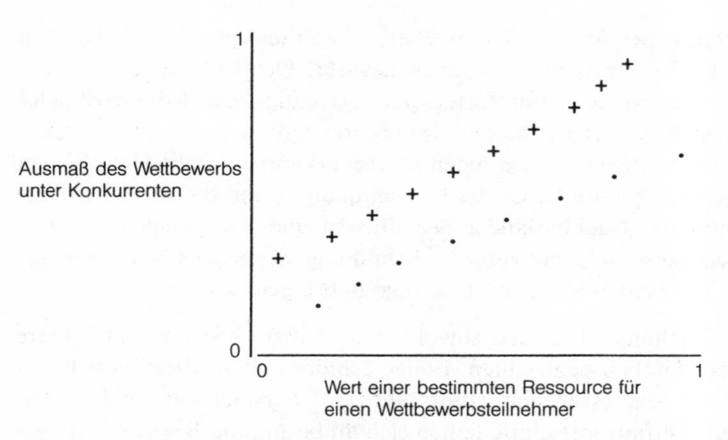

Abb. 2: Ausmaß des Wettbewerbs und der Z_b in bezug zum Wert bestimmter Ressourcen. + + + + = niedrige Z_b; .... = hohe Z_b.

mehr (wetteifern mehr), als bei Nicht-Angehörigen (der Verlust von Familienangehörigen verschlechtert die Z_b). Sie riskieren *mehr* für Nicht-Angehörige, die ihrer eigenen sozialen Gruppe angehören, als für unbekannte nicht verwandte Angehörige ihrer Spezies (der Verlust bekannter Nicht-Angehöriger verschlechtert die Z_b). Sie riskieren mehr für beschränkt verfügbare lebenswichtige Ressourcen, als für solche, die nicht lebenswichtig sind. Außerdem kämpft ein Tier unabhängig von seinen Erfolgschancen dann, wenn es ohne Kampf wahrscheinlich sterben würde (Enquist und Leimar, 1990). Je schlechter also die Z_b ist, um so eher lassen sich Tiere in Situation, in denen das Ergebnis des Wettbewerbs die Z_b deutlich verschlechtern würde, auf hochriskantes Wettkampfverhalten ein.

Die in Abbildung 2 dargestellten Zusammenhänge können folgendermaßen interpretiert werden: Tiere benehmen sich so, als würden sie Entscheidungen auf der Grundlage einer Beurteilung der Zukunft und der Wichtigkeit einer Ressource im Hinblick auf eben diese Beurteilung treffen. Die Beurteilung ist wiederum verknüpft mit dem Maß, in dem Tiere zum Wettbewerb bereit sind: ist die Z_b niedrig, so verschieben sich die relevanten Folgen einer Handlung aus der Zukunft in die Gegenwart. Im Gegensatz dazu lassen sich Tiere häufig auf wenig riskante Wettbewerbsinteraktionen ein, indem sie etwa anderen den Zugang zu bevorzugten, aber nicht lebensnotwendigen Nahrungsmitteln streitig machen, Interaktionen also, deren Ausgang nur geringe Auswirkung auf ihre Zukunft hat. Solche Interaktionen eskalieren fast nie zu physisch gefährlichen Wettkämpfen.

Bei erster Betrachtung scheint die Abbildung 2 der Intuition zu widersprechen. Man könnte annehmen, daß eine gute Z_b mit der Bereitschaft gekoppelt wäre, sich auf Wettbewerb einzulassen, um so sicherzustellen, daß sich die eigene Beurteilung der Zukunft nicht verändert. Die in der Figur gezeigten Zusammenhänge lassen sich jedoch durch beeindruckendes Vergleichsmaterial bekräftigen. Darüber hinaus spiegeln sich die in der Abbildung aufgezeigten Zusammenhänge auch im menschlichen Verhalten wider. Wenn das Überleben vom Erwerb bestimmter Ressourcen wie etwa Nahrungsmitteln oder Wasser abhängt, so gibt es praktisch keine Schranken für das Maß, in dem man sich auf Wettbewerb einläßt.

Das persönliche Überleben ist aber nicht die einzige Grundlage für einen intensiven und oftmals wirtschaftlich gefährlichen Wettbewerb. Ein Wettkampf auf Leben und Tod kann auch aus ideologischen, wirtschaftlichen oder sonstigen Gründen stattfinden. Die aktuellen Ereignisse in Afrika, den Sowjetrepubliken, Osteuropa und Zentralamerika veranschaulichen dies. Für eine große Anzahl von Sowjetbürgern war ein Sinken des indirekten reziproken Verhaltens (d. h. Vertrauen in die sozialen Institutionen und in die Wirtschaft) mit einer Verschlechterung ihrer Z_b verknüpft, verbunden mit einem Anstieg überlebenssichernden (z. B. durch Vorratshortung) und außerhalb der Legalität stehenden Verhaltens (z. B. Schwarzmärkte, welche die anonyme und unpersönliche mittelbare Reziprozität durch unmittelbare Reziprozität ersetzen). Damit verknüpft ist auch ein nie gekannter Anstieg der Häufigkeit und Intensität wetteifernder Interaktionen und unmittelbarer Konfrontationen zwischen einzelnen und ethnischen, wirtschaftlichen und staatlichen Gruppen (Gorbis und Kozlov, 1990). In Jugoslawien hängen Leben oder Tod von der ethnischen und kulturellen Geschichte ab und davon, wie diese zur Z_b beigetragen hat. In Afrika sind ideologische und wirtschaftliche Gründe von primärer Bedeutung. In Zentralamerika sind es ideologische und religiöse Gründe. Unter solchen Gegebenheiten werden betrügerisches Verhalten und Mißtrauen gegenüber anderen häufig zur Regel.

Mit einer hohen Z_b ist ein anderes Verhalten verknüpft. Weitgehend wird eine bestimmte Zukunftsentwicklung unabhängig davon erwartet, ob man bei einer bestimmten Wettbewerbsinteraktion gewisse Ressourcen erwerben kann oder nicht. Ist die Z_b hoch, so gibt es dennoch einigen Wettbewerb um Ressourcen, da wir eine wettbewerbsgeneigte und Ressourcen-hortende Spezies sind. Darüber hinaus gehört zu einer hohen Z_b auch das Gefühl, daß sich in der Zukunft weitere Gelegenheiten zum Erwerb von Ressourcen ergeben werden. Bei einer Wettbewerbsinteraktion zu verlieren, wird somit nicht als gravierend erachtet.

In Abbildung 2 sind bei den Linien der hohen und niedrigen Z_b aufgrund der Einflüsse sozialer Werte und Gebräuche, der Kulturgeschichte, der Persönlichkeit, höherer Gewalt u.s.w. Abweichungen zu erwarten. Dennoch sind über einen gewissen Zeitraum und im Durchschnitt gesehen die in der Figur dargestellten Zusammenhänge wahrscheinlich stabil. Soweit dies zutrifft, hat es Folgen für das Verständnis wirtschaftlichen Wachstums.

Ist die Z_b niedrig, mag das wirtschaftliche Wachstum zeitweilig ansteigen, weil sich die Wettbewerbsteilnehmer intensiver auf den Wettbewerb einlassen. Innerhalb bestimmter Grenzen ist ein langfristiges Wachstum jedoch eher dann zu erwarten, wenn die Z_b hoch ist, da die beiden sozialen Verhaltensweisen, die für einen effektiven Wirtschaftablauf wesentlich sind – unmittelbare und mittelbare Reziprozität – häufiger anzutreffen sind. Dieser Punkt wird in Abbildung 3 dargestellt, die den Zusammenhang zwischen dem Ausmaß an Wettbewerb und produktiver Effizienz untersucht.

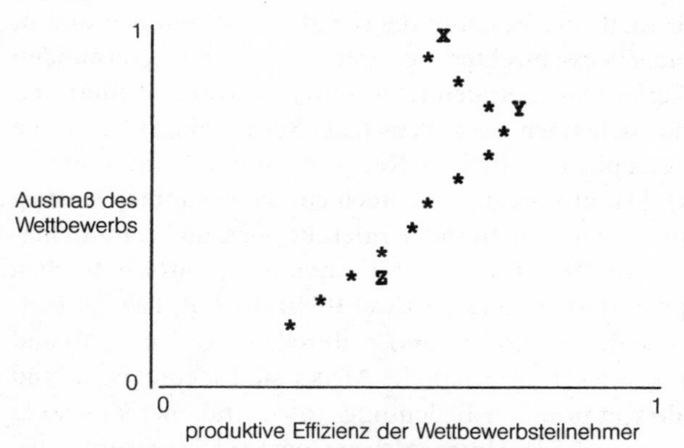

Abb. 3: Ausmaß des Wettbewerbs in bezug auf produktive Effizienz.

Abbildung 3 stellt das Ausmaß an Wettbewerb der produktiven Effizienz der Wettbewerbsteilnehmer gegenüber, wobei von der wirtschaftlichen Situation ausgegangen wird, daß die Wettbewerbsteilnehmer Firmen sind, die das gleiche Produkt herstellen. Die Figur wurde erstellt, um zwei Punkte deutlich zu machen: die produktive Effizienz ist am größten, wenn das Ausmaß des Wettbewerbs relativ hoch ist (Punkt Y); wobei ein Wirtschaftssystem mit der produktiven Effizienz 1 unwahrscheinlich ist. Produktive Effizienz definiert sich anhand der Kosten: die Profitraten oder in wirtschaftlicher Sprache ausgedrückt, das Output einer Firma verglichen mit dem kostengünstigsten Input (Cooter und Ulen, 1988). Bei Abbildung 3 wurde davon ausgegangen, daß sowohl die Produktnachfrage als auch der vom Konsumenten zu zahlende Preis konstant bleiben. Im »wirklichen Leben« und täglichen Geschäftsalltag wird die Position eines Wettbewerbsteilnehmers auf der Kurve sowie das Ausmaß des Wettbewerbs unter den Konkurrenten allerdings häufig durch sich verändernde Preise und/oder die Konsumentennachfrage beeinflußt. Diese Punkte blieben hier außer Betracht.

Aus Abbildung 3 ergeben sich zwei wichtige Schlußfolgerungen. Zum einen ist davon auszugehen, daß zwischen den Punkten Z und Y sowohl die wirtschaftliche Effizienz als auch die Z_b bei wachsendem Wettbewerb steigen. Zum anderen ist zu erwarten, daß oberhalb und links von Punkt Y sowohl die Z_b als auch die wirtschaftliche Effizienz sinken, wenn der Wettbewerb intensiver wird (zwischen Punkt Y und Punkt X). Am Punkt Y führt Wettbewerb zu gesteigerter produktiver Effizienz. Firmen strukturieren sich neu, steigern ihre Flexibilität, ändern ihre Vertriebsmethoden, reduzieren unnötige Kosten und ähnliches, alles in dem Bestreben, die Effizienz zu erhöhen. Wächst der Wettbewerb über den Punkt Y hinaus, so nimmt die produktive Effizienz ab. Der Wettbewerb wird aufwendig wegen der erhöhten Kosten zur ständigen Verbesserung der Produktqualität, der gesteigerten Vertriebskosten, der negativen gesundheitlichen Auswirkungen dauernden Wettbewerbs auf die Arbeitskräfte, der Bereitschaft auch bei verminderter Effizienz etwa aus traditionellen Gründen weiterzuproduzieren und ähnlichem.

Die in Gegenrichtung laufende Kurve (zwischen Y und X) fordert das derzeit anerkannte wirtschaftliche Wissen heraus. Wirtschaftwissenschaftler behaupten in der Regel, daß Märkte mit einem hohen Maß an Wettbewerb effiziente Märkte sind. Um zu dieser Schlußfolgerung zu gelangen, müssen einige Grundvoraussetzungen unterstellt werden, wie etwa genormte Produkte, ähnliche Input-Preise sowie freier Zugang und freies Verlassen des Marktes. Verzichtet man auf solche Unterstellungen, um die realen Bedingungen auf der Welt widerzuspiegeln, wie etwa die tatsächlichen Kosten, die man aufwenden muß, um in einen Markt hinein und aus einem Markt herauszukommen, die Zeitverzögerung zwischen Investition und Ertrag aus der Investition, unkontrollierbare äußere Bedingungen (z. B. gewerkschaftliche Aktivitäten und staatliche Restriktionen), den Umstand, daß Arbeitskräfte oft nicht bereit sind, dorthin zu ziehen, wo Arbeitsplätze zur Verfügung stehen, sowie die oben erwähnten umfangreichen Kosten des Wettbewerbs, so können die in Figur 3 dargestellten widerstreitenden »Effizienz-Paradoxa« beobachtet werden.

Man könnte den zwischen den Punkten X und Y liegenden Teil von Abbildung 3 als eine gelegentliche Marktgegebenheit abtun, die sich selbst schnell wieder korrigiert. Tatsächlich funktioniert die Wirtschaft jedoch nicht in dieser Weise. Große Firmen, wie etwa Auto- und Flugzeughersteller investieren sich trotz spektakulärer Verluste in Ressourcen und Kunden und trotz wachsender Verschuldung an Märkte mit einem hohen Wettbewerbsgrad. Ein solches Verhalten kann über Jahre hinweg andauern.

Für das wirtschaftliche Wachstum läßt Abbildung 3 eindeutige Schlußfolgerungen zu. Wenn Wachstum voraussetzt, daß die durchschnittlichen Erträge die durchschnittlichen Kosten übersteigen, dann ist das Wachstum im Bereich zwischen den Punkten Y und X der Kurve wegen des Sinkens der produktiven Effizienz beschränkt. Man könnte argumentieren, daß Unternehmen, die sich an Punkt X befinden, ihre Wettbewerbsbemühungen reduzieren werden, um zu Punkt Y zurückzukehren. Damit eine solche Entscheidung jedoch wirtschaftlich wirksam werden kann, müßten sich alle Konkurrenten ähnlich verhalten, was auf einem freien oder halbfreien Markt unmöglich ist. Darüber hinaus ist aus biologischer Sicht gerade das Gegenteil zu erwarten: nämlich ein Ansteigen des Wettbewerbs (siehe Abbildung 2).

Die in den Abbildungen 1–3 dargestellten Zusammenhänge sind nicht ohne Bezug zu Recht und Staatspolitik zu verstehen. Wie schon erwähnt, werden viele soziale Verhaltensweisen, die zur Aufrechterhaltung einer stabilen und in angemessenem Rahmen voraussehbaren Wirtschaft und Sozialordnung grundlegend sind, seltener ausagiert, wenn sich die Z_b verschlechtert (Abbildung 1). Innerhalb bestimmter Grenzen können Gesetze diese Situation beeinflussen. Gesetze, die den Wettbewerb durch die Auferlegung steigender Konformitätskosten (d. h. Gesetze, die eine ständige Berichterstattung gegenüber staatlichen Stellen fordern) drosseln, führen zu höheren Wettbewerbskosten in einem bereits wettbewerbsorientierten Markt. Unter solchen Gegebenheiten fahren größere Firmen oft besser als kleinere, da sie hohere Kosten leichter verdauen können. Ähnliche Folgen zeigen sich im Bereich der Umweltkontrollen.

Abbildung 4 erweitert die eben angesprochenen Punkte hinsichtlich wirtschaftlichen Wachstums.

Abbildung 4 integriert Teile der vorhergehenden Abbildungen und zeigt den zu erwartenden Zusammenhang zwischen produktiver Effizienz und wirtschaftlichem Wachstum. Wirtschaftliches Wachstum wird definiert als die jährliche prozentuale Steigerung des Bruttosozialprodukts (BSP).

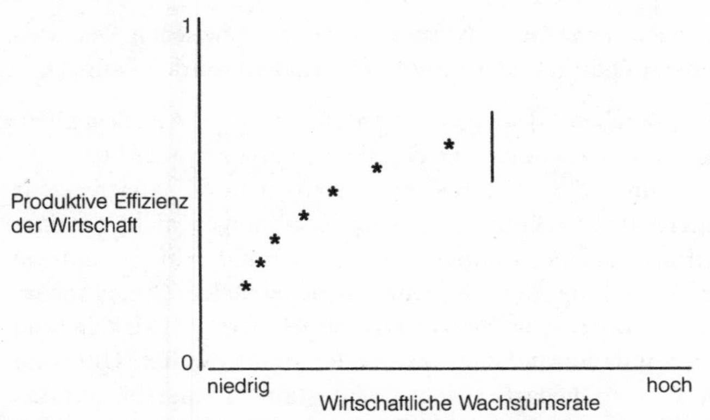

Abb. 4: Zu erwartende Effizienz in bezug auf wirtschaftliches Wachstum.

Aus der Geschichte ist ersichtlich, daß das wirtschaftliche Wachstum sich üblicherweise in der Kategorie von 5–6% pro Jahr bewegt.[2] Diese Prozentzahl bleibt auch dann relativ konstant, wenn Ressourcen im Übermaß vorhanden sind, wenn also Kapital und ähnliche notwendige Mittel reichlich zur Verfügung stehen. Warum diese Begrenzung? Aus biologischer Sicht gibt es vermutlich mehrere Gesichtspunkte, die zu einer Antwort beitragen können. Einmal verlangt Wachstum eine Veränderung der Einstellungen, der persönlichen Gewohnheiten, der sozialen Verantwortlichkeiten, der reziproken Beziehungen und der kulturellen Werte. Diese Veränderungen können nicht schneller vonstatten gehen. Ein zweiter Punkt ist die Ungleichheit, die häufig eine Folge wirtschaftlichen Wachstums ist. Steigt die Ungleichheit zwischen den Konkurrenten, so verschlechtert sich die Z_b bei denjenigen, die im Wettbewerb schlecht abgeschnitten haben. Die Wahrscheinlichkeit wiederum, daß die Teilnahme an wirtschaftlich bedeutenden sozialen Aktivitäten, wie etwa der indirekten Reziprozität, reduziert wird, steigt (Crosby und Gonzales-Intal, ND). Ein dritter Punkt sind die langfristigen Kosten des Wettbewerbs. Anhaltender Wettbewerb hat einen hohen psychologischen und physiologischen Preis – die Jagd darf nur solange dauern, bis die Zeit des Feierns gekommen ist. Diese biologischen Faktoren (und natürlich noch andere) bewirken in ihrer Gesamtsumme eine Beschränkung des wirtschaftlichen Wachstums. Man kann davon ausgehen, daß unter sonst gleichen Voraussetzungen das Wachstum dann ein relativ hohes Niveau erreichen wird, wenn das heikle Gleichgewicht

[2] Getty (1993), S. 43 bis S. 95 dieses Buches.

zwischen Wettbewerb, dem Ausmaß der Ungleichheit zwischen den Mitgliedern einer Gemeinschaft und der Z_b aufrechterhalten werden kann.

Die Erzielung eines solchen Gleichgewicht ist eine prekäre Angelegenheit. Betrachten wir diesen Punkt einmal aus der Sicht staatlicher oder hierarchischer Aktivitäten. Um für eine stabile und relativ gute Z_b angemessene Chancen aufrechterhalten zu können, müssen Regierungen nicht nur ihre Sicht der Zukunft artikulieren, sondern auch danach handeln. Sie müssen eine vernünftige Verteilung der Ressourcen sicherstellen, annehmbare Bedingungen für die Beschäftigung von Arbeitnehmern entwickeln und durchsetzen, die Kriminalität in Schranken halten und so weiter. Um diese Ziele erreichen zu können, bedarf es einer relativ stabilen Staatsbürokratie. Die sozialen und ressourcenbezogenen Kosten zur Aufrechterhaltung einer solchen Hierarchie sind zum Teil deshalb beträchtlich, weil Hierarchien von Natur aus dynamische und instabile Strukturen sind, die sich in einem fortlaufenden Prozeß der Veränderung befinden (Geiger, 1988) und zum anderen Teil deshalb, weil Mitglieder von Hierarchien im Hinblick auf die Ressourcen, die Macht und die Privilegien im Wettstreit miteinander liegen.

Schlußbetrachtung

Da die in diesem Artikel angesprochenen Punkte sehr umfangreich sind, konnte nicht viel Einzelmaterial zur Bekräftigung der Analysen vorgelegt werden. Hier waren jedoch Platzgründe ausschlaggebend. Hauptziel war es zu veranschaulichen, wie die Erkenntnisse der Biologie nicht nur zu Themen beitragen können, deren Konzeption üblicherweise auf wirtschaftlichen und rechtlichen Begriffen basiert, sondern auch, wie sie unser Verständnis solcher Themen verbessern können.

Die stark prädisponierten Verhaltensweisen und Reaktionen, die zur Z_b beitragen, werden nicht weichen. Sie können unterdrückt werden, wie dies der imperiale Kommunismus beinahe ein dreiviertel Jahrhundert lang praktiziert hat. Mit dem Niedergang des Kommunismus in Osteuropa und in den Sowjetrepubliken sind die unterdrückten Verhaltensweisen, wie Eigeninteresse, Nepotismus, Ethnizität und starke religiöse Präferenzen wieder an die Oberfläche gelangt. Diese Verhaltensweisen beeinflussen wirtschaftliches und rechtliches Verhalten in weit stärkerem Umfang, als Wirtschaftswissenschaftler und Juristen dies gemeinhin annehmen.

Man kann sagen, daß Europa sich gegenwärtig damit auseinandersetzt, das Ziel einer vernünftigen wirtschaftlichen Parität innerhalb der von biologischen Prädispositionen und kultureller und ethisch-religiöser Geschichte gesetzten Schranken zu erreichen. Dieses Ziel zu erreichen und dabei gleichzeitig einfühlsam für die Bedürfnisse des einzelnen, für Menschenrechte und Umweltverbesserung zu sorgen, stellt keine geringe Aufgabe dar. Die Z_b und ihre biologische Infrastruktur wird für das Ergebnis dieser Bemühungen eine wichtige Variable darstellen.

Gene und Volkswirtschaft

Wissenschaft und Unschuld

Gordon Getty

Vor nicht allzu langer Zeit stellte ich die Frage, warum die Ertragsrate typischerweise einige Prozent pro Jahr und nicht etwa einige Prozent pro Minute oder Jahrtausend ausmacht (Getty 1989). Vertiefte Überlegungen und wertvolle Kritik haben jetzt so viele Verbesserungen und Anregungen für meine Antwort erbracht, daß es gerechtfertigt erscheint, die Thematik erneut aufzugreifen.

Wir werden die Antwort wiederum im Prinzip des genetischen Egoismus oder im biologischen Gesetz suchen. In den Verhaltenswissenschaften liegt diese Vorstellung jedem Verständnis und jeder Prognose zugrunde. Aus dargestellten Gründen können wir nicht darauf vertrauen, aufgrund dieses Gesetzes Voraussagen für uns selbst treffen zu können. Eine bessere Orientierungskarte werden wir aber vielleicht nie finden.

Es bleibt nichts anderes übrig, als den allmächtigen Menschen so weit möglich von seinem hohen Roß zu holen und ihn und das Roß mit demselben evolutionären Maßstab zu messen. Meine eigenen Messungen werden mich an meine Grenzen in allen relevanten Bereichen führen. Mögen andere es besser machen.

Wollen wir wirklich Maß nehmen? Unser Verhalten vorherzusagen bedeutet schließlich, uns etwas von dem zu nehmen, was wir für die Freiheit halten, uns so zu verhalten, wie es uns gefällt. Die Wissenschaft verlangt einen psychischen Preis und sogar den Verlust der Unschuld. Der Preis ist dann am höchsten, wenn wir selbst das Objekt unter dem Mikroskop sind.

Aber auch Ignoranz hat ihren Preis. Zudem ist sie ist für den Menschen schwer zu ertragen. Auf gut Glück dringen wir in die Geheimnisse der Natur ein und enthüllen sie. Vielleicht werden wir mehr über uns selbst erfahren, und vielleicht werden wir manchmal wünschen, wir hätten es nicht getan. Es ist unser Schicksal, es zu versuchen.

Die Ein-Faktor-Theorie

Für unsere Beweisführung werden uns Volkswirtschaft und Biologie Ideen liefern müssen. Beginnen wir mit der ersten Disziplin.

Kapital, Output und Konsum

Zu Anfang dieses Jahrhunderts behauptete Irving Fisher, daß ein Arbeiter als eine Art von Kapital zu sehen sei. Schließen wir uns dem an, so können wir die zwei traditionellen Produktionsfaktoren Arbeit und Kapital auf den Faktor Kapital reduzieren. Durch diese Simplifikation werden die Dimensionen unserer Begriffe einheitlicher und damit leichter handhabbar. In den letzten Jahrzehnten haben viele diese Vorstellung untersucht. Ich kann also wenig Originalität für mich in Anspruch nehmen. Wenn meine Bezeichnung »Ein-Faktor-Theorie« auch neu sein mag, so finden sich die damit verbundenen Schlußfolgerungen in vielen anderen Texten über das menschliche Kapital und können dort leicht eingesehen werden. Nach meinem Geschmack ist die Ein-Faktor-Theorie für die meisten, wenn nicht gar alle wirtschaftlichen Zwecke einfach eine sinnvollere Bezeichnung. Ich habe diese Theorie aus praktischen Gründen gewählt, wobei kein in diesem Aufsatz niedergelegtes Ergebnis etwas mit dieser Wahl zu tun hat.

Ebenfalls aus praktischen Gründen werde ich alle Zeitverhältnisse in Augenblicksziffern und nicht in unstet-periodischer Form anführen. Ähnlich wie bei einem Ingenieur, der das Dezimalsystem dem Viertelmaß, den Meilen und Unzen vorzieht, führt uns diese Wahl in kürzerer Zeit und mit weniger Platzaufwand zu den gleichen Ergebnissen, wobei aber weniger Gefahr besteht, Fehler zu machen.

Bei der Zwei-Faktoren-Theorie bedeuten Kapital und Eigentum das gleiche. Beide werden oft mit dem Symbol K bezeichnet. Nehmen wir also dieses Symbol für Eigentum und bezeichnen Fisher's menschliches Kapital als H. Wir werden H jedoch in »Kapital im Eigenbesitz« umtaufen, weil zum einen wie gesagt die Volkswirtschaft nicht ausschließlich menschlich sein muß und zum anderen weil Sklaven, falls wir sie halten würden, als Eigentum gelten müßten.

Setzen wir jetzt für das Kapital J so ergibt sich die Definition*

$$J = H + K \qquad (1)$$

* Ein Glossar der Symbole und Begriffe findet sich auf S. 87 bis S. 89 dieses Buches.

J oder Kapital können wir in unserer Vorstellung mit einer Gesellschaft menschlicher oder nicht-menschlicher »Eigentümer« und allem, was diese im Eigentum haben, verbinden. Manche Eigentümer haben nur sich selbst als »Eigentum«, andere haben auch anderes Eigentum. J ist ein Bestand, der als »Wert« bemessen wird. Für den Augenblick wollen wir unter dessen »Bezifferung« oder Einheit den Wert verstehen, den ein typischer Eigentümer mit typischem Eigentum zu einem gegebenen Zeitpunkt hat. (Solche Durchschnittswerte können sich durch Evolution oder Innovation ändern.) Wir könnten auch echte Dollar als Maßeinheit wählen, falls die Eigentümer zufällig menschlich und Amerikaner sind, denn wie sich zeigen wird, lassen sich H und J mehr oder weniger aus Marktmessungen ableiten (Gleichungen (8) und (15) unten).

Der Wert als solcher bleibt rätselhaft. Für den modernen Wirtschaftswissenschaftler sind Wert, Geschmack oder Vorlieben nicht greifbare und doch unleugbar vorhandene Marktgegebenheiten. Diese Ansicht soll uns auch für die Ein-Faktor-Theorie genügen. Wir werden im übrigen versuchen, den Begriff Wert zu verdeutlichen, wenn wir zur Transfertheorie kommen und ihn in einer Gleichung mit der früher erwähnten »Fitness« verbinden.

Bei unserer Erörterung müssen wir eine Effizienz des Marktes unterstellen, derzufolge Kosten und Marktwerte überall als gleich anzunehmen sind. Dann können unsere Wertmaßvariablen in (1) oder jeder anderen Gleichung in beide Richtungen gemessen werden.

Auch die Produktion wird oft in zwei Teile aufgespalten. Wir wollen hier die übliche Formel

$$y = w + p \quad . \qquad (2)$$

übernehmen, in der y für Produktion oder Output, w für Löhne und p für Gewinn steht. Diesen Begriffen lassen sich sowohl Markt- als auch Kosteninterpretationen zuordnen. Löhne und Gewinne bezeichnen bei effizienten Märkten sowohl den Marktwert des Outputs von Arbeitern (H) und Eigentum (K), als auch die Summen, die diesen Arbeitern und den Eigentümern als Gegenleistung bezahlt werden müssen. Gemäß dieser Interpretation kann man unter y die Gesamtsumme dieser Zahlungen oder das »Einkommen« verstehen.

Da Kapital bei der Produktion der einzige Faktor ist, sind die Eigentümer für ihr Überleben allein vom Kapital abhängig. Der Fluß, den die Bewahrungserfordernisse auslösen, wird als Konsum (c) bezeichnet. Konsum entsprechend den Kosten bedeutet, daß ein gewisser Anteil des Einkommens für diese Bedürfnisse aufgewendet wird. Auf dem Markt entspricht dies dem Ausmaß, in welchem diese Bedürfnisse tatsächlich befriedigt werden und der Wert für den Eigentümer wiederhergestellt wird. Über den Wert für den Eigentümer werden wir noch näheres ausführen. Um es nochmals zu sagen, Kosten und Marktmessungen stimmen überein, wenn die Märkte effizient sind.

Für unsere Erörterung müssen wir den Konsum, ebenso wie die Produktion, in Bestandteile aufspalten, die mit H und K in Verbindung stehen. Somit ergibt sich

$$c = c_H + c_K \qquad (3)$$

womit die Bestandteile bezeichnet sind, die für die Aufrechterhaltung seitens des Eigentümers aus H und K hergeleitet sind. Wir haben hier bewußt nicht gesagt »von w und p«. Letzterer Satz trifft ebenfalls zu, falls der Output den Konsum abdeckt. Ist dies jedoch nicht der Fall, so schrumpfen Kapital und Eigentümerwert. Auch hierzu später mehr.

Verzicht und Vergleich

Wir schließen nun unsere erste Betrachtung der Grundvorstellungen von Kapital, Output und Konsum ab. Diese Begriffe waren schon immer schwer zu definieren. Eine endgültig verbindliche Definition würde aber auch über unsere Ziele hinausgehen. Für unsere Zwecke genügt es, wenn wir über diese Begriffe bestimmte Aussagen treffen und dem Leser helfen können, gewisse Fallen zu meiden.

Für das Kapital in dem von uns verwendeten Sinn gibt es keine Entsprechung in der Zwei-Faktoren-Theorie. Output und Konsum bedeuten das gleiche und werden auf gleiche Weise gemessen, wenngleich die Ein-Faktor-Methode sie mitunter in einem anderen Licht darstellt. Diese Bedeutungsgleichheit macht es uns leichter, unsere Vorhersagen anhand der Standarddaten der Zwei-Faktoren-Theorie zu überprüfen.

Ersparnisse und Investitionen

Aus wirtschaftlichen Texten erfahren wir, daß Ersparnis Einkommen minus Auslagen für den Konsum bedeutet. Bei einem leistungsfähigen

Markt gilt einfach y – c. Wir sehen hier, daß Ersparnis gemessen wird als Wert über Zeit. Bei der Ein-Faktor-Theorie ist Wert das Maß für Kapital und nichts anderes. Verändert sich das eine, so verändert sich auch das andere. Diese Veränderungsrate wird als dJ/dt bezeichnet, wobei t für Zeit steht. Wir schreiben also

$$y = c + dJ/dt.$$

Hier und für diesen gesamten Aufsatz ist zu unterstellen, daß c und J kontinuierliche Zeitfunktionen sind.

Ehe wir fortfahren, wollen wir die Bezeichnungen vereinfachen. Falls der Leser es vergessen haben sollte, dJ/dt (oder J') bedeutet einfach die Augenblicksbezifferung der Veränderung von J. Wenn wir jetzt für jedes beliebige x definieren

$$g_x = dx/xdt$$

so läßt sich unser letztes Ergebnis wie folgt schreiben

$$y = c + g_J J. \qquad (4)$$

Hier sehen wir, daß g_J oder jedes beliebige g_x der augenblickliche Wachstumsprozentsatz ist, gemessen als reine Zahl über die Zeit. g_c und g_J (als Beispiele) haben also die gleichen Dimensionen und können addiert oder subtrahiert werden, was für c und J nicht gilt. Die Bezeichnung g_x ist daher für viele Zwecke gut einsetzbar und erläßt uns in einigen unserer Gleichungen die Infinitesimalrechnung.

Zurück zu Ersparnissen und Investitionen. Wir haben gesagt, daß bei typischem Gebrauch dieser Begriffe y – c nach Kosten und Markt bewertet werden. So verstanden sind beide auf effizienten Märkten gleich.

Aus (4) und mit Hilfe unseres gesunden Menschenverstandes können wir erkennen, daß mehr Output und weniger Konsum schnelleres Wachstum bedeuten. Die Meinungen gehen jedoch darüber auseinander, inwieweit diese drei Variablen von uns beeinflußt werden können.

Die meisten sind sich darüber einig, daß das Wachstum in großen Umfang technologisch bedingt ist. Schließlich kann ein Mann nur mit einer Schaufel graben. Wird zu viel in Schaufeln investiert, so könnte zu wenig für die Arbeiter aufgewendet werden und somit würden nicht mehr, sondern weniger Löcher gegraben. Wachstum stellt sich dann ein, wenn die Werkzeuge produktiver werden und nicht dann, wenn wir die alten Werkzeuge höher stapeln.

Wir wollen auf diesen Punkt etwas mehr Zeit verwenden. Wenn wir definieren

$$\alpha = g_c - g_J$$

wobei α den griechischen Buchstaben *Alpha* bezeichnet, dann könnten wir α den »Gürtelindex« nennen. Wenn α positiv ist, so nehmen wir an, daß der Gürtel gelockert wird, ist α negativ, daß er enger geschnallt wird. Ist $\alpha = 0$, was besagt daß $g_c = g_J$, so wird dies oft als »Ausgewogenheit« bezeichnet. (Wir können es auch als »ausgewogenes Wachstum« bezeichnen, solange wir daran denken, den stationären Zustand $g_c = g_J = 0$ miteinzubeziehen).

Diejenigen, die neue Ideen für Glücksache oder für aufgesetzt halten, könnten leicht den Schluß ziehen, den Gürtel enger zu schnallen, könnte sich in zweifelhafter Weise auf das Wachstum auswirken. Deshalb erwarten sie vielleicht Ausgewogenheit. Andere könnten ihnen antworten, den Gürtel enger zu schnallen bedeutet, mehr für Ausbildung auszugeben und so das Entstehen neuer Ideen beschleunigen zu können. Diejenigen, die den Gürtel enger schnaller, könnten erwarten, daß α während des Wachstums oder zumindest dann, wenn das Wachstum ansteigt, negativ sein müßte.[1]

In der Ein-Faktor-Theorie tritt diese Streitfrage nicht auf. Die Transfertheorie allerdings befaßt sich sowohl mit ausgewogenen, wie auch mit unausgewogenen Zuständen, wobei die ausgewogenen überwiegen dürften, und sei es nur deshalb, weil sie mathematisch leichter nachzuvollziehen sind. Zweifellos passen solche Zustände auch gut zu meinen eigenen Anschauungen, die der exogenen Wachstumsvorstellung den Vorzug geben. In diesem Aufsatz wird aber an keiner Stelle impliziert oder unterstellt, daß Wachstum tatsächlich ausgewogen, exogen oder unserem Zugriff entzogen wäre. c und g_JJ werden dargestellt, ohne daß dabei in Betracht gezogen würde, ob es möglich oder unmöglich ist, einen Faktor auf Kosten des anderen zu vergrößern.

---

[1] Eine allgemeine Abhandlung findet sich bei Romer (1989). Vergleiche auch Anhang A.

Eigentümerwert

Wir versprachen, noch näheres über den Konsum auszuführen, und wir warnten auch vor den drohenden Fallen. Man kann sich eher ein Bild vom Konsum machen, wenn man Kapital als »Eigentümerwert« betrachtet. Wir können sagen, Konsum ist das Maß, in dem der Eigentümerwert wieder-aufgefüllt wird oder – entsprechend – das Maß, in dem er sinken würde, wenn dies nicht geschähe.

Die erste Falle, die hier droht, wäre eine Verwechslung von Eigentümerwert und Kapital im Eigenbesitz. Wir sollten nicht auf den allzu leicht zu begehenden Fehler verfallen, uns selbst mehr mit H als mit K zu identifizieren oder ersterem irgendwelche Prioritäten einzuräumen oder mystischen Vorstellungen anzuhängen. H sind einfach die Mittel für und die Kapitalisierung von Löhnen. K ist der entsprechende Wert auf der Gewinnseite. J ist das Maß für den Eigentümer, der den Einkommensstrom dirigiert, den er benötigt, um Mittel für den Konsum und für sein Überleben zur Verfügung zu haben. Es mag ihm gleichgültig sein, welcher Anteil H und welcher K ist, solange das gesamte Output der beiden Faktoren ausreicht, um seine Bedürfnisse zu befriedigen.

Wir sollten auch nicht den Fehler begehen zu glauben, daß Kapital physisch gleichbedeutend sei mit den Eigentümern inklusive dem, was diese als Eigentum haben. Wir selbst werden versuchen, diesen Fehler zu vermeiden, auch wenn wir manchmal aus Platzersparnisgründen von J als von der Bevölkerung (mit jeder Art von Eigentum) und nicht von ihrem Wert sprechen.

Die Wertminderung stellt eine andere Falle dar. Jeder, der schon einmal eine Bilanz gelesen hat, weiß, daß der Gewinn erst berechnet wird, nachdem alle Ausgaben einschließlich der Wertminderung Berücksichtigung gefunden haben. Output bezeichnet Löhne plus Gewinne. Dies bedeutet, daß kein Pfennig des Output abgezogen wird, um die Wertminderung des Eigentums abzufangen, weshalb die Wertminderungsraten uns nichts über die Konsumbedürfnisse des Eigentümers sagen. Es ist nur allzu leicht das Gegenteil zu vermuten.

Diskontsatz und Wachstumserwartung

Der Markt setzt manchmal Methoden des diskontierten Bargeldflusses ein, um das Kapital zu berechnen. Bargeldfluß bedeutet ein Einkommen, das den Eigentümern nach interner Reinvestition zur Verfügung steht, was eher c und nicht y entspricht. Wir können das noch deutlicher erkennen, wenn wir uns klarmachen, daß der Output Wachstum einschließt. Durch die Akkumulation eines wachsenden Outputstromes akkumuliert sich das Wachstum doppelt.

Die Zeitpräferenzrate des Marktes in seiner Gesamtheit ist die Diskontrate des Gleichgewichts *i*, definiert als

$$i = (1/t) \ln (FV/PV) \qquad (5)$$

wobei PV und FV die gegenwärtigen und die für die Zukunft zu erwartenden Werte und t das Zeitintervall zwischen beiden bezeichnen.[2] *i* sollte hier als reine Zeitpräferenzrate verstanden werden, ohne eine Prämie für Liquidität oder einen Nachlaß für Risiko widerzuspiegeln. Unsere Vorgabe, daß FV der vom Markt tatsächlich erwartete zukünftige Wert sei, soll sicherstellen, daß die Risiken nach oben und nach unten hin ausgewogen sind. Ich behaupte, und mit mir tun dies viele andere, wenn auch keineswegs alle (Thurow, 1970: 116), daß bei einem Wettbewerb um den künftigen Einkommensstrom *i* bei effizienten Märkten dazu tendiert, einheitlich zu sein. Dies bedeutet, daß eine einheitliche Diskontrate *i* gleichermaßen die aktuellen Werte für H und K trifft.

Wir erreichen jetzt einen Punkt, an dem meine Erörterung etwas vom konventionellen Standpunkt abweicht. Um den künftigen Wert berechnen zu können, müssen wir Vermutungen über künftige Wachstumsraten anstellen. Die meisten Autoren ziehen es hier vor, die Dinge einfach zu halten, indem sie erwartete und gegenwärtige Wachstumsrate gleichsetzen. Wir wollen untersuchen, was geschieht, wenn dies nicht der Fall ist.

Der Markt vermutet vielleicht, daß der Konsum steigen oder sinken werde und die erwartete Änderungsrate sich im Laufe der Zeit verändern kann. Wir wollen diese Möglichkeit berücksichtigen. Zunächst können wir q_x als Rate für das erwartete Augenblickswachstum des Konsums zu einer künftigen Zeit x definieren. q_x ist ebenso wie *i* oder g_x eine reine Zahl, die durch die Zeit geteilt wird.

Jetzt können wir zwei bekannte mathematische Gesetze anwenden. Das eine lautet

---

[2] Ich habe früher (Getty, 1989) das Symbol *r* anstelle von *i* verwendet. *i* mag der wirtschaftlichen Tradition mehr entsprechen, während *r* in der Biologie bereits zwei bekannte Bedeutungszuweisungen hat. Dies scheint für den vorgenommenen Wechsel Grund genug zu sein.

$$\overline{q_t} = (1/t) \int_0^t q_x dx$$

und gibt den Durchschnittswert von q_x zwischen dem gegenwärtigen Zeitpunkt (Zeit 0) und einem beliebigen künftigen Zeitpunkt t an. Das zweite Gesetz besagt, daß jeder Betrag im Verlauf der Zeit t um den Faktor e^{at} ansteigt, wenn *a* entweder die konstante oder die durchschnittliche Wachstumsrate bezeichnet. e ist die Basis der natürlichen Logarithmentabellen. Wir werden uns im übrigen sehr auf dieses zweite Gesetz stützen, wenn wir zur Transfertheorie kommen.

Wir verbinden jetzt diese beiden Gesetze, indem wir beim zweiten $\bar{q}_t$ für *a* einsetzen und dann schreiben

$$c_t = ce^{\overline{q_t}t}. \tag{6}$$

c_t ist hier der zu dem künftigen Zeitpunkt t erwartete Konsumfluß. Das einfache c bezeichnet den gegenwärtigen Konsum und trägt implizit eine tiefgestellte Null.

Ebenso läßt sich eine Zahlung FV aus dem Strom c_t, der sich über einen kurzen Zeitraum Δt akkumuliert hat, annähernd durch die Formel

$$FV \sim c_t \Delta t.$$

wiedergeben.

Lassen wir Δt auf das differenziale dt absinken, so erhalten wir

$$FV = c_t dt.$$

Der gegenwärtige Wert PV von FV ist, wie sich aus (5) ergibt

$$PV = c_t e^{-it} dt.$$

Wir können (6) in diese Formel einsetzen und erhalten

$$dPV = ce^{\overline{q_t}t} e^{-it} dt = ce^{(\overline{q_t - i})t} dt.$$

Der gegenwärtige Wert J des zu erwartenden Konsums, für die gesamte Zukunft kapitalisiert, ist dann

$$J = \int_0^\infty dPV = c \int_0^\infty e^{(\overline{q_t - i})t} dt.$$

Bevor wir dieses Integral lösen, wollen wir eine Bestandsaufnahme machen. Wir wollen uns zunächst klarmachen, daß *i* hier, ebenso wie alle anderen Variablen, soweit nichts anderes angegeben ist, implizit eine Funktion des gegenwärtigen Zeitpunkts oder der Zeit 0 darstellt. Nur die gegenwärtigen Diskontraten und nicht eine Kombination künftiger Raten kann die gegenwärtigen Werte bestimmen. Die Integrationsvarible t beschreibt dagegen nur künftige Zeitpunkte, nach dem ersten Augenblick der Zeit 0, weshalb *i* in dieser Gleichung eine Konstante ist. Können wir q_t jetzt nur durch eine andere Funktion der Gegenwart und nicht der Zukunft ersetzen, so kommen wir zu einer passenden Lösung. So wollen wir verfahren.

Für jedes finite oder positive J, c und *i* scheint es eine Konstante γ (der griechische Buchstabe *Gamma*) zu geben, so etwa

$$J = c \int_0^\infty e^{(\gamma - i)t}\, dt = c \int_0^\infty e^{(\overline{q_t} - i)t}\, dt. \tag{7}$$

Die Integraltabellen zeigen, die Lösung von (7) ist

$$J = c/(i\text{-}\gamma), \text{ wenn } i > \gamma.$$

(7) läßt uns jetzt erkennen, daß, falls $i \leq \gamma$ ist, J unendlich oder undefiniert ist. Also führen wir

$$i > \gamma$$

als allgemeine Regel ein. Dies erlaubt es uns, dieselbe Bedingung aus unserer letzten Gleichung zu entfernen und zu schreiben

$$J = c/(i - \gamma). \tag{8}$$

Dies kann man als die grundlegende Ein-Faktor-Gleichung bezeichnen, die entweder so wie hier oder in der Form (11) dargestellt werden kann.

(7) und (8) lassen sich kombinieren und ergeben

$$\gamma = i - 1/\int_0^\infty e^{(\overline{q_t} - i)t} dt. \tag{9}$$

Wir wollen γ als die Wachstumserwartung bezeichnen, uns dabei aber darüber im klaren sein, daß es sich im Grunde um eine Funktion von *i* und der vorhergesagten durchschnittlichen Wachstumsraten q_t handelt. Dies sollte uns nicht überraschen, da (7) eine Funktion der Differenz zwischen q_t und i nicht eine der beiden Einzelfaktoren ist. (5) bleibt also unsere einzige Definition von i und (9), eine Funktion von i, wird zu unserer Definition von γ.

(9) ist keine leicht zu handhabende Gleichung, da sie durch Quadrat zu lösen ist. Wenn aber i gegeben ist und man genügend Informationen über q_x hat, läßt sie sich zumindest lösen. Der Leser kann jetzt nachvollziehen, daß dann, wenn q_x auch in der Zukunft konstant bleibt, was bedeutet, daß der Markt für alle Zukunft die gleiche Wachstumsrate beim Konsum erwartet, $q_x = q_t = \gamma =$ konstant. Unsere Definition impliziert aber auch $q_0 = g_c$. Damit gilt

$$\gamma = g_c, \text{ wenn } q_x = \text{konstant in } (0, \infty). \tag{10}$$

Wir können jetzt (8) umstellen und erhalten

$$i = c/J + \gamma, \tag{11}$$

woraus wir ersehen, daß i γ um den c/J entsprechenden Betrag übersteigt.

Wir können auch c aus (11) und (4) eliminieren und erhalten

$$J = y/(i - \gamma + g_J). \tag{12}$$

Auch hier können wir wieder folgende Umstellung vornehmen

$$i = y/J + \gamma + g_J. \tag{13}$$

Wir wollen annehmen, daß c_H und c_K ebenso wie deren Summe c kontinuierlich sind. Rufen wir uns (1), (2) und (3) in Erinnerung, so können wir die für unsere Diskussion maßgebenden Einsetzungen vornehmen, wobei wir mit (6) beginnen. Wir erhalten:

$$H = c_H/(i - \gamma), \tag{14}$$

$$H = w/(i - \gamma + g_H), \tag{15}$$

$$K = c_K/(i - \gamma) \quad \text{und} \tag{16}$$

$$K = p/(i - \gamma + g_K). \tag{17}$$

Hier unterstellen wir, daß die Wachstumserwartung für die Konsumgruppen c_H und c_K jeweils γ entsprechen.

Unseren Ergebnissen liegen soweit keine Annahmen zugrunde, mit Ausnahme einer Kontinuität von c und J und der Effizienz des Marktes. Und diese Annahmen sind, wie schon erwähnt, keineswegs revolutionär. Viele Autoren sind bei ihren Studien über das menschliche Kapital zu den Formeln $J = y/i$ und $H = w/i$ gelangt, wenn sie vielleicht auch andere Symbole verwendet haben (Thurow, 1970: 16). Die Formel $K = p/i$ ist auch in der Zwei-Faktoren-Theorie üblich. Die einzige Neuerung, die ich eingeführt habe, falls man hier überhaupt von einer Neuerung sprechen kann, besteht darin, daß ich mögliche Unterschiede zwischen gegenwärtigen und vorhergesagten Wachstumsraten berücksichtige. Um dies zu verdeutlichen können wir (12), (15) und (17) so darstellen

$$J = y/i, \text{ wenn } \gamma = g_J,$$

$$H = w/i, \text{ wenn } \gamma = g_H \quad \text{und}$$

$$K = p/i, \text{ wenn } \gamma = g_K.$$

Dies sind die herkömmlichen Formeln unter Hinzufügung der Bedingungen, die ich aufgrund meiner eigenen Analyse für zusätzlich erforderlich halte.

Diese alten Gleichungen bezüglich des »menschlichen Kapitals«, ob sie in der herkömmlichen Form oder mit meinen Ergänzungen dargestellt werden, führen zu einigen überraschenden Schlußfolgerungen. Insbesondere (11) widerspricht in der Tat allen Lehren, die besagen, daß Ertrags- oder Zinsrate unter stabilen Gegebenheiten wahrscheinlich der gegenwärtigen und zu erwartenden Wachstumsrate entsprechen werden. Erstere sollte höher liegen und zwar im typischen Fall im Verhältnis c/J. Einige der Lehren, denen hier widersprochen wird, sind sehr bekannt, es überstiege aber meine Kompetenz und meinen Auftrag, sie alle aufzuzählen. Unsere wirtschaftliche Grundlagenarbeit ist getan, und wir können unsere Aufmerksamkeit jetzt der Biologie zuwenden.

Die Transfertheorie

Das biologische Gesetz

Wir müssen noch unser Versprechen einlösen und erklären, warum die Ertragsrate typischerweise einige Prozent pro Jahr und nicht pro Minute oder Jahrtausend beträgt. Wir wollen versuchen, dies mit Hilfe einiger Konzepte aus der Evolutionsbiologie zu bewerkstelligen.

Ein vermittelndes Thema auf diesem Sektor ist die Vorstellung des genetischen Egoismus. Die Gene programmieren uns Phänotypen ein, um sich zu replizieren. Der Lachs oder die Sojabohne, die sich nur einmal fortpflanzen und ihre Nachkommenschaft nicht versorgen, sterben unmittelbar nach diesem Akt. Sie werden von ihren Genen nicht länger benötigt.

Es ist zu folgern, daß die arttypischen Merkmale optimiert und in die Jungen investiert werden, und zwar letztlich in die Jungen, die weiterleben und sich reproduzieren werden (Trivers, 1985; Alexander, 1987). Die Jungen verhalten sich »somatisch«, sie investieren in sich selbst. Die Erwachsenen verhalten sich »reproduktiv«, sie investieren in die Jungen. Ein Gen, das zur Erzielung dieses Erfolges nicht hinreichend optimiert ist, wird weniger reproduziert und weicht so einer stärker optimierten Genvariante. Diese machtvolle Regel wird manchmal als biologisches Gesetz (oder als biologischer Imperativ) bezeichnet. Wir könnten es auch als das Prinzip bezeichnen, in die Jugend zu investieren.

Damit ist jedoch eine Bedingung verknüpft. Alle Normen der Evolution sind nur für solche Lebewesen gültig, die in einer Umwelt leben, an die ihre Reaktionen angepaßt sind. Viele Lebewesen geraten »auf die falsche Spur«, wenn sie sich außerhalb der »EEA« (»environment of evolutionary adaptiveness«, dt. »evolutionsbedingte Angepaßtheit an die Umwelt«) befinden (Tooby und Cosmides, 1990). Der Mensch in der modernen Volkswirtschaft wird oft als Beispiel hierfür zitiert.

Das Gesetz mag paradox erscheinen. Viele Lebewesen weisen Merkmale auf, die auf den ersten Blick für die Genreplikation neutral oder gar abträglich erscheinen. Darwin selbst war verwirrt über die hinderlichen, wenngleich hübschen Schwanzfedern des Pfaues und das ebenfalls hinderliche Geweih des Hirschen, das nur zur Verletzung anderer Hirsche geeignet ist. Aber Schritt für Schritt konnte gezeigt werden, daß diese Merkwürdigkeiten in das Gesetz passen und es nicht widerlegen (Trivers, 1985: 356ff.; Diamond, 1991). Findet sich innerhalb der EEA und im Vergleich zu verfügbaren Alternativen auch nur eine wirkliche Ausnahme, so fällt die Evolutionstheorie.

Fitness

»Fitness« ist ein Erfolgsmaßstab für die Weitergabe von Genen an künftige Generationen. Der Darwinismus besagt im Kern, daß die Merkmale, die für diesen Erfolg verantwortlich sind, oft vererbt werden und sich auf Kosten der weniger geeigneten Merkmale geometrisch ausbreiten können. Es gibt sehr genaue Definitionen von Fitness, aber keine kann als abschließend oder erschöpfend gelten. Die Evolutionsbiologie muß ebenso sehr nach einer Definition suchen, wie sie auf der Grundlage dieser Definition argumentieren muß. Wir wollen diese Vorstellung für unsere Studie übernehmen, ohne mehr Klarheit zu erwarten, als möglich oder nötig ist.

Wenn wir uns dem Thema nähern, so finden wir die Fitness eines Individuums oft beschrieben als die Anzahl seiner weiblichen Nachkommen[3], von denen erwartet wird, daß sie bis zur Geschlechtsreife heranwachsen, bzw. die Quote bei der dies der Fall ist. Aber wie bereits erwähnt, kann eine solche Faustregel dem Erfindungsreichtum der Evolution nicht voll gerecht werden. Ziel unserer Definition von Fitness ist es, das herauszufinden, was durch Selektion maximiert wird. Gene, die gut für den Nachwuchs in der nächsten, aber schlecht für den Nachwuchs in der übernächsten Generation sind, vielleicht aufgrund einer Überspezialisierung, mögen nicht überleben. Unsere Definitionen müssen also verfeinert werden, um über die erste Generation hinausblicken, männliche und weibliche Generationsspannen gewichten und die Hilfe erkennen zu können, die nichtreproduktive Individuen, wie Arbeitsbienen und Homosexuelle leisten.[4]

Eine Definition, die all diesen Ansprüchen genügt, würde uns in die Lage versetzen, das biologische Gesetz wie folgt neu zu formulieren: alle Merkmale werden selektiert, um die Fitness zu maximieren.

Diese Generalisierung kann uns helfen, unsere wirtschaftlichen Konzepte zu klären. Die Ein-Faktor Theorie besagt, daß die Bevölkerung an ihrem Wert gemessen wird und eine Werteinheit ein typisches Individuum wäre, das zu einem bestimmten Zeitpunkt über typisches Eigentum verfügt. Dies wollen wir modifizieren. Wir können jetzt den Wert der Gesellschaft mit dem kollektiven Maximanden für ihre Mitglieder, nämlich der Fitness

---

[3] Ronald Fisher (1930) zeigte, daß die Beschränkung auf weibliche Wesen eine doppelte Zählung oder eine Verzerrung vermeiden hilft, die auf hohe Sterblichkeit der männlichen Wesen zurückzuführen ist. Diese Simplifikation kam seinen Zwecken entgegen, unsere Zwecke verlangen jedoch zwei Geschlechter mit gleicher Gesamtfitness.

[4] Hierbei handelt es sich um Hamiltons »inklusive Fitness« (1964).

identifizieren. Das ist das Ziel, für das der Markt in Wettbewerb tritt. Dollar und andere allgemeine Zahlmittel können dann als Ersatzmittel gesehen werden, die ein solches Maß an Fitness verleihen.

Dies können wir als sicher annehmen, da Kapital nach der Ein-Faktor-Theorie einen absoluten und keinen relativen Maximanden darstellt. Es bezieht sich auf den gesamten Wert. Die Tatsache, daß auch der Output ein Maximand ist, liefert uns noch einen weiteren Beweis, da nach der Ein-Faktor-Theorie das Kapital das einzige Mittel für Output ist. Unsere Gleichsetzung von Kapital und Fitness ist insoweit vertrauenswürdig, wie es das biologische Gesetz ist.

Nach diesem Gesetz ist es also die Fitness, die Käufer und Verkäufer zu maximieren suchen. Der Wert, den das Eigentum oder die Dienstleistung von Schmidt für Meier hat, liegt in dem, was diese für die Fitness von Meier bewirken können. Wenn sie mehr für die Fitness von Schmidt ausrichten können, wird dieser sie behalten.

Eine Danksagung

Ich habe bereits gesagt, daß ich hinsichtlich der Ein-Faktor-Theorie wenig Originalität beanspruchen kann. Dies gilt auch für die Transfertheorie. Viele Autoren, darunter auch einige Wirtschaftswissenschaftler, haben Fitness oder Reproduktion als den sozialen und wirtschaftlichen Maximanden identifiziert. Von diesen Autoren seien Trivers (1971: 46)[5], Hirschleifer (1977) und Rogers (1991) erwähnt. Hirschleifer schreibt:

Der biologische Erklärungsansatz für Präferenzen, für das, was die Wirtschaftswissenschaftler als Nützlichkeitsfunktion bezeichnen, postuliert, daß alle Motive, Antriebskräfte oder Vorlieben nur Aspekte eines einzigen, diesen zugrundeliegenden Zieles sind: Fitness. Präferenzen sind beherrscht vom allumfassenden Trieb nach reproduktivem Überleben. Dies mag zunächst absurd erscheinen. Daß nicht alle Menschen sich alleine und ausschließlich als kinderproduzierende Maschinen verstehen, scheint durch solche Phänomene wie Geburtenkontrolle, Abtreibung und Homosexualität erwiesen zu sein. Oder, falls man diese Erscheinungen als Verirrungen betrachten sollte, durch den großen Aufwand an Einkommen und Anstrengung, der für menschliche Ziele getrieben wird, die mit dem Gebären konkurrieren – dazu gehören Unterhaltung, Gesundheitsfürsorge auch nach dem gebärfähigen Alter, persönlicher intellektueller Fortschritt, etc. All diese Phänomene könnten aber indirekt doch wiederum zur Fitness beitragen. Die Geburtenkontrolle könnte ein Mittel sein, das unter dem Strich zu mehr und nicht zu weniger Nachkommen führt. Gesundheitsfürsorge auch nach dem gebärfähigen Alter könnte in effektiverer

[5] Vergleiche die Erörterung der Ansichten von Trivers und Rogers in Anhang B (S. 92ff.).

Weise das Überleben und die Lebenskraft der Kinder oder Enkel stärken. Und wie wir in Kürze sehen werden, kann sogar die Strategie der Kinderlosigkeit nach Fitnessmaßstäben erklärbar sein! (Hirschleifer, 1977: 19).

Hirschleifer endet mit einer deutlichen Warnung:

Es war vielleicht nicht zu bestreiten, daß der soziobiologische Ansatz einen gewissen Nutzen für die Zwecke der Sozialwissenschaft hat. Aber in welchem Umfang? Die Kernfrage ist, ob die menschliche Spezies in eine neue Erfahrungsdomäne eingetreten ist, in der die allgemeinen biologischen Gesetze nur von geringer Bedeutung oder aufgrund des einzigartigen Entwicklungsfortschritts der Menschheit ganz abgeschafft sind. Dazu könnte unter anderem gehören: (1) die überragende Bedeutung kultureller im Gegensatz zu genetischen Veränderungen; (2) das Ausmaß von Intelligenz und Aufmerksamkeit, das die Vermutung nahelegt, daß der Mensch forthin den Evolutionsprozeß durch überlegte kulturelle oder sogar genetische Modifikationen am menschlichen Material selbst regulieren und kontrollieren kann – ganz abgesehen von Umweltoperationen; (3) Die Erfindung von Waffen für einen Wettbewerb innerhalb der Spezies, der das Überleben der gesamten Menschheit bedroht; und (4), was hoffentlich ein ausgleichender Faktor ist, die moralischen, spirituellen und ethischen Werte, die der Mensch besitzt. (Hirschleifer, 1977: 52).

Meine eigene Warnung betrifft mehr die Fehlgeleitetheit außerhalb der EEA. Dies läuft allerdings auf dasselbe hinaus. Beim modernen Menschen kann man nicht mit Sicherheit annehmen, daß er seine Fitness maximieren wird, so wie einfachere Lebewesen in ihrer althergebrachten Umgebung dies tun.

Nepotismus und Formbarkeit

Der letzte Satz im ersten oben angeführten Zitat bezieht sich auf die bereits erwähnte inklusive Fitness. Dieses Konzept wird manchmal auch als Verwandtschaftsselektion oder Nepotismus bezeichnet. Damit wird Darwins Konzentration auf Nachkommenschaft erweitert, um auch Nachkommen einer Seitenlinie mit einzuschließen. Die Investition in eine Nichte bringt unseren Genen halb so viel Nutzen, wie die Investition in eine Tochter, da die Tochter doppelt so viele unserer Gene trägt wie die Nichte. Die Theorie der Verwandtschaftsselektion besagt, daß wir darauf programmiert sind, anderen nur nach Maßgabe der Formel $C < rB$, dem sogenannten Hamilton-Gesetz, zu helfen. C (Kosten) bezeichnet hierbei den Fitnessverlust beim Altruisten, B (Gewinn), den Fitnessgewinn beim Empfänger und r das Ausmaß der Bezogenheit beider Größen.

Viele widersprechen dem deshalb, weil die meisten unserer Gene universell oder sehr verbreitet sind und mehr von einem weniger beschränkten und dafür opportunistischeren Altruismus profitieren könnten. Auf den ersten Blick profitieren Gene vom Nepotismus nur relativ zu ihrer Seltenheit.

Veränderungen etwa bei der Parasitenbelastung oder anderen immer wieder auftretenden Stressformen in der Umgebung können es erforderlich machen, daß innerhalb von einer oder mehreren Generationen seltene Gene sich verbreiten und verbreitete Gene selten werden (Hamilton und Zuk, 1982; Hamilton, 1990). Hamilton zeigte, daß ein Altruist nur durch Nepotismus die Häufigkeit seiner Gene auf verläßliche Weise steigern kann. Altruismus außerhalb der Verwandtschaft kann zwar die Bevölkerungszahlen in die Höhe treiben, die Häufigkeitsstruktur der Gene bleibt aber genauso wie vorher (Trivers, 1985: 126ff.).

Der Genpool kann also mit einem feststehenden Katalog verglichen werden, aus dem die Kunden Parkas für eine kommende Eiszeit und Bikinis wegen des Treibhauseffekts bestellen können. Der Genpool, der diese Bestellungen innerhalb der kürzesten Generationsspanne ausführt, weist die größte »Formbarkeit« oder den schnellsten »Genzyklus« auf und könnte bei einer Verschiebung der Umweltbelastungen der überlebensfähigste sein. Dann tragen alle unsere Gene, nicht nur die seltenen, bei der Investition in die Verwandtschaft ihren Teil bei und werden sich entwickelt haben, um ihr förderlich zu sein. Dazu gehören auch die Gene, die für den Altruismus bestimmend sind.

Wachstum

So wie die Ein-Faktor-Theorie uns keinen Hinweis darauf lieferte, welche Ertragsrate typisch ist, vermittelte sie uns auch keine Vorstellung vom zu erwartenden Umfang der Kapitalwachstumsrate g_J. Die Biologie kann uns zunächst bei letzterem Problem behilflich sein.

Wir haben beschlossen, J oder Kapital in Fitness zu messen, woraus folgt, daß g_J die Rate ist, mit der sich langfristige Replikationsaussichten verändern. Wir können als sicher annehmen, daß diese Rate niemals genau Null betragen wird. Die Welt ist nie im Ruhezustand, und die Unwägbarkeiten bei der Reproduktionslotterie sind einer ständigen Verschiebung unterworfen. Wir wissen aber auch, daß die Replikationsaussichten von der Adaption und die Adaption von einem Präzedenzfall abhängt.

Mit anderen Worten, Lebewesen passen sich an aufgrund einer genetischen Erinnerung an das, was früher einmal funktioniert hat. Wenn es dauernde Veränderung gibt, so scheint damit impliziert zu werden, daß entweder im Genpool oder in der Umgebung etwas Neues entsteht. Etwas Neues, also etwas, das außerhalb der genetischen Erinnerung liegt, stellt eine Bedrohung dar, die von der Evolution nur dann assimiliert werden kann, wenn die Bedrohung gering oder selten ist. Dies ermutigt uns zu glauben, daß die EEA eine Reihe von so verschiedenartigen (oder genügend »negativ korrelierten«) Zuständen umspannt, daß genetische Diversität und Umschichtbarkeit gewährleistet wird, diese Zustände aber doch häufig genug sind, um sicherzustellen, daß zumindest einige der verfügbaren Gene früher schon einmal mit einer solchen Situation fertiggeworden sind. Befindet sich innerhalb fester Grenzen etwas dergestalt im Fluß, so bezeichnet man das häufig als Homöostase oder einfach als Stasis.

Wir können davon ausgehen, daß durchschnittliche Wachstumsraten im Rahmen der EEA über angemessen lange Zeitspannen betrachtet, bei großen Anhäufungen nie den Wert Null erreichen, sich aber auch nie weit vom Wert Null entfernen werden. Ein beständiges Wachstum, das so fortschreitet, wie dies bei den Industrienationen der Fall ist, führt zu einer progressiven Entfernung von der EEA und somit vom biologischen Gesetz. Gleichzeitig haben wir aber eingangs festgestellt, daß es für die Vorhersage keinen besseren Anhaltspunkt gibt, als dieses Gesetz. Das Beste, was wir tun können ist, unsere Gleichungen so zu formulieren, als wäre dieses Gesetz absolut verbindlich und dann das Beste zu hoffen, wenn wir diese Gleichungen überprüfen.

Die Bewahrung von Fitness

Wie wir schon sagten, ist der Kernpunkt des Darwinismus die Vorstellung, daß Fitness weitgehend vererbt und so bewahrt wird. Diese Vorstellung können wir jetzt etwas anders formulieren. Banal ausgedrückt, Kapital oder Fitness sind konstant, wenn man vom Wachstum absieht. Und da unter EEA-Bedingungen das Wachstum gering ist, wie man bei Beobachtungen angemessenen Umfangs feststellen kann, wird die Fitness in diesem Maß bewahrt.

Wir wollen einmal untersuchen, wie sich die Fitness über einen Fortpflanzungszyklus des Lachses bewahren läßt. Die Gesamtfitness des sich vereinigenden Paares sollte genauso groß sein, wie die Fitness der in die Tausende gehenden Neugeborenen, die an seine Stelle treten, sowie der ständig kleiner werdenden Population von Überlebenden, die die Geschlechtsreife erlangen und auf die die Zahl der Neugeborenen schließlich zusammenschrumpft. Wäre es anders, so hätte sich die Fitness des Originalpaares als illusorisch erwiesen.

Die Jungen halten hier den Gesamtwert konstant, da sie gerade so viel an Reife dazugewinnen, wie nötig ist, um den zahlenmäßigen Verlust auszugleichen. Die Fitness wird in der Tat von den Nichtüberlebenden auf die Überlebenden transferiert, wobei sie in ihrer Gesamtheit in den beiden zusammengefaßt wird, von denen zu erwarten ist, daß sie Partner finden und sich schließlich fortpflanzen werden. Fitness bleibt also beim Transfer durch die Generationen intakt, wenn man vom Wachstum absieht, und wir werden die Gleichungen, die diesen Prozeß beschreiben als Transfertheorie bezeichnen.

Das Modell einer Generation mit gleichem Geburtstag

Ein mathematisches Modell kann nicht mehr sein, als ein Ausgleich von Verzerrungen. Die Verzerrungen können unsere Geduld auf die Probe stellen. Wird der Ausgleich sorgfältig durchgeführt, so lassen sie sich am Ende jedoch ausfiltern. Unsere Aufgabe wird es jetzt sein, uns ein Bild des Wirkens der Evolution in einer Bevölkerung zu machen, deren Daten zu Normen zusammengefaßt worden sind. Sobald wir Boden unter die Füße bekommen, können wir unsere Bedingungen lockern und unsere Ergebnisse generalisieren, damit sie in die reale Welt passen.

Stellen wir uns eine Bevölkerung in natürlicher Umgebung vor, von der wir erwarten können, daß sie dem biologischen Gesetz gehorcht und Fitness maximiert. Die Bevölkerung kann, muß aber nicht menschlich sein. Ihr Gesamtkapital beziehungsweise ihre Gesamtfitness, einschließlich des Eigentums, das dazu beiträgt, ist J. Wir nehmen außerdem den gegenwärtigen Zeitpunkt als Zeit t an und nicht wie in der Ein-Faktor Theorie als Zeit 0.

Wir gehen davon aus, daß der Beginn der Investition (von Genen, Fürsorge oder Eigentum) in die Jungen durch den Zeitpunkt der Empfängnis markiert wird.[6] Aus diesem Grunde wird das Alter nach dem Empfängniszeitpunkt und nicht nach der Geburt berechnet. Nehmen wir der Einfachheit halber an, daß alle Angehörigen einer Generation zum gleichen Zeitpunkt empfangen wurden. Diejenigen, die das Alter T erreichen, werden zu den Erwachsenen gerechnet. Um so allgemein wie möglich zu bleiben, wollen wir den Wert T über die Generationen hinweg variieren

[6] Genauer gesagt beginnt die mütterliche Investition mit der Ovulation. Dies ist deshalb der Fall, weil das Ei Nährstoffe enthält, die die Mutter sonst für sich selbst hätte verwenden können.

lassen. Nehmen wir an, eine Gruppe erreicht das Alter T und empfängt zum Zeitpunkt 0. Die noch ungeborenen Jungen bestehen aus den Überlebenden S, die selbst ihrerseits das Alter T erreichen und sich reproduzieren werden, und den Nichtüberlebenden N, bei denen dies nicht der Fall sein wird. Da wir im voraus nicht sagen können, wer zu welcher Gruppe gehören wird, unterstellen wir, daß die Fitness, beziehungsweise die Reproduktionschancen *ex ante* für Überlebende und Nichtüberlebende die gleichen sind. Die Erwachsenen A bilden die einzige übrigbleibende Kategorie, zu der die neuen Eltern und alle Älteren, die aus früheren Generationen stammen, zählen. A, S, und N werden genauso wie J in kollektiver Fitness gemessen, einschließlich der Fitness, die durch Eigentum beigetragen wird. Wir erhalten

$$J = A + S + N \tag{18}$$

für jeden Zeitpunkt des reproduktiven Zyklus.

Wir nehmen an, daß der Wert von S zur Zeit 0 undefiniert ist, da S zu diesem Zeitpunkt diskontinuierlich abfällt. Aber schon einen Augenblick später, den wir als Zeit 0+ bezeichnen wollen, ist der Wert von S bei Null anzunehmen. Wie läßt sich diese Annahme rechtfertigen? Wollen wir zwei Extremfälle betrachten. Wir haben gesehen, daß der Lachs, der sich nur einmal fortpflanzt und in keine elterliche Fürsorge investiert, wenn man von dem Aufwand für die Ovulation absieht, unmittelbar nachdem er gelaicht hat, stirbt. Die Population weist deshalb praktisch keine Erwachsenen auf. Für den Lachs gilt also $J - S+N$. Zur Zeit 0+ hat jeder neugeborene Lachs, dem es bestimmt ist zu überleben, einige Tausend Geschwister von gleicher *ex ante* Fitness, denen nicht bestimmt ist zu überleben. Dies läßt sich beim Lachs arithmetisch vereinfacht ausdrücken als $S_{0+} = 0$ und $N_{0+} = J_0$.

Nehmen wir jetzt den umgekehrten Fall. So wie die Lachspopulation praktisch keine Erwachsenen aufweist, könnte man die Vereinigten Staaten heutzutage beinahe als eine Bevölkerung ohne nichtüberlebende Nachkommen bezeichnen. Im statistischen Bericht der USA für 1990 (*Statistical Abstract of the United States: 1990*; kurz SAUS 90), wird die Lebenserwartung für 1986 in Tabelle Nr. 106 gezeigt. Der Durchschnitt lag für alle Amerikaner zum Zeitpunkt der Geburt bei 74,8 Jahren. Der Durchschnitt des Empfängnisalters bei 27,6 Jahren (später als T bezeichnet), lag bei 50,0. Beide zusammen ergeben eine Lebenspanne von 77,6 Jahren ab dem Zeitpunkt der Empfängnis. Im Alter von 27,6 Jahren war die zu erwartende

Lebensspanne also nur 2,4% höher, als zum Zeitpunkt der Geburt. Die zu erwartenden Todesfälle pro 1000 betrugen mittlerweile weniger als 1 für jedes Jahr zwischen eins und achtzehn und nur 1,21 bis zum Alter von 28. Unterstellen wir weiter, daß auch die intrauterine Sterblichkeit gering ist, so können wir für die heutigen Amerikaner schreiben $J = A + S$. In diesem Fall ergibt sich $S_{0+} = 0$ und $A_{0+} = J_0$, weil die einzelne Zygospore sowohl für ein sich nach der Art K, als auch ein sich nach der Art *r* fortpflanzendes Lebewesen nur eine geringe Investition darstellt. Allein die Fürsorge ist für den zahlenmäßigen Unterschied verantwortlich, und diese Investition konnte sich noch nicht akkumulieren, als $t = 0+$ war.

Manche Lebewesen sind weder ideale Vertreter der Fortpflanzungsart K noch der Fortpflanzungsart *r*, sie sind stattdessen von Fürsorge und ihrer Anzahl abhängig, um ihre Gene bewahren zu können. Für sie könnten sowohl N als auch A zum Zeitpunkt 0+ positiv sein. Noch immer ergibt sich aber

$$S_{0+} = 0 \qquad \text{und aus (18)} \tag{19}$$

$$J_0 = (A + N)_{0+} \tag{20}$$

für Fortpflanzung vom Typ *r*, vom Typ K und alle dazwischen liegenden Fortpflanzungsstrategien.

(20) sagt aus, daß zur Zeit 0+ praktisch das gesamte J bei K-Populationen in A und beim Lachs beispielsweise in N investiert wird. Da die Selektion nicht zwischen Erwachsenen und Nichtüberlebenden unterscheidet, wenn es darum geht, Hilfsmittel zu finden, um die Überlebenden bis zur Geschlechtsreife zu bringen, werden wir für die Gesamtheit der beiden Gruppen und nicht für jede einzeln so viele Voraussagen wie möglich treffen.

Der Einfachheit halber wollen wir T– als den Augenblick unmittelbar vor dem Zeitpunkt T definieren. Wir wollen annehmen, daß A, S und N alle vom Zeitpunkt 0+ bis zum Zeitpunkt T- stetig sind. Da wir sagten, daß S zu Beginn eines jeden neuen Zyklus auf Null zurückfällt, während A + N steigen, um den Unterschied wettzumachen, so ist zu folgern, daß diese Variablen zu den Zeitpunkten 0 und T nicht ebenfalls stetig sein können.

Die Zahl der Nichtüberlebenden nahm während des Zyklus allmählich ab und die per Definition letzten haben zum Zeitpunkt T ihre Fitness auf die Überlebenden transferiert. Durch Kontinuität ergibt sich

$$N_{T-} = 0 \text{ und} \tag{21}$$

$$J_T = A_{T-} + S_{T-} \tag{22}$$

Da die jüngsten Erwachsenen zum Zeitpunkt T– auch zum Zeitpunkt 0+ bereits erwachsen waren, sehen wir, daß der Wert derjenigen, die zu den Älteren zu gehören beginnen und die bereits Älteren A_{T-} ist. Jetzt kommt der Zeitpunkt T und der Zyklus beginnt von neuem.

Der Einfachheit halber haben wir hier J_0 und J_T anstelle von J_{0+} und J_{T-} verwendet. Dies ist insofern gerechtfertigt, als J anders als seine Komponenten S und A + N zu den Zeitpunkten 0 und T nicht diskontinuierlich variieren kann. Im allgemeinen können wir Platz sparen, wenn wir die infinitesimalen Unterscheidungen bezüglich der Zeit dort vernachlässigen, wo diese die Werte nicht berühren.

Nehmen wir T + U als das Alter an, in dem alle Erwachsenen sterben. U kann ebenso wie T im Lauf der Generationen variieren. (21), (22) und unsere Definition von U lassen uns jetzt wie folgt formulieren

$$(A+N)_{T-} = 0 \quad \text{und} \tag{23}$$

$$\text{wenn } T \geq U$$

$$S_{T-} = J_T \tag{24}$$

Unser Modell läßt es jedoch nicht zu, daß A + N zu einem Zeitpunkt vor T– den Wert Null erreicht. Ein früheres Verschwinden würde eine Diskontinuität in der Transferrate auf S bedeuten. Dies wäre eine evolutionäre Zeitverschwendung und widerspräche unserer Annahme, daß die Fitness maximiert wird. Ebensowenig können wir zulassen, daß der Wert der Älteren, falls solche vorhanden sind, verschwindet, ehe sie im Alter T + U sterben. Null-Fitness vor dem Tod würde bedeuten, daß sie während eines gewissen Zeitraums nichts zur Genreplikation beitragen. Dies widerspräche der gleichen Annahme.

Wir wollen noch einmal klarstellen, daß unser Modell nicht notwendigerweise Ältere oder überhaupt Erwachsene einschließt. Würde sich J auf eine Lachspopulation beziehen, so hätten wir schreiben können, $U \sim 0$. Auch Eigentumsniveaus sind nicht berücksichtigt. Ob eine Population über Eigentum verfügt oder nicht und unabhängig davon, wieviel Eigentum sie zur Verfügung hat, zum Zeitpunkt 0+ gehört den überlebenden Jungen nichts und zum Zeitpunkt T– alles, abzüglich des Wertes von A_{T-}.

Eigentum geht ebenso wie Kapital im Eigenbesitz in langsamen Abstufungen auf die neue Generation über, wobei unser Modell beides als eines behandelt.

Phasen- und Zykluszahl

Wir wissen jetzt etwas über die Werte von S und A + N zu den Zeitpunkten 0+, T– und U, nicht aber zu anderen Zeitpunkten. Wir werden versuchen mehr zu erfahren und das, was wir über den gegenwärtigen Zyklus in Erfahrung gebracht haben zu generalisieren, um es auf vergangene und künftige Zyklen anwenden zu können.

Da wir T von einem Zyklus zum anderen variieren ließen, können wir sagen, daß T eine Funktion der »Zykluszahl« j ist, wobei j jede ganze Zahl sein kann. Es wäre jetzt nützlich, T als den Durchschnittswert von T für die Zeitspanne vom Zyklus Null bis zum Ende des Zyklus j-1 zu definieren. Damit ergibt sich

$$\bar{T} = (\sum_{k=0}^{j-1} T_k)/j \qquad \text{wenn } j \neq 0$$

wobei, T_k der Wert von T im Zyklus k ist. Ist j = 0, so können wir definieren

$$\bar{T} = 0$$

Sodann können wir definieren

$$\tau = t - j\bar{T} \qquad \text{wo } 0 \leq \tau < T.$$

τ (der griechische Buchstabe *tau*) bezeichnet die Zyklusphase und T die Zeitperiode. τ bemißt jeden Zyklus so, als würde er zum Zeitpunkt Null beginnen und zum Zeitpunkt T– enden. So spiegelt es auch das jeweilige Alter der Jungen wider. Durch diese Bezeichnung werden einige unserer Gleichungen leichter lesbar.

Wie wir sahen, beschreiben (19) bis (24) einen bestimmten Zyklus, in dem gilt j = 0. Wir können jetzt generalisieren, um alle Zyklen einzuschließen und schreiben

$$S_{(j\underline{T})+} = 0, J_{jT} = (A + N)_{(jT)+}$$

und so weiter. Diese Bezeichnung läßt sich aber noch vereinfachen. Wir wollen wie folgt definieren

$$x_j = x_{j\bar{T}},$$

$$x_{j+} = x_{(j\bar{T})+} \quad \text{und}$$

$$x_{j-} = x_{(j\bar{T})-}$$

wobei x für c, J, S, N und A stehen kann. Das tiefgestellte j+ bezeichnet also einen Augenblick unmittelbar nach dem Zeitpunkt $j\bar{T}$ und j– einen Augenblick, der unmittelbar davor liegt. Das tiefgestellte j+1 würde entsprechend den Augenblick $j\bar{T} + T$ bezeichnen. (j+1)+ und (j+1)– wären die Augenblick unmittelbar danach und unmittelbar davor, usw. Jetzt können wir generalisieren und (19) bis (24) in folgende Form bringen

$$S_{j+} = 0 \tag{25}$$

$$J_j = (A + N)_{j+} \tag{26}$$

$$\left.\begin{array}{l} N_{j-} = 0 \text{ (oder } N_{(j+1)-} = 0) \\ J_j = A_{j-} + S_{j-} \quad \text{und} \\ (A + N)_{j-} = 0 \quad \text{und} \\ S_{j-} = J_j \end{array}\right\} \text{wenn } T \geq U \tag{27}$$

gültig für jedes j, wobei wir uns erinnern, daß wegen der Kontinuität der beiden Faktoren gilt $J_j = J_{j+} = J_{j-}$ und $c_j = c_{j+} = c_{j-}$. Bei diesen Verallgemeinerungen haben wir auch die Kontinuität von S, A und N unterstellt, falls $\tau \neq 0$.

Homogenität

An dieser Stelle müssen wir eine weitere vereinfachende Annahme in unser Modell einführen. Wir fordern, daß S und A+N »homogen« in dem Sinne sein sollen, daß das Wachstum sie auf identische Weise beeinflußt. Beide wachsen also mit der Rate g_J, wenn man von einem Transfer untereinander absieht. Es ergibt sich also

$$\left.\begin{array}{l} dS/d\tau = g_J S + \Theta \quad \text{und} \\ d(A + N)/d\tau = g_J(A + N) - \Theta \end{array}\right\} \text{wenn } \tau \neq 0. \tag{28}$$

wobei Θ (der griechische Buchstabe *theta*) den Transferfluß von A + N zu S bezeichnet. Wir haben die Forderung $\tau \neq 0$ gestellt, da wir sahen, daß S und A + N sich quantitätsmäßig diskontinuierlich verändern

$$\Delta(A + N) = -\Delta S = S_{j-} \text{ wenn} -\tau = 0.$$

d.H. falls $t = j\bar{T}$. In diesem Augenblick kehrt sich die Transferrichtung um, und die Gesamtheit von S_{j-} füllt den Vorrat $(A + N)_{j+}$ wieder auf.

Die grundlegende Transfergleichung

Als nächsten Schritt wollen wir versuchen, das biologische Gesetz mit den Begriffen wirtschaftlichen Outputs und Konsums wiederzugeben. Wir haben bereits an früherer Stelle gesagt, daß diese beiden Konzepte in ihrer Bedeutung, sowohl in der traditionellen Zwei-Faktoren-Theorie als auch bei unserem eigenen Ansatz ziemlich vage sind und es unsere hier verfolgten Absichten übersteigen würde, sie exakt zu definieren. Wir werden die beiden Begriffe insoweit verwenden, als sie uns von Nutzen sein können, wie wir es auch im Falle der Fitness getan haben.

Nach der Zwei-Faktoren-Theorie wird Output manchmal bemessen als Verkauf von Endprodukten plus Veränderungen am Bestand, etwa Fabrikanlagen oder Inventar. Konsum ist einfach der Verkauf von Endprodukten. Gemäß (4) ist der Unterschied zwischen beiden oder die Bestandsveränderung als $g_J J$ bezeichnet. Jetzt können wir versuchen, diese Meßformeln im Lichte der Biologie in die Ein-Faktor-Theorie zu übernehmen.

Das biologische Gesetz kann so verstanden werden, daß die wirklichen Endprodukte einer Volkswirtschaft die überlebenden Jungen sind. Die Zwei-Faktoren-Theorie könnte die Jungen nur im metaphorischen Sinne als Produkte bezeichnen, nach der Ein-Faktor-Theorie können sie aber in viel buchstäblicherer Weise als solche bezeichnet werden.

Die Jungen werden nicht wirklich verkauft, wohl aber die Mittel für ihre Aufzucht. Anhand dieser Tatsache können wir das Gesetz wie folgt interpretieren: alle Endprodukte im herkömmlichen wirtschaftlichen Sinne tragen zum Wert der überlebenden Jungen bei.

Hier sind wir versucht zu schreiben $c = dS/d\tau$. Dies wäre dann gerechtfertigt, wenn das Wachstum Null beträgt, ansonsten wäre die Tatsache nicht berücksichtigt, daß S aus Gründen variieren kann, die nichts mit dem Fluß der Endprodukte zu tun haben. Diese anderen Gründe werden zusammenfassend als Wachstum bezeichnet. Durch Homogenität wirkt sich der Effekt des Wachstums auf S aus als g_jS. Damit erhalten wir

$$c = dS/d\tau - g_jS \quad \text{wenn } \tau \neq 0 \tag{29}$$

was unsere Erkenntnis $c = dS/d\tau$ generalisiert und so an willkürliche Wachstumsraten angleicht. Damit gelangen wir zu unserer Aussage über das biologische Gesetz in der Wirtschaft.[7] Wir bezeichnen diese als die grundlegende Transfergleichung. Ein Vergleich von (28) und (29) führt uns mittlerweile zu dem interessanten Ergebnis $c = \Theta$, was bedeutet, daß Konsum und Transfer das gleiche sind.

Auch wenn es so scheinen mag, so verbietet das Gesetz es Erwachsenen nicht, in sich selbst zu investieren. Wir können Hirschleifer paraphrasieren, wenn wir feststellen, daß das Output Pensionistengemeinden ebenso umfaßt wie Schulen und Kindergärten. Die Fitnessmaximierung verlangt, daß alles, was Erwachsene konsumieren, irgendwie, sei es in gleicher Form oder mit Zinsen an die Jungen weitergegeben wird. Wir sagten, daß Erwachsene und Nichtüberlebende zu einem »Bestand« gehören, dessen Wert später in den Überlebenden konvertiert wird. Die Selektion investiert nur zu Gunsten des Endproduktes in sie, wie der Bäcker in sein Mehl.

Die Lösung der grundlegenden Transfergleichung

(29) ist eine lineare Differenzialgleichung erster Ordnung. Aus Textbüchern erfahren wir, daß der »integrierende Faktor« hierbei $e - \int g_1 d\tau$ ist und die »allgemeine Lösung«

$$S = e^{\int g_j d\tau} \left(\int c e^{-\int g_j d\tau} d\tau + C_j \right) \quad \text{wenn } \tau \neq 0$$

ist, wobei C_j eine unbekannte Konstante für den Zyklus j bezeichnet. Das tiefgestellte j bezieht sich hier nicht auf die Zeit, sondern auf die Zykluszahl. C_j weist also im Bereich $j\bar{T}$, $j\bar{T} + T$ einen einzigartigen Wert auf. Von jetzt an werden wir im übrigen $\tau \neq 0$ unterstellen, soweit nichts anderes angegeben ist.

Wir können die Dinge einfacher gestalten, wenn wir g_c und g_j als konstant annehmen. Dann ist $e^{\int g_j \tau}$ einfach $e^{g_j \tau}$ und als allgemeine Lösung erhalten wir

[7] Hier habe ich mich früher geirrt. In Getty (1989) folgerte ich $y = dS/d\tau$ und übersah die »Veränderung im Bestand«.

$$S = e^{g_J\tau}(\int ce^{-g_J\tau}d\tau + C_j)$$

wenn g_c und g_J konstant sind.

Wenden wir uns jetzt der Möglichkeit zu, daß beide variieren. Wir können damit anfangen, daß wir $\bar{g_c}$ und $\bar{g_J}$ als die Durchschnittswerte von g_c und g_J im Zeitintervall $(0,\tau)$ definieren. Damit ergibt sich

$$\bar{g_c} = (1/\tau) \int_{0+}^{\tau} g_c dx \quad \text{und} \quad \bar{g_J} = (1/\tau) \int_{0+}^{\tau} g_J dx$$

wobei x eine Scheinvariable ist. Jetzt wird $e^{\int g_j d\tau}$ zu $e^{\bar{g}_g\tau}$ und wir erhalten als allgemeine Lösung

$$S = e^{\bar{g_J}\tau}(\int ce^{-\bar{g_J}\tau}d\tau + C_j).$$

Durch Kontinuität von c und J ergibt sich, wie wir bereits wissen

$$z = z_t\, z_{jT+\tau} = z_j e^{\bar{g_z}\tau} \tag{30}$$

wobei z entweder c oder J ist. So erhalten wir beispielsweise $c = c_j e^{\bar{g}_c\tau}$. Hier können wir auf unsere Definition $\alpha = g_c - g_J$ zurückgreifen und schließen $ce^{-\bar{g}_J\tau} = c_j e^{\alpha\tau}$. Die allgemeine Lösung, die ein Variieren von g_c und g_J zuläßt, lautet damit

$$S = e^{\bar{g_J}\tau}(c_j \int e^{\alpha\tau}d\tau + C_j). \tag{31}$$

Ausgewogenheit

Nehmen wir den Fall $g_c = g_J$ oder $\alpha = O$, was, wie bereits erwähnt, als Ausgewogenheit bezeichnet wird. Dies führt uns zu der Definition $g = g_c = g_J$ und $\bar{g} = \bar{g}_c = \bar{g}_J$. Aus $\int e^{\alpha\tau} = \tau$ zusammen mit (31) ergibt sich jetzt

$$S = e^{\bar{g}\tau}(c_j\tau + C_j).$$

Wir können nach C_j hin auflösen, wenn wir $\tau = 0+$ einsetzen und (25) als »Grenzbedingung« setzen. So erhalten wir $S_{j+} = 0 = C_j$. Also ist $C_j = 0$ und

$$S = e^{\bar{g}\tau}c_j\tau.$$

Aus (30) $c_j e^{g\tau}$ und unserer »speziellen Lösung« bei Ausgewogenheit vereinfacht dies auf

$$S = c\tau \tag{32}$$

Setzen wir hier jetzt $\tau = T-$ um $S_{(j+1)-} = c_{j+1}T$ zu erhalten und erinnern wir uns, daß T implizit mit einem tiefgestellten j versehen ist. Beide Seiten lassen sich durch J_{j+1} teilen, was zu

$$(S/J)_{(j+1)-} = (c/J)_{j+1}T$$

führt. Wir wissen aber auch, daß c/J im Falle von Ausgewogenheit konstant ist, da c und J sich mit der gleichen Rate g verändern müssen. Wir können also die tiefgestellten Beifügungen auf der rechten Seite der obigen Gleichung weglassen und erhalten

$$(S/J)_{(j+1)-} = cT/J \text{ bei Ausgewogenheit} \tag{33}$$

Transferrate ohne Berücksichtigung der Älteren

Wir definierten die Älteren als Erwachsene, deren Nachkommen selbst bereits das Alter T überschritten haben. Betrachten wir eine Population, in der sie nicht vorkommen, so bedeutet dies $T \geq U$. Wir können in (27) $j+1$ für j einsetzen und erhalten $(S/J)_{(j+1)-} = 1$, falls $T \geq U$. (33), (4) und (11) ergeben dann

$$c/J = 1/T \tag{34}$$

$$y/J = 1/T + g \quad \text{und wenn} \quad T \geq U \text{ bei Ausgewogenheit} \tag{35}$$

$$i = 1/T + \tau \tag{36}$$

Aus (34) ersehen wir, daß T unter den angenommenen Voraussetzungen implizit konstant ist.

Vom Modell zur Realität

Früher oder später wollen wir erfahren, wie unser Modell dazu beitragen kann, Prognosen in der realen Welt zu treffen. Wenn wir auf Förmlichkeit bestünden, würden wir sagen – später. Wir müssen unserem Modell einige weitere Bedingungen hinzufügen, wenn wir auf dieses zurückgreifen wollen, um die Möglichkeit einer Welt mit Älteren zu untersuchen. Idealerweise sollten wir unser Modell dann in die Wirklichkeit transponieren, wenn alle diese Bedingungen festgelegt worden sind. Das Modell ist fast vollständig und ein noch längeres Warten würde unsere Geduld stärker auf die Probe stellen als es das wert wäre.

Der Übergang vom Modell zur Wirklichkeit ist oft der Teil einer modellgestützten Argumentation, der intuitiv am einfachsten zu akzeptieren und doch am schwersten zu beweisen ist. So ergeht es uns auch hier. Wir wollen in der Tat gar nicht versuchen, einen Beweis anzutreten. Wir werden uns damit zufriedengeben, einige Ideen anzubieten, die Beweise können später folgen.

Was bewiesen werden sollte ist im Grunde, daß unser vereinfachtes Modell so verfeinert werden kann, daß ein flexibleres Modell entsteht, das genau die gleichen Voraussagen erlaubt. Dieses flexiblere Modell könnte willkürliche Geburtsdaten und eine stochastische anstelle einer stereotypischen Behandlung des reproduktiven Alters und der Lebenserwartung zulassen. Wir wollen untersuchen, was wir mit solch einem stochastischen Ansatz erreichen können.

Beginnen wir damit, daß wir unsere Definition der Generationsspanne (T) individualisieren. Wir könnten diese für einen bestimmten Elternteil als durchschnittlichen Altersunterschied gegenüber seinen Kindern während seines gesamten reproduktiven Lebens definieren. (Wir müssen in Kauf nehmen, daß dieser Durchschnitt erst dann sicher gemessen werden kann, wenn dessen reproduktive Lebensphase vorüber ist). Nehmen wir als Beispiel eine 30-jährige Person, die jeweils mit 23 und 29 ein Kind bekam und mit 32 ein drittes und letztes Kind haben wird. Ihr T-Wert beträgt dann $(23+29+32)/3$ oder 28 Jahre. Dieses Beispiel erinnert uns daran, daß T mehr oder weniger den Mittelpunkt und nicht den Beginn der reproduktiven Zeitspanne bezeichnet.

U wird entsprechend zu definieren sein, als die im Alter von 28 noch zu erwartende Restlebensspanne. Eine ältere Person ist in der realen Welt also zu verstehen als ein Erwachsener, der mehr als doppelt so lange lebt, wie seine besondere und nicht die durchschnittliche Generationsspanne beträgt. Wenn wir argumentieren, daß diejenigen, die länger leben, dazu neigen, auch länger zu reproduzieren, dann sehen wir, daß wir aus dem Alter alleine noch nicht entnehmen können, wer zu dieser Gruppe gehört.

Wir können diese Definitionen, allerdings auf Kosten der Einfachheit verbessern, wenn wir Hamiltons Vorstellung des individuellen Nachwuchses anstelle von Nachwuchs im allgemeinen Sinne einsetzen. Mein T-Wert hinge also ebenso davon ab, wann sich meine Geschwister reproduzieren, wie davon, wann ich mich reproduziere. Diese Definition hilft uns dabei, den Wert T für kinderlose Erwachsene zu definieren. Sie sollte auch dazu beitragen, außergewöhnliche Generationsspannen zu nivellieren und so die Normabweichung dieses Maßes einzugrenzen.

Jetzt stehen wir vor dem Problem, einen Durchschnittswert für diese Individualwerte finden zu müssen. Im Prinzip könnten wir den Gruppenwert von T zu jedem gegebenen Zeitpunkt als Durchschnitt der individuellen Generationsspannen relativ zur Fitness bezeichnen. (Ihre Generationsspanne zählt mehr als meine, wenn Sie mehr Nachkommen haben.) Mit diesem Prüfmaßstab könnte das Messen von T aber impraktikabel werden. Da T oft mit dem Geschlecht zu tun hat, schlage ich stattdessen vor, T für die Bevölkerung als das Mittel der durchschnittlichen männlichen und der durchschnittlichen weiblichen Generationsspannen, ungeachtet der Geschlechterverteilung, zu identifizieren.

Diese einfache Formel wird durch eine Binsenwahrheit bestätigt, wonach die Gesamtfitness der Männer und die Gesamtfitness der Frauen in einer diploiden Spezies immer gleich sein muß, da diese beiden Gruppen genau die gleiche Zahl von Nachkommen haben werden. Da wir den Kapitalwert anhand von Fitness berechnen, ist unsere Definition von T die einzige, die gleichen Werten das gleiche Gewicht beimißt. Wenn sich beispielsweise ein Bulle typischerweise mit fünfzig Kühen paart, dann kommt seine Fitness der Gesamtfitness der Kühe gleich. Und im Verlaufe seiner Generationsspanne wird ebensoviel an die Überlebenden weitergegeben, wie im Verlaufe der durchschnittlichen Generationsspanne der Kühe.

Auch U ist oftmals geschlechtsbezogen, und wir können aus diesem Grunde das Gesamt-U der Bevölkerung ähnlich messen wie T. Da kollektiv gesehen Männer und Frauen die Geschlechtsreife mit dem gleichen Maß an Fitness erreichen müssen, wird während der restlichen Lebensspanne der Männer ebensoviel auf die Jungen transferiert, wie während der der Frauen.

Das flexiblere Modell würde dann den Zyklus gleicher Geburtstage durch eine Mischung einander überlappender Zyklen ersetzen, deren Kriterien T und U Erwartungen und keine sicheren Daten bezeichnen würden. Wir wollen in optimistischer Weise annehmen, daß ein Modell nach Maßgabe dieser Unterstellungen zu den gleichen Ergebnissen führt, wie unser eigenes Modell.

Die Seltenheit von Älteren

Nach allgemeinem Sprachgebrauch können wir die Älteren als diejenigen bezeichnen, die keine Nachkommen mehr haben werden und deren jüngste Nachkommen bereits erwachsen sind. Ältere, die dieser Definition entsprechen, scheinen in der Natur unbekannt zu sein. Einmal pflanzen sich Lebewesen in der Regel solange fort, bis sie sterben. Eine Menopause in Rahmen der EEA ist bisher nur bei Menschen und vielleicht einigen Walarten bekannt geworden. Die Menopause reicht aber bei weitem nicht aus, um das Vorhandensein von Älteren zu garantieren. Wenn alle reproduktiven Jahre gleichermaßen fruchtbar sind, so zeigt die Rechnung, daß U noch immer nicht größer ist als T, solange die post-reproduktive Phase nicht länger dauert als die präproduktive oder somatische.

Warum arrangiert die Natur dies so? Die einfachste Antwort, was unser Modell betrifft, wäre, daß die Älteren nicht gleichzeitig ihre Investition in die Jungen und in die Verwandtschaft maximieren können. Ihre Nachkommen sind bereits erwachsen und ihre Enkel sind nur halb so eng mit ihnen verwandt. Die Investitionen der Älteren in ihre seltenen Gene ist nicht nur halbiert, sondern eine Generation lang aufgeschoben. Jeder Formbarkeit fordernde Druck würde also eine starke Selektion gegen Ältere bedeuten.

Damit scheint es gerechtfertigt zu schlußfolgern

$$T \geq U, \quad \text{in der EEA} \qquad (37)$$

so daß die für (34), (35) und (36) erforderlichen Bedingungen im Rahmen der EEA implizit erfüllt sind. Da das durchschnittliche Wachstum, wie wir sagten, in der natürlichen Welt gering ist, können wir (35) und (36) vereinfachen und erhalten

$$1/T = c/J \sim y/J \sim i \text{ in der EEA}$$
$$\text{bei großen Zeitspannen und Aggregaten.} \qquad (38)$$

Die Transfertheorie in Worten

Leser, die gut und gerne ohne Gleichungen auskommen können, sind vielleicht etwas verwirrt und fragen sich, wohin unsere Versuche führen sollen. Wir wollen daher versuchen, dies hier nur in Worten und nicht in Symbolen und Formeln auszudrücken.

Die Hauptvorstellung besteht darin, daß Fitness, die wir mit Kapital gleichsetzen, von einer Generation auf die nächste transferiert wird. Überlappen sich nur zwei Generationen – also Eltern und Nachkommen – so gibt es einen einzigen Augenblick, in dem die alte Generation alles Kapital (Fitness) innehat und einen späteren Augenblick, in dem dies für die neue Generation zutrifft. Der Zeitabstand zwischen diesen beiden Augenblicken ist die Generationsspanne. Nehmen wir jetzt noch ein Nullwachstum an, so ist die durchschnittliche Rate des Transfers auf die neue Generation das gesamte Kapital pro Generationsspanne. Wir sagten, daß sich diese Rate nach dem biologischen Gesetz als Fluß der Endprodukte oder als das, was Wirtschaftswissenschaftler als Konsum bezeichnen, interpretieren läßt. Das Verhältnis Kapital/Konsum entspricht dann der Generationsspanne.

Da wir auf Voraussagen hinauswollen, die in einer komplexen Welt überprüft werden können, haben wir in unserem Modell auch Wachstum und Ältere zugelassen. Um nicht zu anthropozentrisch zu erscheinen, gestehen wir auch zu, daß unsere Population sowohl der Fortpflanzungsart r, wie auch der Fortpflanzungsart K oder einer Mischung beider Formen angehören kann. Diese Freiheiten machen unsere Sache komplizierter. Sie haben unseren mathematischen Teil belastet und werden ihn bald noch stärker belasten. Trotzdem werden wir am Ende zu einigermaßen einfachen Ergebnissen kommen.

Gleichförmigkeit

Unsere fünf letzten Gleichungen vervollständigen unsere Jagd nach i in einer natürlichen Umgebung. Können wir i auch in unserer künstlicher gewordenen Welt auf die Spur kommen? Wir können es versuchen, indem wir zu unserem Modell mit den gleichen Geburtstagen zurückkehren und noch einige vereinfachende Annahmen hinzufügen.

Wir wollen in unserem Modell das Wachstum so geringen Einschränkungen wie möglich aussetzen, um die Allgemeinverbindlichkeit unserer Schlußfolgerungen so wenig wie möglich zu beeinträchtigen. Die Bedingung $U > T$ führt unsere Gleichungen aber über die Generationsspanne hinaus und gestaltet sie so komplexer. Übrigens werden wir die Zeit dann als t und nicht mehr als τ bezeichnen müssen. Um die Gleichungen aber überschaubar zu halten, fordern wir jetzt, daß das Wachstum konstant und ausgewogen ist. Genauer gesagt muß es von der Empfängnis der ältesten lebenden Generation zum Zeitpunkt $0+$ bis zum Ende desjenigen Zyklus, in dem die Jüngsten sterben werden, unverändert bleiben. Wir müssen jetzt auch annehmen, daß T und U während dieser Zeitspanne konstant bleiben.

Wenn wir jetzt definieren

$$V = MAX[U,T] \quad \text{und}$$

$$m = INT[V/T] \tag{39}$$

und wenn $U > 0$, dann können wir verifizieren, daß $m + 1$ die Zahl der zum Zeitpunkt $0+$ verhandenen erwachsenen Generationen angibt. Bei dieser Formel wird eine Generation zu viel berechnet, wenn V/T eine ganze Zahl ist. In diesem Fall werden unsere Gleichungen der letzten Generation einfach den Wert Null beimessen, so daß kein Fehler entsteht.

Es zeigt sich auch, daß die älteste zum Zeitpunkt $0+$ lebende Generation zum Zeitpunkt $-(m+1)T$ empfangen worden ist. Da die Jüngsten während des Zyklus sterben werden, der zum Zeitpunkt $(m+2)T$ endet, so müssen wir fordern, daß g ebenso wie T und U in der Zwischenzeit konstant bleiben. Ein Wachstum, das ausgewogen und konstant abläuft, wird mitunter als »gleichförmig« bezeichnet, weshalb wir der Tradition folgen und Gleichförmigkeit annehmen wollen als $[-(m+1)T, (m+2)T]$. Da Gleichförmigkeit Ausgewogenheit impliziert, behalten (30) bis (33) ihre Gültigkeit. (33), Gleichförmigkeit und die Beständigkeit von T erlauben es uns jetzt, $(S/J)_{j-}$ = konstant für jedes j anzunehmen und zu formulieren

$$S_{j-}e^{gkT} = S_{(j+k)-} \tag{40}$$

wobei j und k ganze Zahlen bezeichnen. Es folgt also daß $jT-$ und $(j+k)T-$ beide in $[-(m+1)T, (m+2)T]$ enthalten sind.

Trennung der Generationen

Unser nächster Schritt besteht darin, A in die einander überlappenden Generationen von Erwachsenen zu unterteilen, aus denen A sich zusammensetzt. $a_0(t)$ kann beispielsweise den Wert bezeichnen, den eine Generation, die zum Zeitpunkt 0 erwachsen wurde, kurz nach dem Zeitpunkt t hatte. $a_1(t)$ bezeichnet den Wert der nächstälteren Generation. Allgemein gesprochen bezeichnet $a_j(t)$ den Wert der Generation, die zum Zeitpunkt $-jT$ das Alter T erreichte. Da wir auch an späteren Generationen interessiert sind, wollen wir annehmen, daß $a_{-j}(t)$ den Wert der Generation bezeichnet, die zum Zeitpunkt jT die Geschlechtsreife erlangen wird.

Zum Zeitpunkt $0+$, so haben wir mittlerweile angenommen, sind $m+1$ Generationen. Damit ergibt sich

$$A_{0+} = \sum_{j=0}^{m} a_j(0). \tag{41}$$

Die Reihe endet hier bei m, da sie mit Null und nicht mit eins begann.

Vorher haben wir gefordert, daß S und $A+N$ im Falle von $\tau \neq 0$ stetig sein müssen. Diese Stetigkeit müssen wir jetzt auf sämtliche Generationen von der Empfängnis bis zum Tod ausdehnen. Die Überlebenden wechseln also in eine andere Kategorie über, wenn ihr Empfängnisalter ein Vielfaches von T erreicht, und zwar von S nach a_0, dann nach a_1 und so weiter. Wegen der Stetigkeit verändern sich ihre Werte zu diesen oder anderen Zeitpunkten nur um ein Differenzial. Diese Annahme und (40) erlauben es uns, beispielsweise wie folgt zu formulieren: $a_0(0) = S_{0-} = S_{T-}e^{-gT}$. Wegen der Stetigkeit gilt aber wiederum $S_{T-} = a_{-1}(T)$. Sodann erhalten wir

$$a_0(0) = S_{0-} = S_{T-}e^{-gT} = a_{-1}(T)e^{-gT} \tag{42}$$

und allgemein

$$a_j(-jT) = a_k(-kT)e^{g(k-j)T} \tag{43}$$

für alle ganzzahligen k und j, so daß alle Zeiten in $[-(m+1)T, (m+2)T]$ enthalten sind.

Ehe wir fortfahren, benötigen wir eine weitere Annahme hinsichtlich der Rate, mit der einander überlappende Generationen Wert auf die Jungen transferieren. Wir lassen uns hier wiederum von der Biologie führen.

Die Zusammenballung des Alters

Zur Vereinfachung wollen wir annehmen, daß jede der einander überlappenden Generationen geradlinig Wert überträgt und zwar mit einer konstanten Rate vom Alter T bis zum Alter V, wenn wir von den Auswirkungen des Wachstums einmal absehen. Diese Vorstellung läßt sich auch theoretisch untermauern (Williams, 1957; Hamilton, 1966; Alexander, 1987: 42ff.), was wir hier zusammenfassend wiedergeben wollen. Wir könnten zunächst annehmen, daß unsere Gene selektiert werden, um die Länge und Fruchtbarkeit der reproduktiven Phase oder die Produktionsrate für Überlebende zu maximieren. Wettbewerb, unglückliche Zufälle und Entropie stellen sich diesem Druck entgegen. Unsere Gene geben ihr Bestes, um altersspezifische Mängel auf das späteste gemeinsame Alter zu verschieben, auf das alles zusammen zubewegt werden kann. So verringern sie die Normabweichung der Lebensspanne, um während der Reproduktion die Hürden leichter nehmen zu können.

Alle Mängel tendieren dazu, sich in der Nähe eines bestimmten späten Alterswertes zu häufen, so wie Steine sich am Rande eines Zeltplatzes anhäufen. Dort wird der Abstand durch unsere Fähigkeit bestimmt, Steine zu werfen. Es wäre Energieverschwendung, einen Stein weiter weg zu bewegen, während es an einer kosteneffektiven Verbesserung des Zeltplatzes vorbeiginge, einen Stein weniger weit zu entfernen. Der Geländeboden wird also glatt und erhebt sich zum steinbesäten Rand hin, der dem Ende der Reproduktion und des Lebens in einer abrupten »Zusammenballung des Alters« oder dem »wunderbaren Effekt der einspännigen Kutsche« entspricht. Bis zu diesem Punkt ist zu erwarten, daß die Produktion von Überlebenden mit einer beständigen Rate vonstatten geht.

Summieren der Generationen

Das biologische Gesetz verlangt, daß Erwachsene nur in die Jungen investieren und die Nichtüberlebenden bis zum Alter T– ihren Anteil an dieser Investition plus ihren eigenen Wert auf die Überlebenden transferiert haben. Daraus folgt, daß keine erwachsene Generation die Investition, die sie erhält, behalten kann. Erfolgt der Transfer auf die Jungen vom frühen Erwachsenenalter bis zum Tod mit einer beständigen Rate, so sinkt der Wert gemäß der Linearfunktion 1–t/V, wenn man von den Auswirkungen des Wachstums absieht.

An dieser Stelle müssen wir annehmen, daß sich die Homogenität, von der wir sprachen, ebenso wie die Kontinuität auf jede einzelne Erwachsenengeneration erstrecken. Wir fordern also, daß diese mit der Exponentialrate g wachsen, wenn man vom Tranfer absieht, der für die Jungen abgezweigt wird. Der Wachstumsfaktor beträgt also für jede Generation e^{gt}. Da der Transferfaktor 1–t/V beträgt, können wir beispielsweise erkennen, daß der Wert, der zum Zeitpunkt t in der a_0 Generation verblieben ist, wie folgt darzustellen ist

$$a_O(t) = a_O(0)(1 - t/V)e^{gt}, \text{ wenn } 0 < t \leq V$$

Von jetzt an werden wir nicht mehr auf zeitliche Bedingungen eingehen und annehmen, daß die Generationen zu den relevanten Zeiten am Leben sind.

Wir können $t = T$ setzen und erhalten

$$a_o(T) = a_o(0)(1 - T/V)e^{gT}$$

Was für die a_0 Generation gilt, gilt auch für die anderen Generationen. Die a_1 Generation erreichte beispielsweise zum Zeitpunkt $-T$ das Alter T. Ihr Wert zum Zeitpunkt 0 ist somit

$$a_1(0) = a_1(-T)(1 - T/V)e^{gT}$$

und allgemein formuliert

$$a_k(0) = a_k(-kT)(1 - kT/V)e^{gkT} \tag{44}$$

Mittlerweile erhalten wir aus (43) bei $j = 0$

$$a_o(0) = a_k(-kT)e^{gkT}$$

Wir teilen damit (44) und formen um in

$$a_k(0) = a_o(0)(1 - kT/V)$$

Dies ergibt zusammen mit (41)

$$A_{0+} = a_o(0) \sum_{k=0}^{m} (1 - kT/V) = a_o(0)(m + 1 - [T/V] \sum_{k=0}^{m} k).$$

Wir können uns jetzt die mathematische Tatsache

$$\sum_{k=0}^{m} k = m(m+1)/2$$

zu Nutze machen und erhalten

$$A_{0+} = a_o(0)(m + 1)(1 - mT/2V)$$

Jetzt können wir definieren

$$Q = (m + 1)(1 - mT/2V) \tag{45}$$

und schreiben $A_{0+} = a_o(0)Q$, so daß sich aus (42) ergibt

$$A_{0+} = S_{T-}\, e^{-gT}Q \tag{46}$$

Wenn Nichtüberlebende rar sind

Um zu überprüfbaren Voraussagen zu kommen, nehmen wir jetzt an, daß der Wert der Nichtüberlebenden zum Zeitpunkt $0+$ Null beträgt, wenn $V > T$. Wir wollen uns Zeit nehmen zu zeigen, daß diese Forderung keineswegs völlig unrealistisch ist. Wir haben bereits erwähnt, daß die Gegenwart von Älteren auf eine post-reproduktive Zeitperiode hinweist, die genauso lang dauert, wie die prä-reproduktive oder somatische, falls alle reproduktiven Jahre gleichermaßen fruchtbar sind. Nur eine Spezies, die stark dem K-Typus der Fortpflanzung folgt und ihren Jungen extensive Fürsorge angedeihen läßt, könnte in dieser Strategie einen selektiven Vorteil finden. Mehr Fürsorge für die Jungen bedeutet weniger Nichtüberlebende. Wir stellten schon fest, daß diese in den Vereinigten Staaten heutzutage tatsächlich selten sind.

Außerdem impliziert die Annahme $N_{0+} = 0$ keineswegs, daß es überhaupt keine Nichtüberlebenden gibt, so wie unsere Annahme $S_{0+} = 0$ nicht bedeutet, daß es keine Überlebenden gibt. Es bedeutet nur, daß die bei der Empfängnis in beide Gruppen getragenen Investitionen gering sind. Figur 2 zeigt, wie N variieren kann, wenn $V > T$.

Wir schreiben also

$$N_{0+} = 0, \text{ wenn } V > T$$

und erhalten mit (20) und (46) $J_0 = S_{T-}\, e^{-gT}Q$. Wegen (30) können wir mit e^{gT} multiplizieren und erhalten $J_T = S_{T-}Q$ oder

$$(S/J)_{T-} = 1/Q.$$

(33), (4) und (11) ergeben also

$$c/J = 1/QT \qquad (47)$$

$$y/J = 1/QT + g \quad \text{und bei Gleichförmigkeit} \qquad (48)$$

$$i = 1/QT + \tau \qquad (49)$$

Wir erinnern uns, daß falls $T \geq U$, $T = V$. (39) führt in diesem Fall zu $m = 1$ und (45) zu $Q = 1$. (47), (48) und (49) schließen damit (34), (35), (36) und (38) als Spezialfälle mit ein und können selbst als allgemeingültig bezeichnet werden.

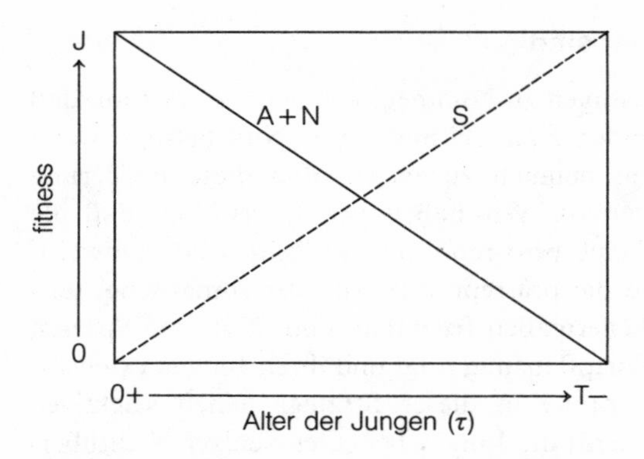

Abb. 1: Annahmen: $T = V$ und $g_c = g_J = 0$. Diese zweite Annahme impliziert in Verbindung mit (18) und (29) $dS/d\gamma = -d(A+N)d\gamma =$ konstant, wie bereits gezeigt.

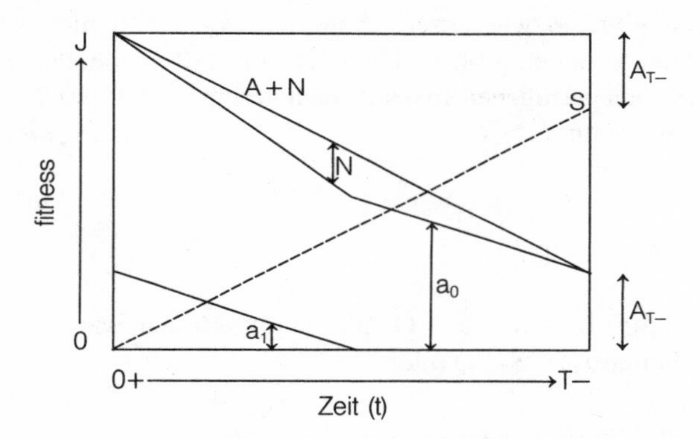

Abb. 2: Annahmen: wie oben, außer $V = 3T/2$ und $N_{0+} = 0$. Dies ergibt $a_1(0) = a_0(T) = a_0(0)(1-T/V) = a_0(0)/3$. $a_0(t) = a_0(1-t/V)$ und ändert so das Zeitgefälle $V-T$. N erreicht zu dieser Zeit seinen Höhepunkt.

Bedingungen und Allgemeinheit

(47), (48) und (49) vervollständigen unsere Suche nach den wirtschaftlichen Folgen von (29) unter den einschränkenden Bedingungen oder Annahmen, die wir für nötig hielten. Da unsere Vorhersagen nicht über diese Annahmen hinausreichen können, wollten wir diese so gering und harmlos wie möglich halten. Und wir wollten jede Annahme so spät wie möglich in den kritischen Argumentationspfad einbringen. Diese Philosophie der »Rechtzeitigkeit« erschien uns für die Hervorhebung logischer Verbindungen und der Allgemeingültigkeit des Vorausgegangenen am geeignetsten.

Um welche Annahmen handelte es sich? Zuerst gingen wir von der allgemeinen Kontinuität von c und J aus. Wir forderten später, daß S und A+N im Hinblick auf die Wachstumsrate g_j stetig und »homogen« sein sollten, soweit [T einfügen]. An noch späterer Stelle dehnten wir Homogenität und Kontinuität auf die einzelnen Generationen aus und forderten, daß die Altersstufen T und U konstant bleiben. Außerdem nahmen wir an, daß $N_{0+} = 0$, wenn $V > T$.

In der Zwischenzeit haben wir bestimmte Annahmen über die Wachstumsraten eingeführt. Bei der Ein-Faktor-Theorie wurde zugelassen, daß g_c und g_J unabhängig voneinander und beständig variieren. Bei der Transfertheorie hielten wir diese Raten dagegen lieber gleich und später auch konstant. In Anhang A wird jedoch gezeigt, daß die Bedingung $\alpha = 0$ auch mathematisch beschrieben werden kann.

Im Falle von $U > T$ nahmen wir auch an, daß jede Generation auf die überlebenden Jungen mit einer konstante Rate Wert transferiert, wenn man von den Auswirkungen des Wachstums einmal absieht. »Mit gekreuzten Fingern« nahmen wir schließlich an, daß Menschen und andere Lebewesen ihre Fitness auch dann so gut sie können maximieren, wenn sie von der EEA abgetrennt sind. Insbesondere nahmen wir an, daß die Älteren im Laufe ihres eigenen Lebens all ihre Fitness auf die Jungen transferieren und sie nicht in langsamerer Weise durch vermittelnde Generationen nach unten durchsickern lassen.

Wie viel an Allgemeingültigkeit haben uns diese Einschränkungen nun gekostet?

Mir scheint, daß die Annahme von Kontinuität und Homogenität bei umfassenden Beobachtungen weitgehend unschädlich ist. Wenngleich sich mikroökonomische Werte in der realen Welt sehr wohl diskontinuierlich verändern können, sollten sich solche Sprünge nach oben und unten über längere Sicht ausgleichen. Wenn dies nicht der Fall sein sollte, so ist unsere Studie nur für die Spannen dazwischen anwendbar. Was Homogenität anbelangt, so scheint es Fälle zu geben, in denen Innovationen erstmals bei einem jugendlichen japanischen Makaken, ein andermal erstmals bei älteren Wölfen aufgetreten sind. Fehlen Beweise, die Aufschluß darüber geben können, welche Gruppe als erste von einer Innovation profitiert, so scheint es am unverfänglichsten zu sein, anzunehmen, daß die eine genauso schnell profitieren wird wie die andere. Unsere angenommene Homogenität hinsichtlich der Wachstumsrate scheint für den Augenblick harmlos genug zu sein.

Unsere Forderung $\alpha = 0$, bei einem Wachstum, das nicht Null beträgt, ist etwas riskanter. Wie schon erwähnt, gehen die Meinungen darüber auseinander (Romer, 1989), ob g_c während des Wachstums oder zumindest während der Phase beschleunigten Wachstums g_J übersteigen sollte. Meiner Ansicht nach ist Wachstum vollkommen technologisch bestimmt und hängt überhaupt nicht davon ab, ob gespart oder »der Gürtel enger geschnallt« wird. Anhang A befaßt sich mit dieser Thematik. Ich habe auch bereits erwähnt, daß meine Annahme theoretische Untermauerung fand, wonach die einzelnen Generationen zwischen dem frühen Erwachsenenalter und dem Tod mit einer konstanten Rate Wert transferieren und daß es in einer Welt von Älteren vermutlich wenig Nichtüberlebende gibt.

Diese Annahme einer konstanten Transferrate oder eines linearen Wertabfalls ist auch die neutralste Annahme. Alternativ dazu könnten wir vermuten, daß dieser Abfall im Durchschnitt entweder konvex oder konkav verläuft. Wenn es keinen Grund gibt, der einen oder anderen Gegebenheit den Vorzug einzuräumen, so ist Linearität auch ohne theoretische Untermauerung die sicherste Annahme im Hinblick auf diesen Mangel.

Ich erwähne hier nicht, wie meine Argumentation vom biologischen Gesetz, der Bewahrung von Fitness, der insgesamt gleichen Fitness der Geschlechter, der Geringfügigkeit des Wachstums oder der Abwesenheit von Älteren im Rahmen der EEA abhängt. Ich habe diese Dinge als Naturgesetze dargestellt, nicht als Vermutungen. Gleichzeitig ist mir klar, daß der eine ein Axiom annimmt, wo der andere Vorbehalte macht.

Überprüfung der Transfergleichungen

Aufgrund dieser Annahmen haben wir aus leicht zu erhaltenden Bevölkerungsstatistiken wirtschaftliche Normen für die industrielle Welt aufgestellt. Nun ist es an der Zeit festzustellen, inwieweit diese Voraussagen standhalten können.

Wollen wir zuerst versuchen, T und V in den Vereinigten Staaten von heute zu messen. SAUS 90, Tabelle 82, liefert uns Daten, aus denen wir das durchschnittliche Alter von Eltern für das Jahre 1986 ersehen können. Ich habe einen Mittelwert von 26,1 Jahren für Mütter und 29,0 Jahren für Väter ermittelt. Das Mittel aus beiden Werten beträgt 27,6. Da die Spanne von Empfängnis zu Empfängnis genauso groß ist wie die von Geburt zu Geburt, können wir sagen, $T = 27{,}6$. Die durchschnittliche Lebenserwartung für alle Amerikaner dieses Alters betrug im selben Jahr 49,2 Jahre. Die Tatsache, daß wir das Alter ab der Empfängnis berechnen, veranlaßt uns hier, neun Monate hinzuzurechnen. Wir haben also $U = V = 50{,}0$. (39) und (45) ergeben jetzt $m = 1$ und $Q = 1{,}45$. Somit sieht (47) c/J mit 0,025 jährlich voraus.

Als nächstes kommen wir zu den in Dollar bewerteten Beständen und Bewegungen, wie Kapital und Output und deren sich verändernde Raten. Um unsere Messungen konsistent zu halten, werden wir sie in inflationsbereinigten Dollarwerten ausdrücken. Nr. 692 (aus SAUS 90) etwa zeigt für die Jahre 1985–1986 eine reale Wachstumsrate von 0,027 und für die Jahre 1986–1987 eine Wachstumsrate von 0,037 beim Bruttosozialprodukt. Das Mittel wäre hier 0,32, was wir als g für 1986 annehmen können. Aus derselben Tabelle können wir das Durchschnittswachstum für alle Einjahresperioden von 1980 bis 1988 ermitteln, das 0,030 beträgt. (48) würde somit für 1986 $y/J = 0{,}025 + 0{,}032 = 0{,}057$ voraussagen, wenn wir g mit seinem Wert von 1986 ansetzen oder $y/J = 0{,}025 + 0{,}030 = 0{,}055$, falls wir für g lieber das Mittel der neun Jahre annehmen wollen.

Nachdem wir nun c/J und y/J vorausgesagt haben, stehen wir vor dem Problem, wenigsten einen dieser Werte messen zu müssen. Die erste Schwierigkeit hierbei ist, daß J Kapital im Eigenbesitz umfaßt, das nicht unmittelbar gemessen werden kann. Die Ein-Faktor-Theorie bietet uns hier eine Möglichkeit an, das Problem zu umgehen. (13) und (17) können zusammen wiedergegeben werden als

$$y/J = p/K, \quad \text{falls } g_J = g_K.$$

Mit (48) können daraus formulieren

$$p/K = 1/QT + g, \quad \text{bei Gleichförmigkeit, falls } g = g_k,$$

wobei wir uns daran erinnern, daß bei Gleichförmigkeit $g = g_J$ ist.

p/K ist für den Markt von großem Interesse und es gibt zahlreiche, wenn auch nicht immer konsistente Möglichkeiten, diesen Wert zu messen. Um diesen Wert in inflationsbereinigten Dollarwerten ausdrücken zu können, wollen wir erst wissen, wieviel für die Inflation einkalkuliert werden muß. Die Tabellen Nr. 757 und 759 melden für 1986 eine Inflation von 0,019 und

0,026, die jeweils anhand der Deflatormethoden für den Kapitalpreisindex und das Bruttosozialprodukt ermittelt wurden. Wir könnten den Unterschiedsbetrag teilen und für dieses Jahr eine Inflation von 0,023 annehmen. Der Durchschnittswert für die Jahre 1980–1988, aus der genannten Tabelle auf die gleiche Weise ermittelt, betrüge 0,053.

Wollen wir jetzt einige Messungen von p/K zusammenstellen. Tabelle 900 zeigt die Aktienkapitalerträge bei den 500 größsten Industriegesellschaften in den letzten Jahren. Als Quellenangabe ist *The Fortune Directories* genannt. Der Ertrag wird für 1986 mit 0,116 in Dollarwährung angegeben, der durchschnittliche Jahresertrag für die Jahre 1980–1988 beträgt 0,130. Für 1986 wäre der reale Ertrag also 0,116–0,023–0,093. Für die Neunjahresspanne betrüge der Wert 0,130–0,053 = 0,077.

Aus der gleichen Quelle und Tabelle können wir den Gesamtertrag für die Investoren entnehmen, der sich im wesentlichen aus Preisbewertung und Dividendenertrag zusammensetzt. Die für 1986 angegebene Zahl ist 0,161, der Durchschnittsbetrag für die gleichen neun Jahre wäre 0,152. (Der höchste Wert war 0,032 für 1983 und der niedrigste – 0,008 für das Folgejahr). Der tatsächliche Ertrag wäre für 1986 also 0,161–0,023 oder 0,138 und für die Jahre 1980–1988 0,0152–0,053.

Aus Tabelle Nr. 837 können wir schließlich die Beziehung zwischen Einkommen und Preisen für das gleiche Jahr entnehmen. Als Quelle wird *Standard und Poor's* angegeben. Die Tabelle zeigt für 1986 den Wert 0,061, der für die Jahre 1980–1988 implizierte Durchschnitt beträgt 0,091. Die tatsächlichen Quoten betragen diesmal für 1986 0,061–0,023 = 0,038 und für die Gesamtperiode 0,091–0,053 oder ebenfalls 0,038.

Wir kommen jetzt zu *i*. Da wir *i* als die Zeitabschlagsrate definiert haben, könnten wir versuchen, sie als tatsächliche Zinsrate bei langfristiger und gutgesicherter Verschuldung zu berechnen. Wir nehmen hier eine langfristige Schuld an, um eine eventuelle Liquiditätsprämie auszuschließen und eine gute Absicherung, um den Risikoabzug zu minimieren. Tabelle Nr. 838 gibt den Ertrag für langfristige US-Staatsanleihen für das Jahr 1986 mit 0,081 an. Dieser würde sich auf 0,058 vermindern, wenn man den Inflationsbetrag von 0,023 für dieses Jahr abzieht. Der Durchschnitt für die Jahre 1980–1988 beträgt diesmal 0,106 in Dollarwährung oder 0,053 inflationsbereinigt, also nach Abzug von 0,053 für die Inflation für den Zeitraum derselben neun Jahre. All diese Daten sind in der nachstehenden Tabelle 1 wiedergegeben.

Tabelle 1: Prognose und Messung von *i*

Annahmen: g = γ ,T = 27,6 und V = 50,0 für alle aufgeführten Jahre; y/J = p/K; die Inflation beträgt für 1986 0,023 und 0,053 für 1980/88; das Wachstum beträgt für 1986 0,032 und für 1980/88 0,030.

Prognose von *i* oder p/K	1986 nominal	1986 real	1980/88 nominal	1980/88 real
1/QT + g		0,057		0,055
Messung von *i* oder p/K*				
ROE (Nr.900)	0,116	0,093	0,130	0,077
ROI (Nr.900)	0,161	0,138	0,152	0,099
E/P (Nr. 837)	0,061	0,038	0,091	0,038
langfristige staatliche Zinsrate (Nr. 838)	0,081	0,058	0,106	0,053

* Beachten Sie, daß alle SAUS-Messungen Jahresraten für unstete Zeitperioden wiedergeben, während sich unsere Prognosen für *i* und p/K auf die Augenblickwerte beziehen. Würden den SAUS-Messungen ebenfalls Augenblickraten zugrundeliegen, so wären die Werte durchwegs etwas niedriger.

ROE (*Return on equity*) Aktienkapitalerträge

ROI (*Return on Investment*) Investitionserträge

E/P Einkommen-Preis Quotient

Es bleibt uns überlassen, was wir mit diesen Messungen anfangen wollen und ob wir sie für geeignet halten, unsere Prognosen zu bestätigen. Vielleicht geht es uns wie Goldlöckchen und uns kommen nier einige Dinge für unseren Geschmack zu groß und andere wiederum zu klein wor. Keine Prognosse kann zu allem passen und Messungen sind unvollkommen.

Viele Wirtschaftswissenschaftler geben sich mit niedrigeren Schätzungen von p/K und *i* als den unsrigen zufrieden. Es sollten aber keine Zweifel bestehen, daß Prognosen in einem Rahmen von 0,05 bis 0,06 angemessen sind. Die Ein-Faktor-Theorie besagt, daß im Falle von g = γ, *i* und y/J g um den c/J entsprechenden Betrag übersteigen müssen. Beträgt g drei Prozent jährlich, so sollte es uns nicht überraschen, wenn *i* und p/K, das wir stellvertretend für y/J einsetzen, entschieden höher liegen. Jedenfalls erwarten wir, daß der Konsum einen beträchtlichen Teil des Output ausmacht.

Ein wichtiger Punkt ist, daß wir bei unserer Berechnung von Gewinn oder Output die persönliche Einkommensteuer nicht abziehen. Nach meiner Ansicht, handelt es sich dabei um Auslagen für die erhaltenen Werte. Die

Waren, Dienstleistungen und Sozialleistungen, die wir damit kaufen, haben wir in der Wahlkabine, wenn auch nicht auf dem Marktplatz gefordert. Andere mögen anderer Ansicht sein und i und p/K lieber erst nach Abzug der Steuern bemessen.

Körperschaftssteuern addieren wir deshalb nicht zurück, weil diese in den Endpreisen bereits wieder aufgefangen sind. Addierte man sie zurück, so würden sie doppelt gezählt.

Zusammenfassung

Etwa zwei Jahrzehnte sind vergangen, seit die »Soziobiologie« oder »der neue Konsensus« in den Schriften von Hamilton, Trivers, Williams, Wilson und Maynard Smith Gestalt angenommen hat. Eine gemeinsame Thematik war die Bedeutung der Genetik bei der Erklärung der Gesellschaft. Diese Vorstellung wurde als subversiv und reduktionistisch abgelehnt. Beides könnte zutreffen. Und doch bezweifle ich, daß viele in ihr eine Lösung der alten Auseinandersetzung über Freiheit und Kausalität zugunsten des Teufels gesehen haben. Die genannte Vorstellung aktualisiert höchstens das Vokabular für diese Auseinandersetzung. Wissenschaft und Geist bestehen nebeneinander und letzterer hat die Herausforderungen, die erstere stellen mag, längst vorhergesehen und abgetan.

Genetiker mögen überrascht sein, daß die hier vorgelegte Studie sich nur wenig auf Nepotismus und die Hamilton-Regel stützt. Ich habe mich in erster Linie vom biologischen Gesetz oder dem Prinzip der Investition in die Jungen leiten lassen. Nur die Jungen können die Gene weitertragen. Nepotismus kommt erst dann ins Spiel, wenn wir den genzyklischen Druck und das seltene Vorkommen von Älteren diskutieren. Ich habe zu bedenken gegeben, daß ein Stamm von Älteren, die die Investition in die Verwandtschaft und in die Jungen nicht länger maximieren können, bei jeder Auseinandersetzung mit Hamiltons rotierenden Parasiten im Nachteil wäre. Dieser Grund leuchtet mir stark genug ein, um einen indiskriminierenden Altruismus ausschließen zu können, da ein zyklischer Druck irgendwelcher Art immer vorhanden sein wird. Eine nicht reziproke Investition außerhalb des Verwandtschaftszirkels halte ich aber dann für nicht ausgeschlossen, wenn der zyklische Druck nachläßt oder wenn die Gene mehr erreichen können, indem sie die Gruppenstärke anstelle der Frequenz maximieren.

Die Crux der Argumentation liegt in (29). Trifft (29) zu, so läßt sich der Rest unter den gegebenen Bedingungen bequem ableiten. (29) sollte also so kritisch wie möglich untersucht werden. In welcher Hinsicht könnte hier etwas falsch sein? Wir können uns der Finalität des biologischen Gesetzes in der Natur sicher sein, da es dort seinen stärksten Herrschaftsbereich hat. Wir können auch sicher sein, daß das gesamte Verhalten für eine Investition in die Jungen optimiert wird. Läßt dies den Schluß zu, daß der wirtschaftliche Output in der Tat aus den überlebenden Jungen besteht, was bedeutet, daß irgendeine Mischung von Gütern und Dienstleistungen die meisten von ihnen hervorbringt? Ich glaube, daß dies der Fall ist, da das Gesetz mit uns zu tun hat, die wir in einer Welt leben, mit der es nicht vertraut ist.

Glossar der Symbole und Begriffe

A	Wert der »erwachsenen« Einzelpersonen, die das Alter T überschritten haben. Vergleiche die Erörterungen, die zu (18) führen.
a_j	Wert Erwachsener nur aus der jten Generation. Vergleiche die Erörterungen, die zu (41) führen.
Ausgewogenheit	gleiche Wachstumsraten bei Konsum und Kapital, so daß $g_c = g_J = g$. g muß hierbei nicht konstant sein.
Biologisches Gesetz	oder biologischer Imperativ. Besagt, daß das gesamte Verhalten im Rahmen der EEA (siehe unten) die Fitness oder die Überlebenschancen der Gene durch Investition in die Jungen maximiert.
c	Konsum im herkömmlichen wirtschaftlichen Sinne.
Kontinuität	übliche mathematische Bedeutung; Einbeziehung aller dazwischenliegenden Punkte.
EEA	evolutionsbedingte Angepaßtheit an die Umwelt; natürliche Umwelt.
Fitness	langfristige genetische Überlebenschancen. Siehe oben »Biologisches Gesetz«.
g_x	augenblickliche Wachstumrate in % für jedes x; dx/xdt. Vergleiche die Erörterungen die zu (4) führen.
g	siehe oben unter »Ausgewogenheit«.

H	Kapital im Eigenbesitz; entspricht in etwa dem »menschlichen Kapital«. Mittel und Kapitalisierung von Löhnen.
Homogenität	in unserem Sinne eine gleichmäßige Wachstumsrate von S und A + N ohne Berücksichtigung eines Transfers zwischen beiden. Siehe (28).
i	Diskontrate des Gleichgewichts; reine Rate für Zeitpräferenz. Siehe (5).
J	Kapital- oder Eigentümerwert; H + K. Ausschließliche Mittel und Kapitalisierung von Output.
j(tiefgestellt)	unter bestimmten Umständen Zyklusnummer; siehe die Erörterungen die zu (25) führen. An anderer Stelle eine für den bestimmten Zweck definierte ganze Zahl.
K	Eigentum. Mittel und Kapitalisierung des Gewinns.
m	siehe (39).
N	Wert der »Nichtüberlebenden«, d. h. Junge, die das Alter T nicht erreichen werden. Vergleiche die Erörterungen die zu (18) führen.
p	Gewinn im herkömmlichen Sinn. Rendite und Produkte des Eigentums (nicht des Kapitals im Sinne der Ein-Faktor-Theorie).
Q	siehe (45).
S	Wert der überlebenden Jungen, d. h. derjenigen, die das Alter T erreichen werden. Vergleiche die Erörterungen die zu (18) führen.
Kapital im Eigenbesitz	siehe oben unter »H«.
T	einziges Fortpflanzungsalter in unserem Modell der gleichen Geburtstage. Für die reale Welt zu interpretieren als Mittel des durchschnittlichen Altersunterschieds zwischen Vätern und Kindern und Müttern und Kindern. Dies entspricht der »Generationenlänge« der Biologen, wird aber für männliche und weibliche Elternteile gleich gewertet.

t	Zeit
U	im Modell der gleichen Geburtstage die im Alter von T verbleibende Restlebensspanne. In der realen Welt das Mittel der Durchschnittswerte für Männer und Frauen.
Gleichförmigkeit	Ausgewogenheit plus Stetigkeit. Das heißt, g_c und g_J werden als gleich und stetig betrachtet. Vergleiche die Erörterungen die zu (40) führen.
V	das größere von U und T. Siehe (39).
w	Löhne; Rendite und Produkte der Arbeitskraft oder des Kapitals im Eigenbesitz.
y	Output; Rendite und Produkte aus Kapital bei der Ein-Faktor-Theorie (nicht nur aus Eigentum).
α	$g_c - g_J$, hier als Gürtelindex bezeichnet. Siehe oben unter »Ausgewogenheit«.
γ	Wachstumsaussichten; siehe (9) und (10).
Θ	Transferrate. Siehe (28).
τ	Phase im Generationenzyklus der gleichen Geburtstage. Ebenso das Alter der Jungen. Vergleiche die Erörterungen die zu (25) führen.

Anhang A: Unausgewogenheit

Bisher haben wir für alle Fälle $\alpha = 0$ angenommen. Aber auch über die Bedingung $\alpha \neq 0$ lassen sich Aussagen treffen. Dies soll hier geschehen.

Wiederum wollen wir zulassen, daß g_c und g_J beständig variieren. Wir werden $\bar{g}_c$, $\bar{g}_J$ und α genauso definieren wie zuvor. Die Zeit wird wiederum als τ bezeichnet. Um das ganze mathematisch nachvollziehbar zu gestalten, müssen wir fordern, daß α konstant bleibt, wenn $0 < \tau < T$. Es soll aber zulässig sein, den Wert zwischen einem Zyklus und dem nächsten zu verändern. Aus (31) ergibt sich jetzt

$$S = e^{\bar{g}_J \tau}(c_j e^{\alpha\tau}/\alpha + C_j)$$

wobei $\alpha \neq 0$. Als nächstes setzen wir $\tau = 0+$ und erinnern uns, daß (25) genau wie vorher eine Grenzbedingung darstellt. Dieses Mal erhalten wir $C_j = -c_j/\alpha$, und sodann

$$S = e^{\overline{g_J}\tau}(c_j/\alpha)(e^{\alpha\tau} - 1).$$

Da aber gilt $c_j e^{\overline{g_J}\tau} = ce^{-\overline{g_c}\tau}e^{\overline{g_J}\tau} = ce^{-\alpha\tau}$ können wir für unsere besondere Lösung von (31) schreiben

$$S = c(1 - e^{-\alpha\tau})/\alpha \tag{A1}$$

wobei $\alpha \neq 0$. Wir können uns hier die Tatsache

$$\lim_{x \to 0}(1 - e^{-\alpha\tau})/x = a \tag{A2}$$

zunutze machen, um zu verifizieren, daß (A1) sich auf (32) simplifizieren läßt, wenn α sich dem Grenzwert Null annähert.

Wir wollen wiederum zulassen, daß T und U, wie α, von einem Zyklus zum nächsten variieren. Alle drei Faktoren tragen dann implizit ein tiefgestelltes j. Wir können auch Platz sparen, indem wir definieren $k = j + 1$. Wenn τ = T- ist können wir jetzt (A1) lösen und erhalten $S_{k-} = c_k(1 - e^{-\alpha T})/\alpha$ oder

$$(c/S)_{k-} = \alpha/(1 - e^{-\alpha T}) \tag{A3}$$

Wir können auch definieren

$$\beta = \alpha/(1 - e^{-\alpha T}) \tag{A4}$$

wobei β den griechischen Buchstaben *Beta* bezeichnet. β muß ebenso wie die Argumente α und T implizit ein tiefgestelltes j tragen. Jetzt kann (A3) wie folgt geschrieben werden

$$(c/S)_{k-} = \beta$$

Teilen wir nun beide Seiten durch J_k und stellen um, so erhalten wir

$$(S/J)_{k-}\beta = (c/J)_k \tag{A5}$$

Als nächstes wollen wir noch mehr Platz einsparen, indem wir nur für die Zwecke dieses Anhangs A, i als j-1 definieren. i ist hier also eine ganze Zahl und nicht nur eine Zeitabschlagsrate. Wir können jetzt erkennen, daß unsere Argumentation für alle Zyklen und nicht nur für j gilt. (A4) ergibt also beispielsweise

$$\beta_i = \alpha_i/(1 - e^{-\alpha_i T_i}) \qquad (A6)$$

wobei α_i den Unterschied zwischen den durchschnittlichen Wachstumsraten von c und J im Zyklus i bezeichnet und T_i die Dauer dieses Zyklus anzeigt. Ebenso können wir alle implizit und explizit tiefgestellten Buchstaben in (A5) um einen vermindern und erhalten

$$(S/J)_{j-}\beta_i = (c/J)_j \qquad (A7)$$

Wir wissen auch, daß das Verhältnis c/J im Zyklus j mit der Exponentialrate $\bar{g}_c - g_J$ oder α variiert, weshalb wir

$$(c/J)_k/(c/J)_j = e^{\alpha T} \qquad (A8)$$

erhalten.

Wir können jetzt (A5) durch (A7) teilen und (A8) im Ergebnis ersetzen und erhalten

$$(S/J)_{k-}\beta/([S/J]_{j-}\beta_i) = e^{\alpha T}$$

was sich umformulieren läßt zu

$$(S/J)_{k-}/(S/J)_{j-} = \beta_i e^{\alpha T}/\beta \qquad (A9)$$

An dieser Stelle läßt sich folgendes festhalten:

1. Aus (A4) ergibt sich, daß β für jeden Wert von α, der nicht Null beträgt, positiv ist. β variiert direkt wie α und wird wegen (A2) zu 1/T, während sich α der Grenze Null nähert. Es wird Null, wenn α gegen minus unendlich geht. (A6) zeigt, daß dies auch für $ß_i$, α_i und T_i gilt.

2. Bleiben α und T über zwei oder mehr Zyklen hinweg konstant, so bleibt β wegen (A4) während dieser Zyklen ebenfalls konstant und auf der rechten Seite von (A9) erscheint $e^{\alpha T}$. Das Verhältnis S/J wächst jeweils am Ende dieser Zyklen um den Faktor $e^{\alpha T}$ an, unter Maßgabe der Forderung, daß S J nicht überschreiten darf. Ein negatives α bezieht sich auf die Bedingung, $g_c < g_J$ und impliziert niedrigere aufeinanderfolgende Raten von $(S/J)_{j-}$ und damit relativ mehr Wert, der in die Älteren investiert wird. Dies läßt die Vermutung aufkommen, daß der zahlenmäßige Anstieg der Älteren in modernen Volkswirtschaften damit einherging, daß »der Gürtel enger

geschnallt« wurde oder die Wachstumrate beim Konsum langsamer anstieg als beim Kapital.

3. Anderseits ergibt sich aus (A4) auch, daß β sich bei Veränderung umgekehrt verhält wie T. Wegen (A6) gilt dies auch für β_i und T_i. Eine abnehmende Generationenspanne bei konstantem α würde einfach $(\beta_i/\beta) < 1$ implizieren. Wegen dieses Effekts wären auf der rechten Seite von (A9) niedrigere und nicht höhere Werte zu erwarten und damit auch bei den aufeinanderfolgenden Quoten von $(S/J)_{j-}$. Manche meinen, daß T im Lauf der letzten Generationen in der Tat in dem Maße zurück gegangen ist, wie die Verwendung von Empfängnisverhütungsmitteln zugenommen hat (Howell 1979: 214). Ein Anstieg von $(S/J)_{j-}$ impliziert bei (A9) nicht notwendigerweise einen negativen α-Wert, wenn T gleichzeitig fällt.

Anhang B: Ein fast vergleichbares Ergebnis

Trivers (1971: 46) schreibt »Es wäre interessant festzustellen, ob der Mensch in der Regel tatsächlich erwartet, daß bei einer lange überfälligen altruistischen Schuld »Zinsen« gezahlt werden, Zinsen, die dem inzwischen entstandenen Abfall des reproduktiven Wertes angemessen sind.« Der Reproduktionswert ist ein Maß für Fitness.

Rogers (1991) nimmt dieses Stichwort auf. Seine Argumentation läßt sich wie folgt umschreiben. Bei Bevölkerungsstabilität kann ich zwei überlebende Nachkommen erwarten. (Dies gilt auch für polygyne Spezies, wenn man den Nachwuchs nicht einfach zählt, sondern ihn an seiner Fitness mißt. Für meine Söhne besteht eine geringere Wahrscheinlichkeit, daß sie die Geschlechtsreife erlangen und sich fortpflanzen werden, als für meine Töchter. Wenn sie dieses Ziel aber erreichen, so werden sie fitter sein). Jeder dieser beiden wird nach der Zeitperiode T meine gegenwärtige Fitness erlangt haben. Meine Investition in die beiden hat sich im Laufe der Zeit T also verdoppelt und wird sich nach einer weiteren Zeitspanne T nochmals verdoppeln, wenn meine Enkelkinder mein Alter erreichen. Dies zeigt, daß meine Investition exponential gestiegen ist (1n2)/T, was die Zinsrate für meine Investition bezeichnet. Diese Simplifikation wird Rogers nicht in vollem Maße gerecht, kommt aber zum gleichen Ergebnis.

Meine Antwort darauf lautet, daß meine Nachkommen nur die Hälfte meiner Gene tragen, so daß der Ertrag meiner Investition nur die halbe Fitness bei meinen beiden Nachkommen ist. Meine Partnerin hat schließlich ebenfalls investiert. Mein Genkonto wächst also nicht, es verteilt sich nur über die Generationen (falls meine Gene eine durchschnittliche Fitness aufweisen).

Man könnte daher meinen, daß es hier keine Zinsen gäbe. Mein Genkonto bleibt aber auf dem gleichen Stand, weil meine eigene Fitness, die Bestandteil dieses Kontos ist, nur so schnell absinkt, wie sich meine hälftige Beteiligung an der Fitness meiner Nachkommen aufbaut. Mit anderen Worten, der Zins in Form des Aufbaus von Nachkommenschaft ist real, wird aber aufgewogen von Kapitalentnahmen in Form meines eigenen Abbaus. Und da ich in der Zeitperiode T zwei Nachkommen produziere, beträgt die Zeitrate für die Produktion meiner hälftigen Beteiligung an diesen 1/T. Dies wäre die Zinsrate für mein Konto.

Anhang C: Dislokation

Von Anfang an haben wir festgehalten, daß das biologische Gesetz nur für solche Lebewesen gilt, die in einer Umwelt leben, an die sie angepaßt sind. Es hat den Anschein, daß der Mensch diese Umwelt schon vor etwa zehntausend Jahren verlassen hat. Die Schlußfolgerungen der Transfertheorie hängen aber von diesem Gesetz ab. Welchen Wert können sie überhaupt für Prognosen über uns selbst haben?

Wir wollen zunächst Art und Ausmaß unserer »Dislokation« von der EEA eruieren. Es ist im Grunde eine Dislokation unserer eigenen Wahl. Ausgestattet mit Genen und intuitiven Werten, die sich über zehntausend Jahre hinweg nahezu nicht verändert haben, haben wir unsere neue Macht dafür verwendet, uns mit den Dingen zu umgeben, nach denen wir uns während des Pleistozäns gesehnt haben. Das bedeutet, daß wir mitunter mehr davon haben, als gut für uns ist.

Aber auch unsere mäßigenden Gewohnheiten wie Voraussicht, Zurückhaltung und Gewissen sind ererbt, ebenso wie unsere nicht spezialisierte Intelligenz. Wir waren und sind die Spezies, die an das Ungewohnte angepaßt ist. Indem wir das Davor und Danach betrachten, überwachen und mildern wir unsere Triebe mit einem Gefühl von Sinn und Zweck. Das biologische Gesetz sagt uns, daß dieser Sinn und Zweck, ob uns dies bewußt oder unbewußt ist, in der Maximierung von Fitness liegt. Wenngleich fast jedes unserer Gene ein altertümliches und ziemlich unflexibles Programm aufweist, sollten wir uns hüten, den Rahmen der Umstände, unter denen die Gene und wir überleben können, zu eng zu fassen. Um es nochmals zu sagen, die Dislokation konnte uns bisher nicht davon abhalten, uns tausendfach zu vermehren.

Eine naheliegende Vermutung wäre, daß wir unsere Fitness nicht mehr unter Ausschluß anderer Ziele maximieren, dieser aber noch immer einen hohen Stellenwert einräumen. Wir wollen sehen, wie sich diese Vermutung auf unsere Prognosen auswirkt.

Die Ein-Faktor-Theorie stützt sich nicht auf biologische Axiome, bleibt also davon unberührt. Bei der Transfertheorie müssen aber Anpassungen vorgenommen werden. Zunächst müssen wir unsere Aussage modifizieren, wonach Kapital und Fitness identisch sind. Da Kapital das Maß ist, mit dem das Universum von Dingen gemessen wird, die einen Marktwert haben, umfaßt es offensichtlich mehr als nur Fitness, da wir jetzt auch Ziele haben, die unseren Genen nichts einbringen. Betrachten wir J^* als den Kapitalbetrag, der erforderlich, um das gegenwärtige Niveau der Genbewahrung zu halten, so folgern wir $J \geq J^*$.

Ebenso müssen wir Anpassungen bei unserer grundlegenden Transfergleichung vornehmen. In dem Maß, wie das biologische Gesetz seinen Zugriff auf uns gelockert hat, müssen wir erkennen, daß nicht der gesamte Konsum den Wert der überlebenden Jungen steigert. Bezeichnen wir den Teil, der eine Wertsteigerung herbeiführt als c^*, so können wir schreiben $c \geq c^*$.

Unser Modell der gleichen Geburtstage kann jetzt auf zwei Ebenen interpretiert werden. In Analogie zu (18) können wir beispielsweise schreiben $J^* = A^* + S^* + N^*$, wobei jeder Term sich auf die Fitness und nicht auf das gesamte Kapital einer jeden Gruppe bezieht. (Hier gilt $A > A^*$, $S > S^*$ und $N > N^*$.) Jede der Gleichungen (18) mit (27) hat also ein Gegenstück, das nur die Fitness umschreibt.

Durch (28) wurde die Wachstumsrate g_J in die Diskussion eingeführt, die hier ebenfalls eines Gegenstücks bedarf. Wir können hier die Bezeichnung g_x verwenden und so g_J^* für die prozentuale Wachstumsrate für Fitness einsetzen. (g_c^* hat für $c\uparrow$ die gleiche Bedeutung). Nehmen wir jetzt an, daß unser Modell im Hinblick auf das Wachstum sowohl von Fitness als auch von Kapital homogen ist. Unser Gegenstück zu (28) lautet dann $dS^*/d\tau = g_J^*S^* + \Theta^*$, wobei Θ^* die Transferrate für Fitness wiedergibt.

Das Gegenstück für die grundlegende Transfergleichung, das sich mit Fitness befaßt, lautet dann $c^* = dS^*/d\tau - g_J^*S^*$. Nehmen wir jetzt an, daß die Ausgewogenheit eine Gleichheit von g_c^* und g_J^*, ebenso wie von g_c und g_J impliziert, so können wir definieren $g^* = g_c^* = g_J^*$. Von hier aus gelangen wir leicht zu $c^*/J^* = 1/T$ und $c^*/J^* = 1/QT$, den Gegenstücken zu den Gleichungen (34) und (47), in Welten ohne bzw. mit Älteren.

Als Endresultat ist also festzuhalten, daß unsere Schlüsselprognose (47) dann zutreffen müßte, wenn die Verhältnisse c^*/c und J^*/J zusammenpassen. Einige Punkte bedürfen hier der Erwähnung:

1. Die Fakten $c \geq c^*$ und $J \geq J^*$ beschränken in gewissem Umfang die mögliche Divergenz zwischen den beiden Quotienten.

2. Außerhalb der natürlichen Umwelt der EEA müssen wir erwarten, daß die beiden Quotienten weniger einheitlich sind. In diesem Fall werden sie allenfalls zufällig zueinander passen. Gibt es keinen Grund zu der Annahme, daß einer der beiden Quotienten den andere übersteigen werde, so wäre eine Gleichheit beider die neutralste Erwartung.

3. Je höher die Priorität der Fitnessmaximierung im Gegensatz zu anderen Zielen angesiedelt ist, um so mehr nähern sich beide Quotienten der Einheit. Bei hoher Priorität lassen sich mit Hilfe von (47) und unter Zugrundelegung unserer Annahmen gute Prognosen treffen. (48) stützt sich auch auf die Quotienten g^*/g und (49) auf γ^*/γ, wobei γ^* in angemessener Weise definiert sein muß.

Marx gegen Darwin: Zur Halbzeit 3 zu 2

Produktion und Reproduktion im industriellen Europa

Lionel Tiger

Gegenstand dieses Bandes ist der Europäische Markt. Implizit liegt damit das prinzipielle Hauptaugenmerk auf jenem Bereich, um den es bei Märkten überhaupt geht, nämlich um Kaufen und Verkaufen. Hier wird die beachtliche wirtschaftliche Voreingenommenheit, die die meisten Diskussionen des zwanzigsten Jahrhunderts kennzeichnet, scharf unter die Lupe genommen. Sie besagt, daß das Leben einer Gemeinschaft am deutlichsten dadurch charakterisiert wird, wie sie Dinge produziert, wie sie sie verteilt, wer Reichtum zu eigen hat und wer dessen Verteilung kontrolliert. Gesellschaften werden dementsprechend als modern oder primitiv bezeichnet, als industriell oder landwirtschaftlich, kommunistisch oder kapitalistisch, sozialistisch oder nach den Regeln der freien Marktwirtschaft funktionierend, entwickelt oder in der Entwicklung begriffen, ausgereift oder in einem Übergangsstadium befindlich. Jedermann sieht darin eine grundlegend wirtschaftliche Diagnose, die als primäres Definitionsmerkmal dieser Gemeinschaften angenommen wird.

Darüber läßt sich nicht streiten, denn solche Beschreibungen liefern nicht nur eine Menge Informationen über die entsprechenden menschlichen Gruppierungen, sie werden auch häufig von den Gruppenmitgliedern selbst verwendet. Diese betrachten sich als zur »Gruppe der Sieben« oder zum »Süden« im Gegensatz zum »Norden« gehörig. Während einer langen, kostspieligen und spannungsreichen Periode waren überwältigende militärische und geopolitische Übereinkommmen kennzeichnend für den Ostblock und den Westblock. Sie beherrschten nicht nur den Planeten, sondern praktisch den gesamten Weltraum. Im wesentlichen beriefen sich Ost wie West recht knauserig auf bestimmte Werte und Praktiken, die mit dem Eigentum und der Produktion von Wohlstand zu tun hatten. Sicherlich waren auch bedeutende geopolitische, ethnische und historische Faktoren mit im Spiel, dennoch richteten sich Zusammenschlüsse in erster Linie nach den wirtschaftlichen Strukturen und nicht nach religiösen, ästhetischen und verwandtschaftlichen Beziehungen oder anderen Hauptcharakteristika von Gesellschaften. Diese Spaltung ist nun mehr oder weniger zusammengebrochen, und insbesondere in der europäischen Landmasse versucht man gerade einzuschätzen, wie es sich ohne solch klar gesetzte Grenzen weiterleben läßt. Dies wird wechselweise als Krise oder Gelegenheit betrachtet. Aber wie auch immer, es ist anzunehmen, daß Verschiebungen in den makro-ökonomischen Formeln, die das wirtschaftliche Leben regieren, für das tägliche Leben der Menschen von größter Bedeutung sind.

Dies ist ganz ohne Zweifel eine angemessene Beschreibung für die Hauptanliegen der betroffenen Menschen und die breitgefächerten sozialen Formen, die ihre Erfahrungen bestimmen. Ich möchte hier jedoch einen traditionelleren anthropologischen Standpunkt einnehmen und mein Hauptaugenmerk eher auf die besonderen Vorgänge menschlicher Interaktion konzentrieren, die für die größeren politischen Strukturen, auf die ich angespielt habe, relativ undurchdringlich bleiben. Diese Subsidiärprozesse scheinen vielleicht einem anderen Bereich des sozialen Lebens anzugehören, nämlich dem der Sexualtiät und Intimität. Ich werde jedoch aufzeigen, auf welche Art und Weise solche scheinbar privaten Ereignisse für die umfassenden gesellschaftlichen Kräfte von entscheidender, wenn nicht gar lebenswichtiger Bedeutung sind.

Babykrippe und Grundlinie

Mein Hauptaugenmerk richtet sich auf Reproduktion. Nahezu alle europäischen Gesellschaften melden Geburtsraten, die nach den Maßstäben wohlhabender Gemeinschaften einen historischen Tiefstand erreicht haben. Diese liegen in den meisten Fällen unterhalb der Reproduktionsziffer, was historisch auffällig und politisch bedeutsamer ist, als dies auf den ersten Blick erscheinen mag. Ungeachtet der Bedeutsamkeit dieses Umstandes wird der Möglichkeit, daß eine herabgesetzte Reproduktion die unmittelbare Ursache oder Wirkung erfolgreicher Produktion ist oder in sonstiger Weise mit dieser in Zusammenhang steht, eher wenig Beachtung geschenkt. Dies mag auf ein zu gering ausgeprägtes Verständnis für die begrenzte Natur des menschlichen Lebenszykluses zurückzuführen sein oder auf die begrenzte Kapazität des Menschen zu energetischer und verhaltensmäßiger Leistung. Der Mensch hat nur eine bestimmte Stundenzahl zur Verfügung und verfügt nur über ein begrenztes Maß an Energie und Enthusiasmus. Wenn die Menschen mehr produzieren, werden sie dann weniger reproduzieren? Es könnte zumindest sein, daß zwischen Produktion und Reproduktion ein unausweichlicher Zusammenhang besteht. Es handelt sich dabei um einen einfachen Zusammenhang mit komplexen Auswirkungen.

Je nachdem, welcher Denkrichtung sie angehören und welche Einstellung ihre politischen und wirtschaftlichen Arbeitgeber und Gönner haben, verwenden Wirtschaftswissenschaftler verschiedene Definitionen für Rezession und Depression. Eine Definition, die im großen und ganzen plausibel erscheint, besagt, daß eine Rezession vorliegt, wenn es in einem Wirtschaftssystem zwei Vierteljahre lang kein Wachstum gegeben hat, während es sich um eine Depression handelt, wenn zwei Vierteljahre lang die wirtschaftliche Aktivität zurückgegangen ist. Legt man diesen rudimentären, wenn auch willkürlichen Maßstab nicht an das produktive, sondern an das reproduktive System an, so befand sich die Europäische Gemeinschaft während der letzten Jahrzehnte in einer Rezession und häufig auch in einer Depression. Der Umstand, daß das gleiche Muster sowohl für kapitalistische, als auch für kommunistische Gesellschaften in Europa galt und gilt, legt einen Grundprozeß nahe, der für die Reproduktionsschwäche verantwortlich gemacht werden kann. Dieser Prozeß scheint immun zu sein gegenüber den Unterschieden, mit welchen sich die vormals konkurrierenden makroökonomischen Ordnungen brüsteten; ebenso wie eine andere leistungsfähige industrielle Kultur, die der Japaner. Ich kann nicht für mich in Anspruch nehmen, das Problem zuverlässig identifiziert zu haben oder gar ein ehrgeiziges Verfahrensprogramm entwickelt zu haben, mit dem die an den Schaltstellen der Gesellschaft sitzenden Personen die Ergebnisse erzielen können, die sie vielleicht anstreben. Jedoch muß jeder, der sich für solch fundamentale Elemente des verhaltensmäßigen Repertoires interessiert, mit dem sich die Biologen beschäftigen, aufmerksam werden, wenn er die potientielle Bedeutung dieser Tatsache erkennt: Europäer tun nicht in vollem Umfange das, was sie tun könnten und was andere Spezies und in der Tat auch andere nicht-industrielle Menschen tun, nämlich *Ressourcen in Nachwuchs zu verwandeln.*

Ich impliziere damit, daß es sich hierbei offensichtlich weder um eine Funktion des Kapitalismus noch des Kommunismus oder deren Varianten handelt, sondern vielmehr um eine Funktion des industriellen Systems an sich. In diesem Artikel werde ich in erster Linie Anmerkungen zu diesem System machen und zu dem Einfluß, den es auf die in ihm lebenden Menschen haben könnte. Im Kern behaupte ich, daß sich das System auf einen radikalen Individualismus gründet, der all seine Mitglieder zu »unabhängigen Unternehmern« macht, die – falls sie in angemessener Weise überleben wollen – sich durch agiles Reagieren auf die Bedürfnisse der industriellen Wirtschaft auszeichnen und Vorteile aus den Gelegenheiten innerhalb des Wirtschaftssystems ziehen müssen.

Diese Beweglichkeit scheint allerdings empfängnisverhütende Wirkung zu entfalten. Wenn man in Betracht zieht, wie verwoben die Dinge sind, so beeinflussen relativ geringe Geburtskontingente nicht nur die Größe des Kaders an Studenten und potentiell Produzierenden in einer Gemeinschaft, sondern selbstverständlich auch den künftigen Konsumentenmarkt dieser Gemeinschaft. Dies hat wiederum eine unmittelbare, wenn auch komplexe Beziehung zu den politischen Entscheidungen über Einwanderung und den Export von Produktionseinrichtungen, wie Fabriken in Gegenden, die reich an Arbeitskräften, aber arm an Rohstoffen sind. Schließlich schaffen die inter-ethnischen politischen Energien, die durch Einwanderung und andere Formen sozialer Bewegung entstehen, starke, oft überwältigende politische Kräfte, welche die bisher etablierten sozialpolitischen Ordnungen durcheinanderbringen. Diese können sich in sprachlichen Konflikten widerspiegeln, wie Fletcher dies in seinem ebenfalls in diesem Band enthaltenen Beitrag so deutlich aufgezeigt hat. Sie können sich aber auch in sozialen Spannungen äußern, die diesen Konflikten zugrundeliegen und die tatsächlich von Geburtsraten und damit von der Ausgewogenheit der Bevölkerungsstärke abhängen können, wie etwa das Verhältnis zwischen französich und englisch sprechenden Kanadiern zeigt. Also werden makropolitische Ereignisse wesentlich von zutiefst privaten Entscheidungen stimuliert und erzwungen, die rund um die zentrale Verhaltensepisode »Reproduktion« getroffen wurden, wie Darwin es formuliert hat, dem formativen Punkt der Wahl einer jeden Spezies, einschließlich der unsrigen (»es war einmal«).[1] Mittlerweile verschärft sich die entschiedene marxistische Betonung der überragenden Wichtigkeit von Ressourcen und Arbeit sowohl in kapitalistischen, wie auch in post-marxistischen Gesellschaften. Hierin spiegelt sich natürlich auch das post-reformatorische protestantische Konzept der Arbeit als Erlösungsfaktor wider.

---

[1] Ich muß betonen, daß es mir hier nicht um die Qualität, sondern allein um die Quantität des Nachwuchses geht. Meiner persönlichen Meinung nach hat es wenig Sinn, bei einer Spezies, die genetisch so kompliziert ist wie die unsere, die eine so lange Reifezeit hat und bei der so viele soziale Faktoren eine Rolle spielen, die sowohl die Überlebensfähigkeit als auch die Effektivität des einzelnen beeinflussen, eugenische Ziele zu verfolgen. Zudem besteht natürlich eine große Gefahr, daß ein eugenisches Programm die Tragödie wiederholt, die sich während des Zweiten Weltkriegs abgespielt hat oder Erinnerungen an eben diese Tragödie weckt. Wahrscheinlich trifft es zu, daß die Menschen sowohl in der Praxis, wie auch symbolisch gesehen so xenophobisch sind, daß jede Bemühung, Menschen auf genetischer Grundlage zu unterscheiden – nach Rasse, Klasse, Nationalität, Religion und ähnlichen Kriterien – von vorneherein dazu verdammt ist, in Bigotterie zu enden. Das Geschlecht ist eine andere Sache, doch dazu später.

Es ist auch von politischem Interesse, daß nur sehr stark auf Zwang ausgerichtete Systeme die freie reproduktive Entscheidung unmittelbar, wenn auch nicht immer ganz erfolgreich beeinflussen können. Dies zeigen etwa die gegenwärtigen Bemühungen in China, den Nachwuchs auf ein Kind pro Familie zu beschränken.[2] Es ist auch plausibel, daß Frau Gandhis einmalige Wahlniederlage, die sie trotz ihrer herausragenden und diktatorischen Stellung in Indien erlitt, mit ihrem fehlgeschlagenen Versuch zu tun hatte, das Bevölkerungswachstum zu reduzieren durch monetäre Belohnung für Sterilisation oder andere offensichtlich bedrohlich wirkende drakonische Maßnahmen. Um die reproduktiven Aktivitäten ihres Klerus zu beschneiden, müssen die katholische Kirche und andere Religionen ein besonderes »Beschäftigungspaket« anbieten: lebenslange Anstellung und Sicherheit und eine würdevolle, respektable und lohnende soziale Stellung. Man gewährt dem Klerus in der Regel auch Unterkunft und Kleidung, die manchmal ungewöhnlich elegant und interessant ist. Und dann ist da natürlich noch die Gewißheit eines Lohnes im nächsten Leben, auch wenn es in diesem keine Reproduktion geben sollte.

Meine Ansicht ist einfach und scheint bemerkenswert offensichtlich zu sein. Sie hat Implikationen für Einzelpersonen – man schätzt, daß ganze 25% der heutigen jungen Amerikanerinnen Nulliparas bleiben werden, wie die Anthropologen sagen – und für die politische Führung auf regionaler, nationaler und kontinentaler Ebene.

Trotzdem wird die Beziehung zwischen Reproduktion und Politik offenbar chronisch übersehen. Dies gilt sowohl für die kommunistischen Gesellschaften, die sich langfristiger Planung verschrieben haben (Besemeres, 1980: xiii), als auch für die Gesellschaften, die sich eher an freier Marktwirtschaft orientieren und in denen die Einstellungen zum Thema Bevölkerung, falls man sich überhaupt damit beschäftigt, in politischen Entscheidungen über Scheidung, Adoption, Empfängnisverhütung und natürlich insbesondere über Abtreibung zum Ausdruck kommen. Obwohl natürlich großes Interesse an der Beziehung zwischen ethnischen Bevölkerungsschichten und Politik besteht, wie etwa in Französisch-Kanada, das seit langer Zeit »der Rache der Wiege«[3] verhaftet ist, bleibt doch ein weitver-

---

[2] Amanda Bennett: »China umwirbt die Familien und bietet Anreize zur Reduzierung der Geburtsrate. Die Ein-Kind-Politik erregt aber Widerstand und hat der Bevorzugung von Söhnen kein Ende gesetzt.« Wall Street Journal, 9. Juli, 1983.

[3] Was die jüngste Kontroverse anbelangt, siehe beispielsweise Richler (1991). Ein weiterer Kommentar zu Richlers Aufsatz findet sich in »Mordecai Richler Pens His Reply«, The Montreal Gazette, 31. September, 1991.

breiteter Widerwille dagegen bestehen, das Thema direkt anzugehen. Wenn Zustände herrschen wie in Hitler-Deutschland oder in Ceausescu-Rumänien, dann werden die Auswirkungen allgemein kritisiert und mißbilligt. Die Erinnerung an die radikale Politik der Nazis bleibt ein beständiges Abschreckungsmittel sogar gegen milde Formen einer öffentlichen Beunruhigung wegen der Geburtenraten. Es ist völlig klar, daß das Thema in Zusammenhang mit Einwanderungs- oder Familienpolitik sehr viel direkter in Angriff genommen werden kann (Berger und Berger, 1984).

Der Staat als Ort der letzten Zuflucht

Es mag Ausnahmen geben, dennoch bleibt der Reproduktionsfaktor ein bedeutsames Forum für wirtschaftliche Aktivität, Produktion, Verbrauch, Rentenvereinbarungen zwischen den Generationen und sogar für Verbrechen. Es ist beispielsweise durchaus einsichtig, daß ein Grund für die Dysfunktionalität und die unverhältnismäßige Kriminalität der männlichen Schwarzen in Amerika darin besteht, daß diese sich einerseits nur sehr schwer angemessene Arbeitsstellen[4] beschaffen können und andererseits die bestehenden Strukturen Gebären durch Sozialleistungen und die Mütter durch großelterliche Hilfe unterstützen. Dies hat sich in der schwarzen Gemeinde sehr stark eingebürgert und eine Situation herbeigeführt, in der beinahe die Hälfte aller Mütter unverheiratet ist. In der Praxis enthebt dieser Umstand eine große Anzahl von Männern der Verpflichtung und nimmt ihnen die Gelegenheit, sich auf ein gemeinsames und geteiltes fürsorgliches und behütendes Verhalten einzulassen, das ein Grundmerkmal des Familienlebens in der Industriegesellschaft ist. Einer großen Anzahl junger Männer wird in der Tat das Recht genommen, am reproduktiven System im umfassendsten Sinne teilzuhaben. Es scheint, als würden sich die üblichen Schwierigkeiten für junge Männer noch erheblich verstärken, da sie sich der Herausforderung gegenübersehen, sich eine dauerhafte Arbeitsstelle zu sichern in einer Gesellschaft, die ihrer Zuverlässigkeit und Begabung eher mißtrauisch gegenübersteht. Sicher wird sich auch für die

[4] Ich befasse mich nicht damit, warum das so ist – offenkundige Diskriminierung, mangelnde Vorbereitung, mangelnde Mobilität hin zu Orten, an denen Arbeitsplätze zur Verfügung stehen, etc. Ich befasse mich nur mit der Tatsache, daß mehr als doppelt soviele männliche Schwarze im arbeitsfähigen Alter ohne Beschäftigung sind wie männliche Weiße, wobei einer von vieren im Alter zwischen 20 und 30 entweder im Gefängnis sitzt, sich auf strafunterbrechendem Kurzurlaub befindet oder auf Bewährung entlassen ist. Siehe Holmes (1991).

jungen männlichen Einwanderer in europäischen Gesellschaften eine vergleichbare Situation einstellen, da sie oft die ersten sein werden, die als Arbeitskräfte in Erscheinung treten. Der historische Hintergrund, der ihrem Gefühl zugrundeliegt, fehl am Platze zu sein, unterscheidet sich zwar von demjenigen der schwarzen männlichen Amerikaner, dennoch müssen auch sie zunächst ein Junggesellenleben führen, mit allen Unsicherheiten, die damit verbunden sein mögen.

Wie ich an anderer Stelle bereits ausgeführt habe (Tiger, 1987), haben sowohl die weiblich kontrollierte Empfängnisverhütung, als auch die staatliche Förderung des Gebärens eine Situation geschaffen, in der *Männer in grundlegender Weise von den Mitteln der Reproduktion abgeschnitten sind.* Besonders in wirtschaftlichen Randgruppen, wie etwa bei den schwarzen Amerikanern, den Einwanderergruppen in Europa oder auch den südafrikanischen Arbeitern, die in reinen Männerlagern zusammenleben, hat sich dies zu einer gefährlich unstabilen Situation entwickelt. Genau in jener Lebensphase, in der sie über die meiste Energie und den größten Eifer verfügen und, was wohl am ehesten nützlicher Strukturen bedarf, auf die sie sich einlassen können, sind junge Männer in solchen Lebenssituationen funktionell in familiärer Hinsicht nicht reproduktiv. Vielleicht sind sie in der Lage, sexuelle Beziehungen zu unterhalten, sie haben aber keine dauerhafte elterliche Rolle zu spielen. Sie haben daher relativ wenig Gelegenheit, sich in das Geflecht familiärer und nachbarschaftlicher Beziehungen einzufügen, wie es männliche Industriearbeiter seit langem taten, die bereit oder zumindest in der Lage waren, den größten Teil ihres Verdienstes Frauen und Kindern zur Verfügung zu stellen. Was die Frauen anbelangt, so müssen die Ungewißheiten über Verbindlichkeit und materielle Ressourcen ihre Reproduktivität beeinflussen: um ein Bild von Gordon Getty zu verwenden: Warum sollten alleinstehende Frauen all ihre Mittel in ihren Nachwuchs investieren, aber nur die Hälftte ihrer Gene reproduzieren? Das ist für Frauen ein äußerst schlechter Handel, was sie offenbar auch erkannt haben. Der Großteil amerikanischer Frauen, die von der Wohlfahrt leben, hat nicht mehr als zwei Kinder, was ihnen eine optimale Mischung aus öffentlicher Unterstützung, wie Unterkunft und Kindergeld, privater persönlicher Anstrengung und reproduktivem Ergebnis bietet.

Dies steht in Beziehung zu einer grundlegenden Frage, die, wie ich glaube, das thematische Herzstück der biosozialen Basis für die Europäische Gemeinschaft in der Zukunft sein wird. Die Frage lautet: Warum sollten Männer ihren Frauen und Kindern weiterhin Waren und Dienstleistungen zur Verfügung stellen? Beispielsweise zeigen Young und Willmott in ihrer klassischen Studie auf, daß englische Männer aus der Arbeiterklasse nach dem Zweiten Weltkrieg ihren gesamten Verdienst, der damals üblicherweise bar ausgezahlt wurde, ihren Frauen ablieferten, die ihnen dann etwas Kneipengeld und ein weing mehr abgaben. Das war aber auch schon alles (Young und Willmott, 1957). Es war ein auffallendes Merkmal im Leben von Industriearbeitern, daß ein Stahlarbeiter an der Ruhr oder in Cleveland oder ein Kautschukarbeiter in Hamburg oder Clermont-Ferrand zuverlässig zunächst eine Frau traf, ihr den Hof machte, sie heiratete, ein paar Kinder mit ihr hatte und dann im Endeffekt für den Rest seines Lebens den größten Teil seines Verdienstes an Frau und Kinder abgab. In gewisser Weise ist daran kaum etwas geheimnisvolles, denn wie unter anderen Getty in seinem beachtenswerten Werk »The Hunt for *r*« (Getty, 1989) dargelegt hat, ist in der genetischen Schaltplanausrüstung des Menschen sicherlich ein umfassender elterlicher Beitrag zum Wohlergehen der Jungen angelegt. Meine Behauptung ist, daß die Bedingungen moderner Marktwirtschaften heute solche Unterstützung der Jungen nicht mehr in so erfolgreicher Weise wie früher stimulieren und belohnen. Und es ist dieser Umstand – und im Grunde nicht irgendwelche nebulösen Ideologien über Ökologie und Nullwachstum der Bevölkerung – der im wesentlichen für die negativen Geburtsraten in Industrieländern verantwortlich ist. Im Endeffekt führt dies dazu, daß solche Gemeinschaften zwar vielleicht in der Lage sind, die Produkte zu produzieren, die sie benötigen, sie scheinen aber nicht so viele Leute hervorzubringen, wie sie brauchen. Als Folge davon laden sie dann entweder Einwanderer als Arbeiter ein oder sie tolerieren diese zumindest. Dies ist eine Form realen sozialen Versagens, denn sie enthüllt ein Mangel an funktionaler Effektivität in diesen Gesellschaften im Hinblick auf einen offensichtlich zentralen Lebensaspekt.

Jedenfalls ist die schwindende Effektivität des dauerhaften, rechtlich sanktionierten ehelichen Duos klar ersichtlich: In Großbritannien wurden im Jahr 1990 28% aller Babies unehelich geboren, doppelt so viele wie 1980.

Wenngleich es offensichtlich ist, daß auch makrosoziale und institutionelle Einflüsse hierbei mitbeteiligt sind – wie etwa die Sozialsysteme, die zwar alleinstehende Mütter, aber nur zögernd verheiratete Paare unterstützen, so ist die wichtigste soziale Interaktion, die dafür verantwortlich gemacht werden kann, im Kern diejenige zwischen Mann und Frau, der ich mich jetzt zuwende. Wie Getty darlegt, ist das Thema zweiseitiger Verantwortung für genetische Ergebnisse bei einer Spezies wie der menschlichen von entscheidender Wichtigkeit für das Verständnis bedeutender wirtschaftlicher Elemente, selbst von so scheinbar außerhalb dessen liegender Dinge wie die Zinsraten. Dies beruht wiederum auf bestimmten, von Ethnologen untersuchten Prozessen, vor allen auf der Interaktion von familiären und reproduktiven Systemen. Jeder hat eine Familie. Nicht jeder gründet eine. Die Kluft, die zwischen diesen beiden Phänomenen klafft, ist der »Geburtenmangel«, den wir hier untersuchen. Warum besteht diese Kluft?

Rückgang von Teilen und reproduktiver Interdependenz

Wie Levi-Strauss so ausführlich dargestellt hat, war die Exogamie, d. h., die Verheiratung mit Mitgliedern anderer Familien, von entscheidender Bedeutung für die Menschheitsgeschichte. Dies war aus genetischen Gründen wichtig, nützte aber auch in sozialpolitischer Hinsicht, da es das Heranwachsen größerer Gemeinschaften – mit allen Folgen – ermöglichte und begünstigte. Ebenso zeigte Levi-Strauss, welche Beziehung dieser Umstand zum Teilen von Nahrungsmitteln hatte, denn das Hochzeitsfest war das Bindeglied zwischen erfolgreicher Exogamie und dem Teilen von Nahrungsmitteln. Ein wichtiger Unterschied zwischen uns Menschen und anderen Primaten besteht darin, daß wir Nahrung teilen. Im allgemeinen verhält es sich bei den anderen Primaten so, daß sie sich ihre eigene Nahrung suchen, sobald sie ausgewachsen sind. Bei uns ist das anders. Zunächst gibt es bei uns eine ausgedehnte Phase der Fürsorge für unsere Jungen. Später teilen wir Nahrung und andere Ressourcen zwischen Männern und Frauen auf. Bei der Eheschließung war dies ein bedeutender Faktor, was beispielsweise dann deutlich wird, wenn eine Mitgift oder ein Brautpreis im Spiel war als Konkretisierung des wirtschaftlichen Teilens in der Beziehung der Familien untereinander und in Entsprechung der Absicht dieser Familien, ihre Gene auszutauschen. In ländlichen Teilen des Iran beispielsweise müssen die Männer einen Vertrag unterzeichnen, in dem sie sich verpflichten, ihre Braut mit Kleidung einer bestimmten Eleganzstufe sowie Kerzenleuchtern, Möbeln und ähnlichem auszustatten. Sogar der Laden, in dem die Kleidungsstücke zu besorgen sind sowie die vorgesehenen Preise können genannt werden.[5] Iranische Einwanderer in

[5] Paula Ardeheli, Doktorarbeit Philosophie, Rutgers Universität. Darüber hinaus ist es oft so, daß die Familie des Bräutigams die Angestellten des Badehauses, das die Braut aufsucht, besticht, um zu erfahren, ob diese körperliche Mängel, Dehnungsstreifen oder andere in ihren Augen abwertende Merkmale hat. Ist dies der Fall, so kann es vorkommen, daß die Brautfamilie die Angestellten noch höher besticht, damit sie falsches Zeugnis ablegen. Die Vereinbarungen sind sehr nüchtern.

New Jersey halten noch immer an diesem Brauch fest und unterzeichnen ähnliche Verträge, in denen bestimmte Läden und Gegenstände aufgeführt werden.

Wie auch immer die Vereinbarungen im einzelnen beschaffen sein mögen, der Hauptpunkt besteht darin, daß das Paar gegenseitige wirtschaftliche Verantwortlichkeiten auf sich nimmt, die einen unmittelbaren Bezug zum Nachwuchs haben. Hat eine Frau beispielsweise eine Abtreibung vornehmen lassen, so muß sie der Familie des Mannes eine vorher vereinbarte Summe zahlen.

Selbstverständlich empfehle ich dies nicht als zeitgemäßes Verhaltensmodell. Es ist jedoch ein Modell, das mit höheren Geburtsraten in Verbindung steht als die europäischen. Derartige Arrangements mögen in unseren Augen merkwürdig erscheinen, sie können uns aber eine Ahnung von der Variationsbreite zwischen Gesellschaften mit hohen und solchen mit niedrigen Geburtsraten vermitteln.

Zwei interessante Punkte sind hier festzuhalten. Einmal sind beide Familien des Paares wirtschaftlich an der Interaktion beteiligt und zum zweiten wird die Reproduktion als selbstverständlich erachtet. Mit einem Wort, keiner der an der Hochzeit Beteiligten ist ein unabhängiger Vertragspartner.

Das euro-amerikanische und sicherlich ideale Muster besteht darin, daß das werbende Paar seine eigenen Entscheidungen über die Gattenwahl trifft, die in gewissem Umfang auf romantischen Kriterien beruht, aber sich gewöhnlich im Rahmen recht klarer Klassen- und Religionsschranken und ganz sicher auch Rassenschranken bewegt. Auswahlmechanismen für die Partnerwahl, wie Privatschulen, getrennte Wohngebiete oder soziale Kontakte im Rahmen der Kirchengemeinde, werden so weit wie möglich von den Eltern ins Spiel gebracht, um so ein gewisses Maß an Kontrolle über die Partnerwahl ihrer Kinder sicherzustellen. Diese Art von Kontrolle ist in riesigen beweglichen Gruppen, wie etwa an großen amerikanischen Universitäten, schwer auszuüben, da die Studenten dort ihre Sexual- und Ehepartner aus einem sehr großen und höchst unterschiedlich zusammengesetzten Kreis von Kandidaten wählen können. John Finlay Scott hat gezeigt, wie das System der Studentinnenverbindungen in den Vereinigten Staaten ins Leben gerufen worden ist, als bürgerliche Mädchen anfingen, die ausgezeichneten staatlichen Universitäten wie Michigan und Wisconsin zu besuchen, wo die Gefahr bestand, daß sie ungeeignete Partner fanden. Die Studentinnenverbindungen wurden von der elterlichen Generation geschaffen und zum Zwecke des Kennenlernens mit bestimmten Studentenverbindungen gekoppelt. Solche Modelle haben sich oft bis zum heutigen Tag erhalten (Scott, 1965). Andererseits waren die männlichen Studentenverbindungen typischerweise nicht dafür geschaffen worden, um ein reproduktives, sondern um ein produktives Netzwerk zu schaffen. Häufig von der männlichen Elterngeneration unterstützt, waren und blieben sie unter anderem Einrichtungen, die Zugang zu Ressourcen und Arbeitsplätzen sicherten.

Was ich zum Ausdruck bringen will ist, daß auch hier wiederum die Eltern auf unmittelbare, wenn auch makrostrukturelle Weise in die Organisation und Förderung der reproduktiven Möglichkeiten verwickelt sind. Wenn es auch gängige Annahme ist, daß sie für traditionelle Moral und Verzweiflung über außereheliche Schwangerschaften ihrer Töchter stehen, so glaube ich doch auch, daß bei den sogenannten pathologisch von der Wohlfahrt abhängigen Familien in amerikanischen Ghettos die Großmütter eine wichtige reproduktive Quelle darstellen, wie ich schon ausführte. Nicht nur indem sie sich passiv oder reaktiv verhalten, sie mögen auch stimulierend wirken. Wie sonst könnte eine Frau zu Enkelkindern kommen, wenn man in Betracht zieht, wie gering die Auswahl an möglichen männlichen Kandidaten für die Töchter ist? Also billigt die Großmutter explizit oder implizit die Mutterschaft ihrer Tochter als Alleinstehende. Der Staat fungiert in wirtschaftlicher Hinsicht als Vater (Bernstam und Swan, 1986), während die Großmutter häufig mit großem Einsatz im Haushalt und bei der Erziehung des Nachwuchses hilft. Proportional gesehen haben die alleinstehenden Mütter den höchsten Kinderanteil in der Gemeinschaft. Zwar sind mir die entsprechenden europäischen Daten nicht bekannt, aber ich wäre überrascht, wenn nicht ähnliche Vorgänge auf diesem Kontinent möglich, ja wahrscheinlich wären.

Romeo und Julia. Wozu gibt es euch?

In der größeren Gemeinschaft ist die Beachtung des reproduktiven Prozesses weniger festgelegt und hängt in stärkerem Maße vom Enthusiasmus, den Fähigkeiten und Vorlieben der jüngeren Generation ab. Diese Situation wird durch einige wesentliche Faktoren bedingt.

Der erste ist, daß aus einer Vielzahl von Gründen, die von historisch hohen Scheidungszahlen, über feministische Ideale bis hin zu allgemeinen Gebräuchen reichen, immer mehr Frauen und deren Eltern glauben, daß Frauen heutzutage ebenso wie früher die Männer in der Lage sein müssen, sich in einer Geldwirtschaft selbst ernähren zu können und nicht vom geteilten Einkommen des Ehemannes abhängig sein dürfen. Noch in den 50er Jahren konnte eine vernünftige und kluge Frau in den Vereinigten Staaten erwarten, nach einer kurzen Zeitspanne in der Arbeitswelt in Ehe und Mutterschaft eintreten und voller Vertrauen am Einkommensfluß ihres Ehemannes teilhaben zu können. Aus der Sicht der Frau ist dies heute jedoch keine gangbare und verläßliche Erwartung mehr. Außerdem ist für die Männer eine künftige Ehefrau ohne Einkommen, mit dem sie ihren eigenen Unterhalt bestreiten kann, als Lebenspartnerin weniger attraktiv als eine gleichrangige Verdienerin, die in bedeutender Weise zum Familieneinkommen beitragen könnte und im Falle einer Scheidung unabhängig wäre, anstatt mit Unterhaltsansprüchen aufzuwarten. In der Tat gewinnt die Bildung der Frau oder ihre Berufserfahrung den gleichen Rang wie eine Mitgift, genau so, wie früher potentielle Ehemänner nach ihren beruflichen Aussichten eingestuft wurden.

Mann und Frau sind jetzt gleichberechtigte Vertragsparteien, die sich dem Ziel verschrieben haben, in jungen Jahren soviel Verdienstmöglichkeiten wie möglich zu entwickeln. Wegen der verdienstorientierten Auswahlsysteme sind junge Leute heute in einem in der Geschichte nie dagewesenen Ausmaß auf ihr Können und ihre Motivation angewiesen. Sie erkennen, daß ihr beruflicher Werdegang stark von unpersönlichen Begabungstests abhängt, denen sie sich unterziehen müssen, wie etwa die IQ, SAT oder LSAT Tests in den USA oder die traditionelleren in Europa angewandten Lern- und Konkurrenztests. In der Praxis funktionieren diese Tests freilich nur unzureichend. Familiäre Verbindungen, Wohlstand, bessere Schulbildung, ethnisches Selbstvertrauen und ähnliche Faktoren können sich auf die Leistung des Studenten auswirken. Nichtsdestoweniger ist das Individuum auf sich selbst gestellt. Das lange Zeit gültige Prinzip, wonach Familienmitgliedern vor Fremden ein Höchstmaß an Chancen gewährt wurde, läßt sich ohne Täuschung, ohne hinterfragt zu werden oder ohne Verletzung der förmlichen Kriterien allgemeiner Fairness nicht mehr anwenden. Heute wird Gönnerschaft im familiären Rahmen weniger akzeptiert, häufig sogar heftig kritisiert. (Dennoch gibt es sie auch weiterhin, und vielleicht liegt ein Grund für die Ineffektivität verschiedener staatseigener Unternehmen genau darin, daß diese weiterhin für Vetternwirtschaft sorgen. Dies bedeutet nicht notwendigerweise, daß ich meinen Sohn in meine Abteilung bringe. Ich kann Ihren Sohn einstellen. Sie revanchieren sich, indem Sie meinen Sohn einstellen. Dies ist kein offenkundiger Gesetzesverstoß. Aber jetzt sind zwei potentiell inkompetente Personen eingestellt.)

Der einzelne ist also gehalten, sich soweit wie möglich wirtschaftliches Geschick anzueignen. Ein Ergebnis davon scheint einmal zu aufgeschobenem Heiraten und zum anderen zu aufgeschobenem Gebären zu führen. Wenn Frauen Kinder haben wollen, streben sie vielleicht danach, sich zuerst wirtschaftliche Sicherheit für sich selbst zu verschaffen, ehe sie ans Fortpflanzen denken. In besonders anspruchsvollen amerikanischen Berufsbereichen, wie Medizin, Recht und Medien, verschieben Frauen ihren Wunsch nach Schwangerschaft oft sogar in ihre späten 30er Jahre. Dann kann es allerdings medizinische Schwierigkeiten geben. Eine Folge davon ist ein enormer Ansturm auf Befruchtungskliniken, die medizinisch das wiederherstellen sollen, was durch persönliche Entscheidung und berufliche Beschränkungen herbeigeführt worden ist.[6]

Hinzu kommt noch ein ganz offensichtlich wesentlicher Faktor für die Thematik moderner Geburtsraten, nämlich die Verfügbarkeit wirksamer Empfängnisverhütungsmittel, welche die Veränderung jahrhundertelanger Strukturen ermöglichten. Jetzt ist die Trennung zwischen geschlechtlicher Betätigung und reproduktivem Ergebnis auf einer beinah sicheren Basis möglich geworden. Bedeutenderweise hat sich dies zusätzlich so ausgewirkt, daß eine Trennung von Ehe und Fortpflanzung möglich wurde (Veevers, 1983). Man kann sich nur schwer eine folgenschwerere technologische Entwicklung ausmalen, als die, welche die Empfängnisverhütung hervorbrachte. Durch sie wird nicht nur die zentrale Verhaltensepisode »Reproduktion« der Spezies in letzlich genetischer Hinsicht berührt. Noch direkter beeinflußt sie das unmittelbar mit diesem Ereignis zusammenhängende Verhalten.

Das soll nicht heißen, daß in gleichem Maß die Aufmerksamkeit für sexuelle Anziehungskraft und die Konflikte, die diese am Arbeitsplatz hervorrufen kann, zurückgegangen wäre (Dowd, 1991). Sogar am Arbeitsplatz kommt es in scheinbar unausweichlicher Weise auch weiterhin zu neo-reproduktiver Aktivität. In den Vereinigten Staaten wird dies beispielsweise in beträchtlichem Umfang dadurch gefördert, daß etwa 20 Milliarden Dollar pro Jahr für Kosmetika, etwa 33 Milliarden für verschiedene Diätmethoden und viele Millionen für Pornographie ausgegeben werden.

[6] Es besteht auch eine gewisse Wahrscheinlichkeit, daß aktive und langdauernde Teilnahme an der Arbeitswelt zu einer Art reproduktiver Unterdrückung führt, die den anderen persönlichen Wahlmöglichkeiten eine weitere Variante hinzufügt. Vgl. Wasser und Barash (1983). Die Wirkung berufsbedingter und umweltlicher Schadstoffe auf die Spermatozoen, sowie Alkohol und Drogen beeinflussen vermutlich ebenfalls die reproduktive Situation auf breiter Basis.

Das Darwinsche System ist also höchst aktiv, zumindest was die Bemühungen um sexuelle Anziehungskraft anbelangt. Dieser Umstand wird besonders interessant, denn während die Aufmerksamkeit auf das, was man »prozeptives Verhalten« nennt (die Gesamtheit der Signale, die sexuelle Verfügbarkeit suggerieren), aufrechterhalten oder verstärkt wird, gibt es keinen entsprechenden Effekt auf die Reproduktionsraten. Vielleicht hätte man das erwarten müssen, allein nach dem Beispiel Frankreichs, das sich in den luxuriösen Künsten um Verführung und Körper hervorgetan hat, aber seit vielen Jahrzehnten vergeblich höhere Geburtenraten anstrebt.

Eins – zwei

Tatsächlich haben zwei enorme Veränderungen fast gleichzeitig die reproduktive Dyade beeinflußt. Die erste beinhaltet einen ernsthaften Rückgang in der Annahme von wechselseitiger Abhängigkeit zwischen Vater und Mutter, welche die Grundlage für das Eingehen einer Verpflichtung zwischen Mann und Frau war. Beide Geschlechter sind also wirtschaftlich unabhängige Vertragspartner; eine Entwicklung, die sich teilweise auch in den steigenden Zahlen von Ehescheidungen ohne Schuldzuweisung widerspiegelt. Außerdem hat sich die Verbindung zwischen Sex und Reproduktion gelöst. So werden beide Geschlechter auch zu unabhängigen sexuellen Vertragspartnern.

Biologisch gesehen kann man dies nur als phänomenal bezeichnen. Die reproduktiven Folgen zeigen sich deutlich an den Geburtenraten, und sie bringen offenbar auch eine Reihe wirtschaftlicher und demographischer Folgen mit sich. Aber es gibt noch weitere Konsequenzen. Wie ich schon an anderer Stelle dargestellt habe, ist eine Folge der effektiven Empfängnisverhütung durch die Frau eine vergleichsweise liberale Abtreibungsgesetzgebung in solchen Wahlgemeinden, wie den Vereinigten Staaten und England, in denen sie früher überwiegend nicht galt (Tiger, 1987).

Meine Schlußfolgerung war folgende: Wir sehen, daß eine beträchtliche Anzahl von Eheschließungen während oder zumindest wegen einer Schwangerschaft erfolgen – um die Jahrhundertwende etwa 40–50% in den Vereinigten Staaten. Dies war eine vernünftige und einsichtige Form der Gattenwahl, und solange die Empfängnisverhütung weitgehend in den Verantwortungsbereich der Männer fiel – in den 50er Jahren war das Kondom in den Vereinigten Staaten das verbreitetste Verhütungsmittel – waren sich die Männer ihrer Verantwortung bewußt und reagierten häufig mit Heirat, sei es nun freiwillig oder in Form einer Eheschließung mit »vorgehaltener Pistole«. Sobald aber die Empfängnisverhütung im wesentlichen Sache der Frauen und noch dazu eine potentiell verschwiegene Angelegenheit geworden war, etwa durch Pille oder Intrauterinpessar, waren die Männer nicht länger bereit, Verantwortung zu übernehmen.

Für viele Frauen war die frühere Option einer Eheschließung nicht mehr vorhanden. So wird plausibel, daß der Bedarfsdruck einer so großen Zahl von Antragstellern nach annehmbaren Abtreibungsmöglichkeiten zu einem neuen Element größeren sozialen Wandels wurde. Ebenso ist es plausibel, daß die chronischen und intensiven politischen Konflikte bezüglich der Abtreibung nicht nur Aufschluß über ethische und religiöse Positionen geben, sondern auch einer unterschwelligen Besorgnis über die Beziehungen zwischen Sex, Abtreibung und Geburtenraten Ausdruck geben.

Eine weitere bemerkenswerte Einzelinformation über die Amerikaner verdient es, hier erwähnt zu werden. An der Westküste ist die Sterilisation die populärste Form der Empfängnisverhütung. Landesweit kommt sie der bevorzugtesten Methode nahe. Zwar sind die meisten Anwender dieser Technik verheiratet und bereits Eltern von Kindern, bei vielen trifft dies jedoch nicht zu. Außerdem ist bekanntlich die Scheidungsrate in diesem Land sehr hoch. Der Scheidung folgt jedoch in über 70% der Fälle eine Wiederverheiratung. Legt man diese Zahlen zugrunde und geht man davon aus, daß von denjenigen, die sich wiederverheiraten, einige sterilisiert sind, wobei ein sterilisierter Teil eines Paares bedeutet, daß das Paar als solches sterilisiert ist, so wird deutlich, daß auch dieser bei der Bestimmung der möglichen Geburtenrate einer Bevölkerung ein bedeutsamer Faktor ist.

Solche privaten soziosexuellen Entscheidungen haben auch offenkundige makrosoziale Folgen. Eine der deutlichsten Folgen ist die Beziehung zwischen einheimischem Arbeitskräftemangel und dem Zuzug von Einwanderern in solche Gemeinschaften, die nicht genügend Leute produzieren, die zur Verrichtung jener Arbeiten bereit sind, die in der Gemeinschaft geleistet werden müssen. Das europäische Beispiel ist hier besonders dramatisch und übertrifft die Situation in Nordamerika, wo die Einwanderung natürlich eine anerkannte und weithin geschätzte Rolle beim Aufbau der nationalen Gesellschaft gespielt hat. Die Einwanderung in Europa hat allgemeine wirtschaftliche und soziale Vorteile mit sich gebracht, aber auch zu einigen politisch höchst explosiven Zuständen geführt, denen die Bevölkerung sich zu stellen hat. Es nützt nichts, hier den Katalog chronischer Krisen zu zitieren, welche die Beziehung zwischen Einwanderern und

Bürgern in praktisch allen wohlhabenden europäischen Ländern kennzeichnen. Durch die von der Europäischen Gemeinschaft vorgesehene Lockerung der Grenzkontrollen und der freizügigen Reisemöglichkeiten für Osteuropäer wird sich die Situation vermutlich weiter zuspitzen. Sogar die Schweiz gab im August 1991 schlicht bekannt, daß die Eidgenossenschaft – offenbar willkürlich – maximal 40000 Visa für politisches Asyl pro Jahr ausstellen wird.

Die Situation ist nicht völlig ungewöhnlich – sie stellt nur eine Version der Schwierigkeiten dar, die aus den Beziehungen zwischen ungleichen kulturellen Gruppen resultieren, insbesondere in Zeiten wirtschaftlicher Knappheit und raschen sozialen Wandels. Es handelt sich auch um eine weitere Version der antikolonialistischen Bewegung, die dem Zweiten Weltkrieg folgte, wenngleich die Anzahl »störender« Ausländer damals verhältmäßig gering war und diese als Repräsentanten kolonialer Hegemonie nicht nur Ausländer, sondern auch Manager politischer Demütigungen waren. Das zugrundeliegende soziale Bestreben war es dennoch, die Gemeinschaften von ihren Ausländern zu befreien, wenngleich ein offenkundiger Unterschied darin bestand, daß der Status dieser Ausländer höher war, als der der Lokalbevölkerung.

Es gibt noch eine Reihe weiterer Folgen, die sich aus den Daten solcher Gemeinschaften ablesen lassen, die nicht in der Lage sind, genügend Leute zur Produktion einer ausreichenden Menge an Gütern und Dienstleistungen zu reproduzieren, mit denen sie ihre Bedürfnisse decken können. Beispielsweise könnte das Interesse an Leistungen, die mit Kindern zu tun haben, bei Steuerzahlern, die zur Gruppe der wenig reproduzierenden Bürger zählen, reduziert sein. Der Umstand, daß Leute mit Kindern offenbar länger leben als Leute ohne Kinder ist nicht eindeutig, was den Verursachungsmechanismus anbelangt. Aber er legt eine Form von umfassendem *elan vital* nahe, der in Bereiche des sozialen Lebens hinüberragen kann, die über die Familie hinausgehen. Möglich wäre es auch, daß ein nicht reproduktives Leben Beschäftigung mit Oberflächlichkeiten und Moden mit sich bringt, was sich vielleicht in der Popularität des Begriffes »Lebensstil« anstelle von »Leben« zur Beschreibung der Existenz einer Person widerspiegelt.

Und nun ein letzter Kommentar zur nachlassenden Bedeutung reproduktiven Lebens. Die Wichtigkeit eines produktiven Lebens, in dem sich das Gefühl eines Menschen für Selbstwert und Status ausdrückt und ihm einen Platz im sozialen Netzwerk sichert, könnte gleichzeitig wachsen. Da der

Arbeitsplatz ein vergleichsweise wichtigerer Lebensfaktor wird als die Familie traditionell war, wird auch die Forderung nach befriedigender, angenehmer und lohnender Arbeit vermutlich zunehmen.[7] Die Menschen werden von ihrer Arbeit erwarten, daß sie wirkliche Freude bereitet und ihnen Würde und Herausforderung bietet. Dies wird besonders für anspruchsvolle Arbeitnehmer zutreffen, deren auf eigenem Urteil beruhende Beiträge bei der Leitung von Unternehmen zunehmend wichtiger werden.[8]

Das langsame aber unerbittliche Sinken der Geburtenzahlen wird nicht nur die Zahl einheimischer Arbeitskräfte und die Größe einheimischer Märkte beeinflussen, sondern auch die Ansprüche an den Arbeitsplatz, der sowohl emotionale als auch soziale Befriedigung bringen soll, die früher eher aus dem Familienleben gezogen wurde. Es gibt aber auch Anzeichen für einen Gegentrend bei den Menschen, die Familien haben und diese als unerwartet angenehm und ausfüllend empfinden. Diese Menschen – die in den Vereinigten Staaten ihre Fahrzeuge stolz und deutlich mit Aufklebern versehen, die verkünden »Baby an Bord!« – widersetzen sich den wachsenden Forderungen der Arbeitnehmer im Hinblick auf Zeit und einem Bekenntnis zur Arbeit. Sie konzentrieren sich selbstbewußt und voller Eifer auf die Pflege ihres Familienlebens und ihrer Verbrauchertalente – eine Rückkehr zu Voltaires Garten, wie ihn ein im Exil lebender früherer Einwanderer in die Schweiz beschrieben hat.

---

[7] Eine umfassendere Abhandlung der Gesamtthematik der Rolle von Freude und Vergnügen in industriellen Gesellschaften findet sich in meinem neuen Werk »The Pursuit of Pleasure« (Tiger, 1992).

[8] Die Hotelgruppe Four Seasons (Vier Jahreszeiten) beispielsweise ist die weltweit größte Betreiberin und Eigentümerin von Luxushotels. Sie werden von den Gästen fast überall und ausnahmslos als sehr hochstehend eingeschätzt und haben sich auch wirtschaftlich über mehrere Jahrzehnte hinweg erfolgreich behauptet. In einer Branche, die wegen ihres häufigen Arbeitskräftewechsels berüchtigt ist, findet sich bei dieser Gruppe eine Wechselrate, die weniger als die Hälfte des Durchschnitts beträgt. Ein Grund hierfür liegt in der sehr sorgfältigen Anstellungspraxis, bei der jeder Angestellte, auch der Tellerwäscher sich mindestens fünf Interviews zu unterziehen hat. Für die Gesellschaft sind die Beziehungen zum Personal von hoher Priorität. Wenn die Gruppe ein bestehendes Hotel kauft oder unter ihr Management stellt, so gilt die erste getätigte Ausgabe den Spinden für die Angestellten. Als nächstes ist der Speiseraum für das Personal an der Reihe. Erst dann beginnt die Arbeit an den Einrichtungen, die von Gästen gesehen und benutzt werden. Dienstleistungen sind in dieser Branche von entscheidender Bedeutung und werden offenbar leichter von einem Personal erbracht, das aufmerksam und zufrieden ist, als von einem, das sich mißbraucht und ignoriert fühlt. Das System funktioniert.

Und der endgültige Punktestand lautet...

Ich habe die Zielsetzungen der von Marx und Darwin beschriebenen Systeme in bezug auf das wirkliche Leben der Leute von heute verglichen, unter besonderer Berücksichtigung der Europäer. Es scheint, daß Marx genauer vorhergesagt hat, was Menschen tun wollen, sobald sie die technischen und einstellungsmäßigen Voraussetzungen haben, die einer freien Wahl zugrunde liegen. Die Regierungen haben sich in überwältigendem Umfang auf die Schaffung und Verteilung von Wohlstand konzentriert und diesem klar den Vorzug vor dem Thema Bevölkerungsdynamik gegeben. Ich möchte damit keineswegs unterstellen, daß dieser Umstand außergewöhnlich, unglückselig oder herausragend, noch daß er einfach eine Kuriosität ist. Dennoch handelt es sich um eine Situation mit umfassenden und interessanten Konsequenzen, die eine nähere biosoziale Untersuchung verdient.

Teil 2: Biologie und Kultur

Ethnozentrismus und Xenophobie

Paul Bohannan

Wir Menschen leben unser tägliches Leben mit einem bitteren kosmischen Scherz: wenn wir aufwachsen, lernen wir, daß erst eine Kultur uns zu Menschen macht – ohne Kultur sind wir nicht menschlich – das Erlernen einer bestimmten Kultur es uns aber schwer macht (es manchen Leuten unter bestimmten Gegebenheiten unmöglich macht), etwas über andere Kulturen zu lernen. Durch denselben Prozeß, der uns menschlich macht, werden wir auch provinziell.

In den ersten Stunden nach der Geburt paßt das Neugeborene seine Bewegungen dem Sprachrhythmus der Erwachsenen an (Condor und Sander, 1974). Psychologen und Kinderärzte haben bei einer Bild-für-Bild-Analyse von Tonfilmen herausgefunden, daß die Körperbewegungen eines Neugeborenen und der Betonungsrhythmus der Erwachsenensprache zusammenpassen. Als die Experimentatoren andere Sprachen einsetzten, paßten sich die Bewegungen des Neugeborenen dem Rhythmus der neuen Sprache an. Diese Korrelation läßt sich bei allen Kulturen nachweisen.

Die Kultur beeinflußt uns also, zunächst durch den Rhythmus ihrer Sprache, seit dem Augenblick unserer Geburt. Unsere verbalen Körperbewegungen hängen mit der Sprache unserer Eltern und Nachbarn zusammen. Dieser erste kulturelle Stimulus kennzeichnet uns für unser ganzes Leben. Durch unsere Sprache und Kultur werden wir so fest mit unserer eigenen Gruppe verbunden, wie Mäuse und Ratten durch Duft und Geruchssinn an ihre Gruppe gebunden werden.

Der Einfluß der Kultur beschränkt sich nicht auf die Sprache. Babies werden in den verschiedenen Kulturen unterschiedlich behandelt – das Ausmaß an Hautkontakt zwischen Erwachsenen und Kindern variiert stark: bei den Buschmännern und den meisten südamerikanischen Indianern ist er sehr ausgeprägt, während er bei den meisten nordamerikanischen Ureinwohnern gering ist. In westlichen Gesellschaften werden Jungen und Mädchen sehr unterschiedlich gehalten und behandelt, sogar von Krankenschwestern, die ihre Bewegungen und Gesten entsprechend ändern. Solche geschlechtsbezogenen Unterschiede finden sich wahrscheinlich in allen Bereichen, sie sind aber bisher noch nicht dokumentiert worden. Während der Kindheit gewähren manche Völker ihren Kindern sehr viele Freiheiten, andere wiederum nahezu überhaupt keine. Es ist völlig anders, seine Jugenzeit in einer Gesellschaft zu erleben, die große Verantwortung und sexuelle Freiheit gewährt und fördert, als diese Lebensphase in einer Gesellschaft zu verbringen, wie jener im traditionellen West-Irland, der repressivsten Gesellschaft, die je dokumentiert wurde.

Kurzgesagt, durch die Kultur erfolgt eine massive Prägung des Menschen in jedem Lebensstadium. Und, was ebenso wichtig ist, der Prozeß des Erlernens einer Kultur bringt den Menschen dazu, die kulturelle Version, die er erlernt hat, als Teil seiner natürlichen Welt zu betrachten. Dadurch kann eine soziale Falle geschaffen werden. Wir werden durch diesen Prozeß anderen entfremdet. So kann diese soziale Falle in der Tat zu einer sehr zerstörerischen Kraft in unserem Leben werden.

Kultivierte Menschen können ihre animalischen Sinne nicht mehr gebrauchen, ohne gleichzeitig die kulturellen Dimensionen wahrzunehmen. Beim Menschen gibt es keine animalischen Fähigkeiten mehr, die nicht kultiviert wären. So wird der spezifische kulturelle Zusatz als Teil der »natürlichen Welt« wahrgenommen.

Die dieser Vorstellung zugrundeliegenden theoretischen Thesen werden in dem Buch *Behavior, The Control of Perception* (*Verhalten – Die Kontrolle der Wahrnehmung*) (Powers, 1973) klar erörtert. In diesem Buch wird behauptet, daß jeder tierische Organismus als ein Feedback-Mechanismus zu verstehen ist. Die Grundthese von Powers besagt, daß es Zweck einer jeden tierischen Verhaltensweise ist, dem Tier die Beeinflußung und Kontrolle des auslösenden Reizes zu ermöglichen. Alle Lebewesen, einschließlich des Lebewesens Mensch handeln, um den aktuellen Reiz, den sie wahrnehmen, mit dem in Einklang zu bringen, was sie wahrnehmen wollen. Ein Verhalten, das darauf abzielt, den Reiz zu beeinflussen, kann (kann aber auch nicht) eine Wirkung auf die Umwelt haben.

Wie wissen wir, was wir wahrnehmen wollen? Was ist richtig? Alle Feedback-Mechanismen – die einfachste Form wäre ein Heizungsthermostat – benötigen ein Meßinstrument. Ein Thermostat ist so eingestellt, daß Reize, die in einem gewissen Rahmen liegen, keine Reaktion hervorrufen. Ist der Reiz also »richtig«, so kann alles so weitergehen, wie es bisher gegangen ist. Über- oder unterschreitet ein Reiz diese Grenze, so wird ein Signal ausgesandt, das anzeigt, daß etwas zu geschehen habe. Auf das

Signal »zu viel« oder »zu wenig« hin unternimmt der Thermostat oder das Tier etwas, um den Reiz wieder in den eingestellten Bereich zurückzubringen.

In den meisten Fällen ist die Grundeinstellung tierischer Meßvorkehrungen genetischer Natur. Dank evolutionärer Mechanismen wird ein Lebewesen mit der Fähigkeit geboren, innerhalb bestimmter Grenzen zu erkennen, wann ein Reiz richtig ist. Bestimmte Reaktionen auf bestimmte Reize führten bei den Vorfahren des Lebewesens zu besseren Überlebenschancen. Soweit eine Reaktionsweise in erster Linie angeboren ist, handelt sich um eine *genetische Einlage* auf der Informationsbank des Einzelwesens.

Beim Menschen kommt zu dieser genetisch vorgegebenen Grundlage noch eine andere Art von Richtigkeit dazu: angelernte, kulturelle Richtigkeit – Korrektheit. Verhalten führt nicht nur zu einer Veränderung dessen, was eine Person wahrnimmt, es resultiert auch noch in etwas anderem. Die Person lernt, sich so zu verhalten, daß der Reiz in die Grenzen zurückgeführt wird, in der sie ihn haben möchte oder die gesellschaftlich als richtig erachtet werden. Der Mensch »weiß« also etwas, das über das Genetische hinausweist. Sein Verhalten beeinflußt nicht nur den Reiz, es hinterläßt auch einen Rückstand in dem sich verhaltenden Organismus. Dieser Rückstand ist kultureller Natur. Er eicht das Meßinstrument genau so sicher und manchmal in noch stärkerer Weise als es die genetische Information vermag. Durch dieses Lernen oder diese kulturelle Einlage werden also Daten auf der Informationsbank eines Lebewesens gespeichert. Genetische und kulturelle Informationen sind, sobald sie einmal gespeichert wurden, nicht mehr voneinander zu trennen – die genetische Einlage wird mit der kulturellen »vermischt«.

Einige Beispiele können dies verdeutlichen. Wir kennen mindestens fünf verschiedene Modalitäten der Informationsverarbeitung, mit Hilfe derer die sozialen Erfahrungen eines Kindes eine »Feineinstellung« angeborener Wahrnehmungen und die Bildung kulturell variabler »Schemata« herbeiführen.

Gesichtsausdrücke

Neugeborene nehmen den Gesichtsausdruck der Mutter und anderer Erwachsener wahr und ahmen ihn nach. Das Gesicht der Mutter ist ein besonders wichtiger Stimulus für das Kind. Hören die lächelnden Gesten auf, so wird das vom Kind als höchst unangenehm empfunden – so unangenehm, daß das Kind so zu weinen anfängt, als würde es auf Schmerz reagieren, wenn die Mutter oder die Pflegeperson das Sicherheit vermittelnde Gesichtsspiel mit dem Kind einstellen (Izard *et al.*, 1987). Damit wird die Grundlage zur kulturellen Formung sozialer Interaktionen gelegt: wenngleich Menschen über ein angeborenes Repertoire von Gesichtsausdrücken verfügen (Ekman und Oster, 1979), so machen sie in den verschiedenen Kulturen doch unterschiedlichen Gebrauch davon und bewerten die emotionale »Wertigkeit« oder Bedeutung unterschiedlich (Birdwhistell, 1970; Masters und Sullivan, 1989).

Mimikry könnte die Grundlage für eine feststehende Unterscheidung zwischen Mitgliedern der eigenen Gesellschaft und Fremden sein. So haben beispielsweise Experimente gezeigt, daß amerikanische Erwachsene, denen tonlose Filmausschnitte unbekannter Politiker aus Frankreich, Deutschland und den Vereinigten Staaten vorgeführt wurden, mit negativen Emotionen und Urteilen auf die Fremden reagierten (während die Reaktionen auf die Amerikaner neutral waren). Als diese Ausschnitte denselben Zuschauern mit Ton vorgeführt wurden, verschwand dieser Effekt. Merkmale nonverbalen Verhaltens scheinen also negative Reaktionen gegenüber Außenstehenden hervorzurufen (Warnecke, 1991; Warnecke *et al.*, in Vorbereitung).

Bewegungsrhythmus und Wahrnehmung
Folgendes wurde bereits festgestellt: »Wenige Stunden nach der Geburt paßt der neugeborene Mensch seine Bewegungen dem Sprachrhythmus der Erwachsenen an« (Condor und Sander, 1974). Dieser Prozeß hat wichtige Auswirkungen, sowohl auf die Ausbildung der Sprechleistung Erwachsener, als auch auf den bevorzugten Rhythmus der Informationsverarbeitung unter anderen Modalitäten und Zeitskalen. Dies läßt sich an den Mustern erkennen, die sich beim Gebrauch von Technologien in drei vergleichbaren Industriegesellschaften herausgebildet haben. Der Sprechrhythmus von Fernsehmoderatoren ist in Frankreich, Deutschland und in den Vereinigten Staaten je nach Einzelsprecher verschieden (Bente *et al.*, 1989). Legt man eine andere Zeitskala und sensorische Modalität zugrunde, so weist der Rhythmus tonloser Bilder von Führungspersönlichkeiten in Nachrichtensendungen die gleichen Muster auf (Frey und Bente, 1989).

Phonemische Wahrnehmung und Äußerung
Schon bei der Geburt kann das Neugeborene offensichtlich phonemische Unterschiede, wie sie in jeder bekannten Sprache vorkommen, wahrnehmen. Innerhalb von Stunden gelingt es dem Kind bereits, die Töne aus seiner Umgebung zu hören. Wie Mehler (1986) gezeigt hat, erzielt eine zweisprachige Mutter positivere Reaktionen ihres Neugeborenen, wenn sie

die Sprache der kulturellen Umgebung spricht. Wenn das Kind heranwächst, fängt es in einem voraussehbaren Stadium seiner Entwicklung an, eine Reihe von Lauten zu produzieren, die zu den entsprechenden kulturellen Mustern passen. Bei Erreichen der Pubertät ist die Fähigkeit, fremdsprachliche Klänge nachzusprechen oder nur aufzunehmen bereits deutlich reduziert, wahrscheinlich in erster Linie deshalb, weil die neuralen Verbindungen, die für solche sensorischen Unterscheidungen verantwortlich sind, keine Verstärkung erfahren haben (ähnliches zeigte sich bei Experimenten mit sensorischer Deprivation bei Katzen und anderen Tieren). Für Erwachsene ist es außerordentlich schwierig, eine Fremdsprache mit dem richtigen Akzent sprechen zu lernen (Ausnahmen, wie die Rassias-Methode ahmen den Prozeß des kindlichen Erlernens der Erstsprache nach).

Körpergeruch

Experimente haben erwiesen, daß ein Kind bei der Geburt den Geruch der Mutter erkennen und ihn von anderen unterscheiden kann. Drei Faktoren deuten darauf hin, daß dies ein höchst wichtiges Phänomen ist. Zum einen ist eines der Artefakte, die man in fast jeder frühen Kultur findet, Parfüm. Zum zweiten sind auf der kognitiven Ebene Worte, die mit abstoßenden Gerüchen assoziiert sind, oft mit abgelehnten Außenseitern verbunden: du »stinkst mir«, etc. Schließlich gibt es Beweise für eine starke Bevorzugung von Familiengerüchen. Der Geruch könnte einen äußerst starken Anhaltspunkt für die Unterscheidung zwischen Zugehörigen und Außenseitern darstellen.

Emotionale Reaktion und Integration sensorischer Wahrnehmung

Informationsverarbeitung basiert auf der Abstimmung von Wahrnehmung und Erinnerung – wobei sowohl assoziatives Lernen, als auch die Erinnerung vom Hippocampus, der Amygdala und anderen Strukturen des limbischen Systems vermittelt werden. Diese neuroanatomischen Strukturen sind für die Zustände verantwortlich, die wir als »Emotionen« und »Stimmungen« bezeichnen: deutliche Muster von autonomer Erregung und psychophysiologischer Reaktion, die der Mensch subjektiv als Gefühle erlebt. Emotionen und Gefühlshaltungen, die episodisch während eines Erlebnisses auftreten, scheinen eine wichtige Auswirkung auf dauerhafte Verhaltensweisen zu haben.

Beim Betrachten verschiedener Führungspersönlichkeiten auf dem Fernsehbildschirm werden die Emotionen der Zuschauer nicht nur durch solche nonverbalen und verbalen Hinweise hervorgerufen, die sich aus dem

Gesehenen ableiten, sondern auch durch frühere Erinnerungen, Einstellungen und Glaubenshaltungen. Außerdem sind episodische Emotionen wirkungsvoller als kognitive Anregungen, wenn es darum geht, eine Verhaltensänderung herbeizuführen (Sullivan und Masters, 1988). (Dies könnte ein Grund dafür sein, daß Politiker Werbeanzeigen schalten und die Leute die Debatten der Präsidentschaftskandidaten verfolgen.)

Dieser Prozeß scheint aber offensichtlich nicht bei denjenigen stattzufinden, die sich ausgeschlossen fühlen. Anläßlich einer neueren Studie zeigte man nämlich schwarzen und weißen Amerikanern unmittelbar vor den Wahlen von 1988 die gleichen Ausschnitte sämtlicher Präsidentschaftskandidaten. Wenn die Schwarzen auch starke positive Gefühlsreaktionen auf Jackson und Dukakis zeigten, zogen diese keine Auswirkungen auf die Einstellungen nach sich, wie dies immer wieder bei weißen Versuchspersonen, auch denen, die am gleichen Experiment teilnahmen, zu beobachten war (Masters, 1991b).

Kultur

Die Vorgänge, die den Ausschluß von Außenseitern bewirken, haben somit eine sehr starke Wirkung. Also müssen Gemeinschaften große Vorteile aufweisen. Ein Blick auf die Statistiken über die Bevölkerung der Hominiden zeigt, daß dies der Fall ist. In den letzten beiden Jahrtausenden waren zwei Phänomene zu beobachten: zum einen das Entstehen großer Gesellschaften, in denen die Menschen mit ehemaligen Außenseitern kooperieren müssen; zum zweiten die Explosion der Weltbevölkerung. Es scheint plausibel, hieraus den Schluß zu ziehen, daß die beiden Erscheinungen zusammenhängen.

Die meisten uns heute bekannten Nationen (wobei Japan als Ausnahme gilt) entstanden aus einer Fusion einstmals unterschiedlicher ethnischer Gruppen. In Italien und Deutschland fand dieser Prozeß erst vor kurzem statt. In China, wo die Fusion schon vor längerer Zeit erfolgte, braucht die verbale Kommunikation oft noch immer unterstützende Handbewegungen für die geschriebenen Sprachsymbole. Ein »Schmelztiegel« wie in Amerika ist nichts Außergewöhnliches – er ist sogar typisch für das Entstehen großer Kulturen und Zivilisationen. Ebenso typisch ist natürlich auch die Erfindung der Homogenität und eines »Reinheitsdünkels«, die in Erscheinung treten, sobald eine Kultur zur Reife gelangt ist und Neuankömmlinge auszuschließen wünscht. Man sagt, die Chinesische Mauer sei erbaut worden, um Einwanderer fernzuhalten und nicht um Angriffe abzuwehren (ähnlich wie es heute einen Zaun entlang des Rio Grande gibt).

Allerdings hat sich in der modernen Welt eine soziale Falle aufgetan. Viele verschiedene Völker, die sich verschiedene Kulturvarianten angeeignet haben, stehen jetzt vor dem Problem, miteinander auskommen zu müssen. Um eine globale (oder sonstige große) Gesellschaft und Wirtschaft funktionieren zu lassen, ist es unerläßlich, daß die Menschen die engen kulturellen Dimensionen, innerhalb derer sie ursprünglich ihr Wissen erworben haben, zurücklassen. Wenn wir erwachsen werden, müssen wir uns nicht nur unsere eigene Kultur aneignen, um überhaupt erwachsen werden zu können – wir müssen danach in wesentlich aktiverer Weise lernen, daß unsere eigene Kultur nur *einen Weg* darstellt, kultiviert und menschlich zu sein, und es andere Wege gibt, die gleichermaßen gut, vielleicht besser funktionieren.

Anders ausgedrückt, jeder Lernende muß sich Kategorien aneignen, in die er die erlernten Informationen einordnen kann – ohne solche Kategorien (Lerntheoretiker der kognitiven Wissenschaften nennen sie Schemata) wäre es unmöglich, die erlernten Informationen zu organisieren. Schemata sind »begriffliche Abstraktionen, die zwischen den durch die Sinnesorgane aufgenommenen Reize und den Verhaltensreaktionen vermitteln« (Casson, 1983: 429). Ohne eine Organisationsform für Informationen, wie Schemata sie uns bieten, gingen wir durch Überlastung und Desorganisation zugrunde. Ganz offensichtlich ist der Begriff Schemata die Pluralform dessen, was wir hier das Meßinstrument nannten. Wenngleich ein paar wenige menschliche Schemata universell zu sein scheinen, so sind die meisten doch kultureller Natur, sie werden also von einigen, nicht aber allen Menschen geteilt.

Die Aufgabe der Schemata in einem Meßinstrument besteht darin, alles was wir wahrnehmen, in die Muster einzuordnen, die wir bereits kennen. Schemata sind also nicht nur Strukturen, sie bringen auch bestimmte Prozesse in Gang und setzen Prioritäten. Wenn wir eine neue Information bekommen, so wird ein Prozeß ausgelöst, im Verlaufe dessen wir versuchen, diese Information in unsere vertrauten Muster von Wahrnehmung und Verhalten einzugliedern. Die Änderung solcher Schemata ist eine grundlegende, oftmals schwierige Form des Lernens. Manchmal kommt es allerdings vor, daß die Schemata unsere Wahrnehmung einschränken oder verzerren, um unsere Muster nicht zu erschüttern. Durch diesen Vorgang lassen sie uns neue Botschaften mißverstehen oder sogar zurückweisen, ohne daß wir erkennen, was wir tun. Um Kontrolle über diese Vorgänge zu erlangen, müssen wir uns unsere Schemata zunächst bewußt machen, um so zu erkennen, daß wir sie verwenden und wie wir sie verwenden.

Je größer der Umfang einer Gesellschaft, um so tiefer wirkt der kosmische Scherz: der Vorgang des Erlernens einer Kultur, der uns menschlich macht und es uns ermöglicht, gemeinsame Ideen zu hegen, läßt uns auch ethnozentrisch werden. Der Ethnozentrismus der Teilfraktionen großer multikultureller Gesellschaften wird in den meisten Gesellschaften zu einem großen Stolperstein. Der Begriff »Ethnozentrismus« ist ein ethnologischer Terminus, der eine Einstellung bezeichnet, welche die eigene Gruppe oder Kultur als höherstehend erachtet und andere Gruppen und Kulturen verachtet.

Ethnozentrismus ist von kultureller Universalität. Er kommt in drei Formen vor. Die einfachste Form besteht darin, daß jemand in naiver Weise annimmt, die kulturellen Prämissen seien überall die gleichen. Während meiner Feldstudien bei den Tiv in Nigeria brachte ich beispielsweise einen Vormittag damit zu, einen alten Mann über die politische Organisation seiner Gesellschaft zu befragen. Nach ein paar Stunden sagte er: »Ich habe dir jetzt alles erzählt. Du weißt jetzt alles, was ich weiß. Jetzt mußt du mir erzählen, wie dein Land regiert wird.« Ich atmete tief durch und begann mit der seinerzeit zutreffenden Feststellung: »Wir haben ein ungeheuer großes Land, das in achtundvierzig Segmente aufgeteilt ist, die wir Staaten nennen.«

Der alte Mann unterbrach mich: »Du hast einige Generationen übersprungen«, sagte er in völliger Überzeugung. In seiner Kultur ist dies kein Trugschluß. Seine politische Organisation und damit seine Anschauung über politische Organisationen im allgemeinen basiert auf der Vorstellung, daß (1) jedes geographische Segment seines Landes im Besitz der väterlicherseits verwandten Abkömmlinge eines Mannes steht und (2) der Vorfahre auf dem nächst angrenzenden Segment sein Bruder ist. Diese beiden bilden also die nächst größere Einheit, die auf den Vater der beiden brüderlichen Vorfahren zurückgeht. Neben diesen beiden gibt es noch eine andere Einheit, die den zusammengefaßten Einheiten der ersten beiden aneinandergrenzenden Segmente entspricht und auf den Bruder des gemeinsamen Vorfahrs der ersten beiden zurückgeht. Dies geht über 17 bis 20 Generationen hinweg so weiter, wobei sich die Gruppen immer weiter vergrößern. So läßt sich die Landkarte des gesamten Landes mit einer einzigen Genealogie verbinden, die eine Million Leute einschließt. Kennt man diese Voraussetzungen, so versteht man, warum der alte Mann sagte, »Du hast ein paar Generationen übersprungen«, als ich von der Zahl eins auf achtundvierzig sprang. Bei manchen Gelegenheiten machen wir uns alle eines solchen Ethnozentrismus schuldig.

Eine komplexere Art des Ethnozentrismus kann man als Xenophobie (Fremdenfeindlichkeit) bezeichnen. Sie tritt dann in Erscheinung, wenn die Menschen sehr wohl wissen, daß es kulturelle Unterschiede gibt, aber nicht versuchen, diese anderen Kulturen zu verstehen und hinter all den Unterschieden die gemeinsame Menschlichkeit zu sehen, sondern die andere Kultur bestenfalls als falsch, vielleicht auch als unmoralisch und sogar unterlegen brandmarken (LeVine und Campbell, 1972: 1).

Betrachtet man diese Phänomene aus einem anderen Blickwinkel, kann man eine Ausbildung in den Geisteswissenschaften als einen dauernden Kampf mit Ethnozentrismus und Xenophobie sehen. Je mehr wir lernen, um so besser erkennen wir den Provinzialismus in unseren eigenen Grundlagen und den daraus erwachsenden Einstellungen. Einige soziale Doktrinen über »Richtigkeit« könnten uns aber diktieren, nichts mehr über diese Dinge zu erlernen.

Wir erkennen schließlich, daß auch andere Völker ethnozentrisch, ja sogar xenophobisch sind. Sie halten ihren Weg genau aus den gleichen Gründen für gut und richtig, aus denen wir das von dem unsrigen glauben. Sie finden unsere Art, Dinge zu tun, wirklich seltsam – oder furchtbar übel. Von ihrem Standpunkt aus haben sie recht – wir sind für sie Fremde. Sie müssen ebenso wie wir xenophobische Vorstellungen überwinden, wenn globale Gesellschaften wirklich gedeihen sollen.

Das heutige Europa leidet an mindestens zwei Arten von Ethnozentrismus, oder vielmehr Xenophobie. Eine Form geht historisch gesehen auf Vorstellungen zurück, die man als »Nationalismus« bezeichnet (Kohn, 1944; Conquest, 1986; Hobsbawm, 1990). Diese Vorstellungen, die sich im späten 18. Jahrhundert sehr stark ausgeweitet haben, lagen dem Ersten Weltkrieg und den Versuchen des Völkerbundes zugrunde, politische Minderheiten zu schützen. Joseph Stalin vermochte die Komponenten von Nationen und Nationalismus gut zu analysieren. 1912 schrieb er: »Eine Nation ist (1) eine historisch entstandene, stabile (2) Gemeinschaft der (3) Sprache (4), des Territoriums (5), des Wirtschaftslebens und der (6) psychologischen Aufmachung, die sich als Kulturgemeinschaft manifestiert (7)« (Stalin, 1942: 12). Diese Definition enthält mindestens sieben Komponenten, mit denen wir uns heute auseinanderzusetzen haben. Es gibt aber mindestens zwei weitere Komponenten, die in der Definition nicht genannt werden: (8) Religion, die vor der Entstehung des Nationalismus für große politische Gruppen in Europa von entscheidender Bedeutung war und auch heute noch ein bedeutendes Merkmal ist, sowie (9) der souveräne Staat (der den

Kern der Nationalität bildet, wenn sich ein Gemeinwesen dem Nationalismus zuwendet).

Amerika (zumindest Anglo-Nordamerika) ist grundsätzlich frei von Xenophobie im Sinne eines Gefühls von Nationalismus, aus dem einfachen Grunde, weil mit Ausnahme der Ureinwohner Amerikas (und vielleicht der Quebecois) weder Amerikaner noch Kanadier ihre Heimat in Nordamerika haben. Die Hauptprobleme, die bei dieser Art von Xenophobie auftreten, sind territorialer Natur. Es handelt sich genauergesagt um Probleme, die durch die Verbindung von Heimatländern mit den Prämissen über »Selbstbestimmung« entstehen.

Die zweite Art von Xenophobie richtet sich gegen Einwanderer-Minderheiten. Dabei geht es nicht um Heimatländer, sondern um volle politische und wirtschaftliche Rechte, die man heute als Menschenrechte bezeichnet. Die Vereinigten Staaten leiden sehr stark unter dieser Art von Xenophobie. Dies gilt aber auch für Europa, vor allem nach dem Zweiten Weltkrieg, und betrifft wirtschaftliche Chancen und politisches Asyl.

Zusammenfassend kann man als Hauptpunkt festhalten: Xenophobie ist universell und geht auf den Prozeß zurück, durch den Menschen sich spezifische Versionen menschlicher Kultur aneignen. In großen Gesellschaften wird daraus eine ernstzunehmende soziale Falle, der man mit breitangelegten Erziehungsmaßnahmen begegnen muß, um sie zu überwinden.

Die soziale Infrastruktur des Neuen Europa aus anthropologischer Sicht

Paul Bohannan

Meine Botschaft ist einfach und klar: soziale Organisationen sind in gleicher Weise Werkzeuge, wie Maschinen es sind. Wir sollten soziale Organisationen ebenso gut verstehen wie die Technologie. Es ist schwieriger, soziale Werkzeuge zu entwerfen, und es verlangt viel mehr Feingefühl, diese geschickt einzusetzen, als dies bei technischen Werkzeugen der Fall ist. Auch ist es nicht leicht, sie von der Umgebung zu unterscheiden: wenn wir aufwachsen, erscheint uns die soziale Situation ebenso gegeben zu sein, wie der Himmel und die Bäume. Wir erhalten keine systematische Unterweisung darin, wie soziale Situationen zu manipulieren sind, so wie wir unterwiesen werden, andere Werkzeuge zu gebrauchen. Neue soziale Werkzeuge verursachen uns ein persönliches Unbehagen, das wir qualitativ anders empfinden, als das Unbehagen, das durch neue technologische Werkzeuge erzeugt wird. Wir erleben diese als Veränderungen des Kontextes und nicht nur als Veränderungen von Aktivitäten.

Soziale Prinzipien, die der Mensch mit anderen Tieren teilt

Während seiner evolutionären Entwicklung wurde der Mensch sozial ehe er kultiviert wurde. Beim Eintritt ins Menschsein blieben einige unserer sozialen Prinzipien intakt. Es wird bereitwillig gesehen und anerkannt, daß wir diese mit den Primaten und den meisten anderen Säugetieren teilen.

Alle sozialen Prinzipien, die wir mit anderen Lebewesen teilen, wurden jedoch gründlich kultiviert. Der Kultivierungsprozeß hat sie bereichert und ihnen Bedeutung verliehen, die grundlegenden animalischen Charakteristika aber nicht verdeckt. Die Gesellschaft entwickelte sich in der Tierwelt im Laufe der Evolution, da sie den Tieren größere Möglichkeiten bot, sich erfolgreich mit ihrer Umwelt auseinanderzusetzen.

Als sich Wachstum und Evolution der Kultur fortsetzten, traten beim Menschen neue und einzigartige soziale Prinzipien in Erscheinung, die bei anderen Lebewesen *nicht* vorkommen. Ich bezweifle nicht, daß man bei einigen Tieren Anlagen dieser spezifisch menschlichen Sozialprinzipien finden kann, aber bei keiner anderen Spezies wurden diese Prinzipien entwickelt. Bei der Diskussion dieser Thematik sind viele nicht in der Lage zwischen Metaphern und Anlagen zu unterscheiden. Wo fangen Metaphern an?

Bei jeder Spezies versteht man unter Gesellschaft eine Beziehungsstruktur zwischen Individuen oder Gruppen. Gesellschaft bedeutet auch, daß ein Lebewesen sein Verhalten in Reaktion auf ein anderes Lebewesen verändert. Die Dyade von Personen oder Gruppen ist die Grundeinheit der Gesellschaft, nicht das Einzelgeschöpf. Die Art und Weise, wie sich solche Beziehungen zu einem System zusammenfügen, wird als soziale Struktur bezeichnet. Soziale Strukturen werden auf der Basis von sozialen Prinzipien errichtet, genauso, wie die Technologie auf physikalischen Prinzipien aufbaut, wie Schraube, schiefe Ebene und Hebel.

Der Mensch hat die Gesellschaft genauso kultiviert, wie er das übrige tierische Verhalten kultiviert hat. Die sozialen Beziehungen des Menschen sind in jeder Hinsicht einer ständigen kulturellen Überfrachtung unterworfen. Die verschiedenen Völker mögen ihre Gesellschaften auf verschiedene Weise kultiviert haben, da sie unterschiedliche Ziele verfolgten und unterschiedlichen Umgebungen ausgesetzt waren. Dennoch ähneln sich alle entstandenen Formen sehr stark.

Manche der nicht-menschlichen Lebewesen entscheiden, ob sie sich zusammengesellen sollen oder nicht. Falls eine solche Verbindung aber zu belastend wird, geben sie sie auf. Auch der Mensch tut dies, doch es gibt einen Unterschied. Zum einen mögen sich Menschen eher dazu entschließen, die kulturellen Grundlagen ihrer Beziehungen und Gesellschaften zu verändern, als einfach zu partizipieren oder sich zurückzuziehen. Zum anderen können sie einen Moralkodex erschaffen, demzufolge es unter bestimmten Umständen entweder obligatorisch oder sündig ist, Beziehungen aufzugeben. Diese Tatsache kann dem einzelnen großen Schmerz oder der Spezies hohe Kosten verursachen. Dieses Dilemma berührt ebenso das Zentrum der modernen Medizin, wie das der modernen Politik.

Ich habe elf soziale Prinzipien entdeckt, die sich nicht weiter reduzieren oder als Prinzipienkombinationen qualifizieren lassen. Mit größter Wahrscheinlichkeit gibt es noch mehr solcher Prinzipien. Im zweiten Teil dieses Aufsatzes werde ich einige Aspekte der modernen Gesellschaft untersuchen. Wir alle sollten uns darum bemühen, die Gesellschaft, die uns umgibt, durch die kulturelle Linse zu betrachten, die uns (vielleicht fälschlicherweise) erkennen läßt, wie wir sie zu interpretieren haben.

Die folgenden vier Prinzipien sind Mensch und Tier gemeinsam:

(1) *Das Dominanzprinzip (Hierarchie)*

»Ich kann dich kraulen.«
»O.K. Du kannst mich kraulen.«

Alle Tiere müssen darum kämpfen, einen Platz in ihrer Umwelt zu finden und zu halten, der es ihnen ermöglicht, alles zu bekommen, was sie benötigen. Ohne soziale Einschränkungen kann dieser Kampf zum altbekannten »Kampf jeder gegen jeden« werden. Dominanzhierarchien sind Strukturen aus dyadischen Beziehungen, in denen ein Tier als mächtiger als ein anderes erkannt werden kann. Das Eingeständnis des schwächeren Tiers, daß das andere stärker ist, zementiert die Beziehung, die jetzt friedvoll fortgeführt werden kann.

Dominanzbeziehungen können miteinander verkettet sein. Das in einer Beziehung dominante Tier kann in einer anderen Beziehung untergeordnet sein. Aus diesen Beziehungen lassen sich komplexe, dauerhafte Sozialstrukturen errichten. Dominanz basiert immer auf der erkannten Macht des einzelnen. Dies führt dazu, daß Tiere nicht beständig miteinander kämpfen müssen, um ihren Wettstreit auszutragen und den Frieden aufrechtzuerhalten.

(2) *Das Verwandtschaftsprinzip*

»Ganz gleich wie sehr ich dich hasse,
du trägst meine Gene, also liebe ich dich.«

Fast alle Säugetiere und Vögel erkennen ihre eigenen Jungen. Sie beschützen diese Jungen vor Raubtieren und Angehörigen ihrer eigenen Spezies. Nur wenn sie sich so verhalten, können ihre Gene überleben. Das Verwandtschaftsprinzip, das auf der Eltern-Kind-Beziehung basiert, kann eine langfristige Beziehung zwischen Eltern und Kindern bedeuten. Wenngleich die Eltern wahrscheinlich nicht miteinander verwandt sind (wenn sie das in menschlichen Gesellschaften auch sein könnten), so sind doch beide mit den Jungtieren verwandt. Sie haben an diesen also ein gemeinsames Interesse.

(3) *Das Prinzip der Arbeitsteilung*

»Du kannst dich darauf verlassen, daß ich tue was ich kann, wenn ich mich darauf verlassen kann, daß du tust was du kannst.«

Dieses Prinzip findet man bei fast allen Wirbeltieren, einschließlich der Säugetiere. Die verbreitetste Ausformung ist die Trennung männlicher und weiblicher Aufgaben, die sich so zu Handlungsketten zusammenfügen, daß die Geschlechter einander auch für andere Zwecke als nur für die Reproduktion brauchen. Die Kultur hat es dem Menschen ermöglicht, die bestehende Vorstellung in Frage zu stellen, wonach manche Arbeiten am besten von Männer und andere von Frauen ausgeführt werden sollten. Dennoch hat sie uns noch nicht erlaubt (und wird es vielleicht nie erlauben), diese Unterschiede zum Verschwinden zu bringen.

Die Aufgaben können auch nach Alter aufgeteilt werden, so daß Jung und Alt voneinander abhängig sind. Der Mensch hat dieses Prinzip so weit kultiviert, daß Aufgaben auch nach Neigung und Talent, Ausbildung, sozialem Rang und vielen anderen Kriterien aufgeteilt werden.

(4) *Das Prinzip der Kooperation*

»Ich helfe dir, solange es sich für mich lohnt.«

Dieses Prinzip besagt, daß eine Reihe von Tieren und Menschen, die auf ein gemeinsames Ziel hinarbeiten, dieses Ziel oftmals erreichen können, während dies einem einzelnen nicht möglich wäre. Wenngleich das Einzeltier in der Regel mehr gewinnt, wenn es nicht kooperiert – das Tier, das kooperiert, kann leicht von einem Tier betrogen werden, das nicht kooperiert – so könnten Betrüger doch aus Koalitionen und von besonderen Vorteilen ausgeschlossen werden. Tiere, die sich nur einmal begegnen, kooperieren selten. Tiere, die miteinander in ständigem Kontakt stehen, können mehr gewinnen, wenn sie kooperieren. Kooperation entwickelt sich aus einer vorhersehbaren langfristigen Sozialstruktur: der Zusammenschluß erlaubt es den Lebewesen, einander soweit zu vertrauen, daß sie manchmal zur Erreichung eines gemeinsamen Ziels zusammenarbeiten (Axelrod und Hamilton, 1981).

Unser Verständnis der Primatengesellschaft wurde in den 70er Jahren revolutioniert (Wilson, 1975 kann hier als die zentrale Figur gesehen werden). Etwa zur selben Zeit trat eine verwandte Vorstellung auf: Der Grundbaustein des Lebens ist das sogenannte »egoistische Gen« (Dawkins, 1976). In seinem Drang nach Selbsterhaltung »benutzt« das Gen Organismen als Vehikel für sein langfristiges Überleben. Auch die ethologischen Disziplinen haben mit ihrer These an Boden gewonnen, wonach das Verhalten eines Einzelwesens als eine Serie von Strategien zu sehen ist. Es gibt drei solche Strategien (Dunbar, 1988: 24f.). Zu deren Bezeichnung schlage ich jedoch jeweils andere Bezeichnungen vor:

1. *Erbe* erwächst aus Strategien, die sich im Laufe der Evolution herausbilden. Die Abkömmlinge derjenigen Tiere, die bewußt oder unbewußt bestimmte Verhaltensstrategien »wählten«, überlebten. Die diese Wahlentscheidung betreffenden Informationen sind vermutlich in den Genen der heutigen Tiere gespeichert und wirken sich aus als Fähigkeiten und Beschränkungen, die allen Angehörigen der Spezies gemeinsam sind. Da diese »Wahlentscheidungen« aus der Vergangenheit genetisch gespeichert sind, hat das einzelne Tier keine Kontrolle darüber. Keiner von uns kann etwas tun, was unsere Biologie uns nicht erlaubt.

Der Mensch verfügt nicht nur über ein kulturelles, sondern auch über ein genetisches Erbe.

2. *Schicksal* bezieht sich auf die Wahlentscheidungen, die einem Individuum von der Umwelt auferlegt werden, während es heranwächst. Wuchs ein Tier zu Zeiten einer Hungersnot heran, so litt es, weil die Umwelt ihm nicht genügend Nahrung bot. Das Tier traf keine kognitiv bewußte Wahl, erlitt aber sein besonderes Schicksal. Konnten unsere Eltern uns während wichtiger Wachstumsphasen genügend Nahrung bieten? Waren unsere Mütter wegen Drohungen und Aggressionen anderer Gruppenangehöriger ständig angespannt und unsicher? Die frühen Erfahrungen des Einzeltiers sind für seine späteren Überlebens- und Brutfähigkeiten von enormer Bedeutung.

Jeder Mensch hat nicht nur ein historisches und geographisches, sondern dazu auch ein kulturelles Schicksal. Mein »Schicksal« ist es, 1920 als Kind bestimmter Eltern im Herzen der Vereinigten Staaten geboren worden zu sein. Mein kulturelles Schicksal ist es, daß ich Englisch besser sprechen kann, als jede andere Sprache, die ich später erlernte, und daß mir die Kultur meines Landes, meine Familie und meine Zeit zur Verfügung standen, damit ich damit arbeiten, aber auch sie überwinden kann.

3. *Wahlentscheidung* ist die dritte Art von Strategie. Je mehr wir von der Kultur abhängig werden, um so mehr gewinnt sie an Bedeutung. Der Mensch trifft aktiv seine Entscheidungen, wobei er sich mehr oder weniger der Optionen bewußt ist, die ihm zu Gebote stehen (wir wollen uns hier allerdings nicht auf eine fruchtlose Diskussion über den freien Willen einlassen). Bei den Primaten wird eine Wahl oftmals, aber sicherlich nicht immer bewußt getroffen. Der Pavian etwa beurteilt die ihm zur Verfügung

stehenden Optionen und wählt diejenigen aus, die seinen Zwecken am dienlichsten sind. In beschränkterem Umfang tun dies auch Katzen sowie innerhalb ihrer jeweiligen Beschränkungen vermutlich auch alle anderen Lebewesen.

Die Wahlentscheidungen des Menschen können zumindest in gewissem Umfang durch Erziehung und Erlernen anderer Kulturen beeinflußt werden – die Wahlmöglichkeiten werden zumindest auf eine breitere Basis gestellt.

Zusammenfassend läßt sich sagen, daß der Mensch mit einem biologischen, einem historischen und einem kulturellen Schicksal geboren wird, wodurch er eine spezielle Version der Sozialmerkmale von Primaten erhält. Für ein langfristiges Überleben der menschlichen Spezies ist es nicht nur erforderlich, Gene an die neue Generation weiterzugeben, sondern der neuen Generation zivilisierter Menschen auch die Kultur weiterzuvermitteln. Nicht nur die Spezies, auch die Kultur muß weitergetragen werden. Die Gene müssen in der Tat überleben. Aber auch die Kultur muß weiterbestehen.

Soziale Prinzipien auf kultureller Basis

Zu diesem Grundstock an sozialen Prinzipien hat der Mensch weitere Prinzipien hinzugefügt, die viel mehr mit der Kultur selbst als mit kultiviertem animalischen Verhalten zu tun haben. Anders ausgedrückt, die Kultur ermöglicht es dem Menschen, die Gesellschaft – als ein Hilfsmittel – bewußt für neue Zwecke einzusetzen.

Die Kultur bietet dem Menschen eine alternative Möglichkeit, einen Beitrag zu seiner Spezies zu leisten, der nicht nur biologischer und genetischer Natur ist, sondern diese Aspekte ergänzt. Die Eltern liefern die Gene. Die Lehrer (und natürlich auch die Eltern) liefern die Kultur. Ein Mensch kann einen kulturellen Beitrag zu seiner Kultur leisten, der in der nächsten Generation das Leben aller bereichert. Nachkommenschaft ist nicht der einzige Beweis dafür, daß jemand tatsächlich gelebt hat.

Das Vorhandensein einer Kultur verringert das Bedürfnis des einzelnen, Nachkommen zu haben – es gibt eine alternative Möglichkeit, etwas zur Zukunft der Spezies beizutragen. Aus diesem Grunde sind kinderlose Menschen keine nutzlosen Versager. Einstein ist wegen seiner kulturellen Errungenschaften auf dem Gebiet der Physik wichtig und nicht wegen seiner Nachkommenschaft. Die Kinder von Johann Sebastian Bach sind nicht deshalb wichtig, weil sie fruchtbare Kinder eines fruchtbaren Vaters waren, sondern weil einige von ihnen talentierte Musiker waren, die bei ihrem Vater Musikunterricht nahmen.

Dadurch daß der Mensch über Jahrtausende hinweg sich Kulturen angeeignet, diese praktiziert und an die nächste Generation weitergegeben hat, hat er neue Prinzipien für soziale Beziehungen geschaffen, die für andere Lebewesen *nicht* gelten.

(5) *Das Vertragsprinzip*

»Ich werde A für dich tun, wenn du B für mich tust.«

Das Vertragsprinzip umfaßt nicht nur die Kooperation, es geht dabei um mehr: es handelt sich um eine durchsetzbare Vereinbarung, durch die zwei Personen oder Gruppen übereinkommen, daß eine Partei ein bestimmtes Gut oder eine Dienstleistung als Gegenleistung für ein entsprechendes anderes Gut oder eine Dienstleistung der anderen Partei erbringen wird (Maine, 1879).

Je größer eine Gesellschaft wird, um so mehr steigt die Wahrscheinlichkeit, daß sich der Vertragsbereich ausweitet. In kleinen Gemeinschaften, die über eine einfache Kultur verfügen, müssen nicht so viele vertragliche Aspekte besonders berücksichtigt werden, wie dies in einer großen und komplexen Gesellschaft der Fall ist. Dies gilt besonders dann, wenn eine Gesellschaft so klein ist, daß sie durch Verwandtschaft dominiert wird.

Verträge setzen ein Rechtssystem voraus, das die Menschen veranlassen kann und wird, ihre Verträge einzuhalten.

(6) *Das Rollenprinzip*

»Der, der dir das antut, das bin nicht wirklich ich.«

Dieses Prinzip führte zu einer der erstaunlichsten Revolutionen der menschlichen Frühgeschichte. Der Mensch ging dazu über, zwischen der Rolle und der Person, die sie ausfüllte, zu unterscheiden. Es ist dieses Prinzip, das dem alten Ausspruch zugrundeliegt: »Der König ist tot – es lebe der König.«

(7) *Das Prinzip der Rangordnung*

»Ich bin einfach besser als du, und zwar aus folgenden Gründen. . . .«

Dieses Prinzip liegt der menschlichen Tendenz zugrunde, ein komplexes System sozialer Stellungen von anderen Kriterien herzuleiten, als den Hierarchien persönlicher Macht. Der Mensch schuf eine Rangordnung der Rollen – deshalb stehen Könige über den Gemeinen. Er schuf eine Rangordnung der Arbeitspositionen, weshalb Manager über Arbeitern stehen. Er schuf eine Rangordung kultureller Züge, weshalb mancherorts diejenigen, die feines Porzellan benutzen, über denjenigen stehen, die Steingut verwenden.

(8) *Das Eigentumsprinzip*

»Das gehört mir, ich kann dir aber so etwas günstig beschaffen.«

Die Menschen verfügen über Eigentum. Sie verwenden es, interagieren damit aber nicht im sozialen Sinne. Würde Eigentum nur aus materiellen Gegenständen bestehen, welche die Leute benutzen, so bräuchten wir hier kein soziales Prinzip anzunehmen. Nach der Auslegung von Hohfeld und Lewellyn geht es beim Eigentumsrecht aber um die Beziehungen von Menschen im Hinblick auf die Rechte an Dingen. Wir bräuchten noch immer kein soziales Prinzip anzunehmen, gäbe es nicht die Institution der Sklaverei, welche die Menschen selbst (und nicht die Rechte an Menschen) zum Eigentum macht. Die Sklaverei hat in der heutigen Welt keinen großen Stellenwert, aber in der Geschichte aller Gesellschaften, die man heute als zivilisiert bezeichnet, war sie von herausragender Bedeutung (wobei Japan möglicherweise eine Ausnahme bildet). Von der weitverbreiteten Institution der Sklaverei gibt es heute nur noch einige Überbleibsel.

Die Sklaverei kann meines Erachtens durch kein anderes Sozialprinzip erklärt werden.

(9) *Das Kosten-Nutzen Prinzip*

»Ich kaufe es dir ab oder tue es für dich, wenn der Preis nicht zu hoch ist.«

Es könnte sinnvoll sein, dieses Prinzip den ersten vier Prinzipien zuzuordnen – denen, die wir mit anderen Lebewesen gemein haben. Die Kultivierung dieses Prinzips war aber so extensiv, daß ich mich entschieden habe, es an diese Stelle zu setzen.

Dieses Prinzip läßt sich dann am deutlichsten erkennen, wenn viele verschiedene Einzelpersonen im eigenen Interesse und unabhängig voneinander Entscheidungen treffen, die einen kumulativen Effekt erzielen. Der Markt ist die am besten erforschte Manifestation dieses Prinzips. Die Demographie ist aber auch das Ergebnis individueller Entscheidungen über Gesundheitspraktiken und Reproduktion. Heirats- und Scheidungsraten – der einzelne heiratet oder läßt sich scheiden, um sein persönliches Kosten-Nutzen-Verhältnis richtigzustellen – folgen diesem Prinzip und haben ganz offensichtlich enorme Auswirkungen auf die Ausgestaltung der Gesellschaft und die in ihr ablaufenden Prozesse.

(10) *Das Netzwerkprinzip*

»Bring deine Freunde dazu, mir zur Hand zu gehen.«

Ein Netzwerk verlangt ein gemeinsames Interesse. Wir könnten uns leicht in eine fruchtlose Auseinandersetzung darüber einlassen, ob das Netzwerkprinzip selbst oder nur die Anlagen dazu auch bei anderen Spezies vorhanden sind. Wir werden aber kaum bestreiten können, daß die Netzwerkbildung als Mittel sozialer Kommunikation in den letzten drei oder vier Jahrzehnten erheblich zugenommen hat. Die Netzwerkbildung und ihre Bedeutung wurde von Anthropologen in den 50er Jahren entdeckt (Bott, 1955). Wenn Sie eine neue Anstellung suchen, so bilden Sie ein Netzwerk: Sie bitten Ihre Freunde, es ihren Freunden zu sagen. Durch Netzwerkbildung können Wahlen eine neue Wendung bekommen. Die Netzwerkbildung greift heutzutage über die Grenzen hinaus. In kleineren Gesellschaften gibt es kaum Netzwerke, sie gehören dort als undifferenzierte Dimension zur Verwandtschaft oder Hierarchie. Erst seit eine wirksame Kommunikation über große Entfernungen hinweg möglich geworden ist und immer mehr einseitig interessierte Gruppen (auf Kosten eines Substanzverlustes bei Verwandtschaftsgruppen und lokalen Gruppen) entstanden sind, ist die Netzwerkbildung eine zentrale soziale Erscheinung geworden.

(11) *Das Prinzip des Massenpublikums*

»Ich habe es im Fernsehen gesehen… .«

Schon lange vor der Druckerpresse gab es Zuschauer und Zuhörer, aber es war ein Publikum von Angesicht zu Angesicht. Das Massenpublikum entstand mit der Druckerpresse und der Ausbreitung der Fähigkeit, lesen und schreiben zu können. Die Bedeutung des Massenpublikums kam mit der Erfindung des Radios erst richtig zur Geltung und explodierte förmlich, als das Fernsehen aufkam. Heutzutage ist dieses Prinzip eines der wichtigsten sozialen Prinzipien der modernen Welt. CNN oder BBC International haben beispielsweise die Welt in ein Massenpublikum verwandelt.

Wenngleich wir hier nicht näher darauf eingehen können, so ist doch festzuhalten, daß Art und Methode der Führerschaft je nach dem sozialen Prinzip, das betroffen ist, und nach dem jeweiligen Kontext erheblich variieren. Die Bürokratie (die auf dem Prinzip der Hierarchie, verbunden mit dem Rollenprinzip und dem Prinzip der Rangordnung gründet) stieg erst mit der städtischen Revolution zu ihrer Bedeutung auf. In einem bürokratischen Umfeld ist die Führerschaft zentralisiert und basiert auf Autorität, Souveränität oder Hegemonie. Als die in Erscheinung tretenden Netzwerke immer mächtiger wurden, entstand auch eine neue Art von Führerschaft. Diese Führerschaft ist dezentralisiert und basiert nicht auf Macht – wie ich hörte, bezeichnet man die neuen Führer auch »als Wächter des Prozesses.«

Eine neue Sicht auf die heutige Kultur und Gesellschaft

Die Komplexität der heutigen Weltgesellschaft könnte natürlich nur illusorisch sein und darin begründet liegen, daß wir bisher noch nicht über die Konzepte verfügen, um sie zu verstehen. In dieser tapferen neuen Welt sind das Nebeneinander und die Ausgewogenheit der sozialen Prinzipien im Wandel begriffen, und es haben sich zwei neue Kulturarten herausgebildet: zum einen neue planetenüberspannende Kulturen und zum anderen eine neue Art von Kleinkulturen. Die neuen planetenüberspannenden Kulturen treten in zwei Formen auf. (1) Einmal gibt es (Typus A) Institutionen, die, wenn man von sprachlichen Varianten absieht, an allen Ecken und Enden der Welt zu finden sind. Es mag geringe nationale oder regionale Unterschiede geben, diese Unterschiede beeinflussen aber nicht die Nutzung durch diejenigen, die mit der Grundstruktur vertraut sind. (2) Die zweite Form (Typus B) geht auf die Interdependenz aller Institutionen überall auf der Welt zurück: eine Einheit der Interdependenz. Diese beiden Formen hat Emile Durkheim als mechanische Solidarität und als organische Solidarität bezeichnet (Traugott, 1977: 9ff. faßt die Erörterungen Durkheims zusammen).

Die Flughafenkultur ist ein Beispiel für Typus A. Sicherlich gibt es hier regionale »Dialekte«. Wenn man sich die Flughafenkultur aber einmal angeeignet hat, so kann man sich in jedem beliebigen Flughafen zurechtfinden, ohne allzusehr von kulturellen Abweichungen beeinträchtigt zu werden. Internationale Firmen sind ein anderes Beispiel. Hier gibt es tatsächlich Unterschiede, die weitgehend von der Kultur und den Zielen der Führungsspitze abhängen, sowie von den Bedürfnissen der Leute, denen sie ihre Dienste anbieten. Solche Unterschiede verschwinden aber beinahe angesichts der überwältigenden Gleichheit.

Die zweite Form – die Interdependenzen nach Typus B – ist dagegen ganz anders. Anstatt nahezu identische Institutionen zu schaffen, werden hier weitgespannte Netzwerke der Interdependenz gebildet. Menschen aus einem Erdteil werden mit Menschen aus einem anderen Erdteil verbunden.

In der Vergangenheit hat man immer wieder versucht, die Institutionen des Typus A zu immer größeren Einheiten zu organisieren, die von Hierarchien geleitet werden sollten. Gleichzeitig wurden bis etwa 1980 Institutionen vom Typus B weitgehend ignoriert. Heute ist klar zu erkennen, daß, auch wenn die Institutionen des Typus A weiterhin wachsen werden, es die Institutionen vom Typus B sind, die den organisatorischen Zement der neuen Weltordnung bilden.

Durch das Wirken und die Verwobenheit dieser beiden Typen ist die Erde mehr und mehr zu einer globalen Gemeinschaft geworden, was man in den 60er Jahren, als dieser Umstand neu entdeckt worden war, als »globales Dorf« bezeichnete. (Diese Entdeckung wurde schon 20 Jahre vorher von Wendell Wilkie und anderen gemacht und wird wahrscheinlich in periodischen Abständen immer wieder neu gemacht werden, solange, bis die neue Sozialordnung im einzelnen verstanden worden ist.)

Ein anschauliches Beispiel dieser Einheit findet sich in einem von der Tokai Bank in Tokyo herausgegebenen Bericht über die Auswirkungen des nächsten größeren Erdbebens auf die Stadt. Tokyo liegt auf dem Kreuzungspunkt von vier der zwölf größten tektonischen Platten der Erde. In den letzten vierhundert Jahren hat Tokyo etwa alle siebzig Jahre ein größeres Erdbeben erlebt. Im letzten größeren Erdbeben – dem Kantobeben von 1923 – wurden 40% des japanischen Bruttosozialprodukts zerstört. Wenn das nächste Beben eintritt, wird es enorm viele Menschenleben kosten. Man rechnet mit 3 Millionen Toten. Trotz dieser Verluste wird Japan nicht der größte Verlierer beim nächsten größeren Erdbeben in Tokyo sein. Da wir jetzt in einem wirklich globalen System leben, werden Nord- und Südamerika die größten Verlierer sein. Die Tokai Bank erklärt, daß Japan seine ausländischen Investitionen in diesen beiden Kontinenten zurückrufen wird, die sich 1989 auf $ 1,23 Billionen beliefen. Die voraussichtlichen Wiederaufbaukosten von $ 842 Milliarden können so aufgebracht werden. In Kanada, den Vereinigten Staaten, Brasilien und Mexiko aber wird dies zu einer galoppierenden Inflation, zu Konkursen und nicht erfüllten Kreditzahlungen führen. Die Währungen dieser Länder werden an Boden verlieren. Innerhalb von zwei Jahren, so schätzt die Tokai Bank, wird die japanische Wirtschaft einen neuen Aufschwung mit einer Wachstumsrate von bis zu 12% jährlich erleben, während die Wirtschaft in Nord- und Südamerika und in geringerem Ausmaß auch in Europa über viele Jahre hinweg einen Abschwung erleben wird. (Terry, 1989). Die Analyse der Tokai Bank kann natürlich in Frage gestellt werden, nicht aber die Tatsache einer globalen Interdependenz.

Während sich die globale Interdependenz und eine gemeinsame Weltkultur ausgebreitet haben, blühten gleichzeitig viele kleine, auf bestimmte Ziele ausgerichtete Netzwerke auf. Die Angehörigen solcher Netzwerke sind nicht durch Grenzen gebunden, wie dies bei verschiedenen Gemeinschaften in der Zeit von 1400 und sogar noch 1900 der Fall war.

Die Vorstellung von Gemeinschaft hat sich, bedingt durch die moderne Kommunikationstechnologie in der Tat in unvorstellbarem Ausmaß gewandelt. Konnte man in den »alten Zeiten« noch sagen, daß Gemeinschaft das Ergebnis von Interaktion auf der Basis von Geographie und gemeinsamem Interesse war (Gemeinschaft = Wohnort + gemeinsames Interesse), so ist Gemeinschaft heute das Ergebnis einer Interaktion von Kommunikation und gemeinsamem Interesse (Gemeinschaft = Kommunikation + gemeinsames Interesse). Es könnte tatsächlich immer so gewesen sein, wobei frühere Formen der Kommunikation die Illusion von einer territorialen Dimension vermittelt haben könnten.

Heute basieren Gemeinschaften auf dem Netzwerkprinzip. Die Gemeinschaften können sich überschneiden. Jede Netzwerkgemeinschaft kann sich über weite geographische Gebiete ausdehnen und sich aus den verschiedensten Menschen zusammensetzen. Die Angehörigen dieser kulturellen Gemeinschaften sind auf der Grundlage gemeinsamer Interessen selbstgewählt – Ozeanographie, Computerprogrammierung, aufwendige Stickerei, Amateurfunk oder Kreuzworträtsel. Sie setzen die moderne Technologie ein, um in Kontakt zu bleiben: Telefon, Fernsehen, Computernetzwerke, Faxgeräte. Jedes dieser Netzwerke hat seine eigenen Wertvorstellungen und Gebräuche.

Heute gibt es weit mehr dieser kleinen, geographisch verstreuten Gemeinschaften, die auf Netzwerkbildung und Kommunikation basieren und sich zur Erforschung anbieten, als es je zuvor an geographisch getrennten

Gemeinschaften gegeben hat. Sie sind in die verschiedensten Arten größerer Gemeinschaften eingebettet wie chinesische Schachteln. Sie zählen zu wollen (für statistische oder andere Zwecke), bedeutet sie mißzuverstehen. Die Grenzen zwischen solchen Gemeinschaften sind keineswegs so eindeutig, wie sie einst zu sein schienen (obwohl die Grenzen zwischen Kulturen vielleicht schon immer ethnologische Phantasieprodukte waren).

Die Situation, in der wir heute leben, läßt sich mit einem zweistöckigen Haus vergleichen, das auf dem gleichzeitigen Wachstum weltweiter paralleler Institutionen einerseits und kleiner, auf gemeinsamem Interesse beruhenden Netzwerkgemeinschaften andererseits basiert. Ein Stockwerk, nehmen wir an das untere, entspricht der globalen Kultur mit ihren Ähnlichkeiten und Interdependenzen. Sie befaßt sich offenkundig mit den politischen und wirtschaftlichen Dimensionen des Lebens. Dieses Stockwerk sieht am ehesten aus wie ein großer einzelner Raum, in dem alle sich aufhalten. Das zweite Stockwerk dagegen ist auf der Grundlage gemeinsamen persönlichen Interesses erbaut (und nicht so sehr auf der Grundlage von Verwandtschaft und gemeinsamer Geographie, welche die alte Basis darstellten). Hier könnten wir mehrere kleine Räume vorfinden. Sobald Menschen an einer globalen Massenkultur teilhaben, bilden sie auch engere persönliche Netzwerke mit jeweils individueller Kultur.

Nur wenige von uns machen sich klar, wie bedeutsam es ist, daß wir heute alle in einer solchen zweistöckigen Kultur leben: einer globalen Kultur, an der wir von Zeit zu Zeit teilhaben und einem gewaltigen Gewebe selbstgewählter Kulturen, wovon wir einigen dauerhaft angehören. Heute in den 90er Jahren erscheint es uns völlig »normal«, mit den Anforderungen und Vorteilen all dieser Kulturen zu jonglieren – und die einzige Person auf der Welt zu sein, die genau diesen kulturellen Kontext aufweist. Wir sind alle ganz eigene Persönlichkeiten geworden. Das bedeutet, wir haben unsere eigene Sammlung von Kulturen, wobei wir jede einzelne mit einer verschiedenen Anzahl anderer Menschen teilen. Gelegentlich machen wir uns klar, daß die Anforderungen an den einzelnen hoch sind, aber nur wenige von uns können es sich vorstellen, in einer Welt zu leben, in der wir nicht die sogenannte Freiheit haben, die Entscheidungen zu treffen, die wir in der Tat treffen. Diese Freiheit haben wir aber nur zu dem Preis, daß wir die altmodische Gemeinschaft aufgeben.

Die ungeheure Größe der Weltgesellschaft, die immense kulturelle Vielfalt und die Forderung nach politischer Selbstbestimmung absolut aller – all dies hat genügend Druck ausgeübt, um die Prinzipien der sozialen Organisation in völlig neue Bereiche vordringen zu lassen. Wir schreiten ohne Landkarte voran, aus dem einfachen Grund, weil die Geschichte nie zuvor an diesem Punkt war, um das Gelände zu kartographieren.

Sozialwissenschaftler haben sich noch nicht in ausreichendem Maße mit dieser neuen Komplexität befaßt. Wir können aber einige Attribute der entstehenden Gesellschaft und Kultur betrachten und die Richtung aufzeigen, in die unser Denken und Forschen gehen muß. Zu diesen Attributen gehören:

1. Das Hervortreten »der Person«, die aufgrund der Tatsache, daß sie der Spezies angehört, »Menschenrechte« hat. »Menschenrechte« sind bei der Schaffung des neuen Europa von großer Bedeutung, so wie »Minderheitenrechte« für diejenigen enorm wichtig waren, die mit dem Aufbau Europas nach dem Ersten Weltkrieg betraut waren und ebenso für den Völkerbund. Das Interesse an den Menschenrechten läßt sich in Philosophie und Geschichte zurückverfolgen, es wurde aber erst zum Ende des ersten Jahrzehnts unseres Jahrhunderts zu einem zentralen politischen Thema.

In der Tat hat sogar die Definition des Begriffes Menschheit eine Revolution erlebt. »Das Individuum« der früheren westlichen Gesellschaft wurde durch das Entstehen der abgerundeteren Vorstellung »der Person« bereichert (Roszak, 1978). Die Menschenrechte entstanden in den Vereinigten Staaten der 60er Jahre aus dem Interesse für die »Bürgerrechte« in den 50er Jahren. Bei den Bürgerrechten ging es darum, irgendetwas *tun zu dürfen*, während die Menschenrechte die Anerkennung einer *Person* in ihren eigenen Rechten betreffen. Die Menschenrechte sind jetzt ein wichtiger Programmpunkt in der Außenpolitik der meisten europäischen Länder und der Vereinigten Staaten. Die Idee breitet sich über den Globus aus und wird zu einem wichtigen Wert der globalen Kultur.

Die Vorstellung einer Person, deren Rechte gerade daher rühren, daß sie eine Person ist, wurde von Virginia Hine (1977) so gut formuliert, daß ich sie gerne zitieren möchte: »Das Individuum des Industriezeitalters war eine abgetrennte, identifizierbare Einheit, ein soziales Atom, das ebenso in die Sozialstruktur eingefügt war, wie man die Materieteilchen in das mechanistische Universum von Newton eingebaut glaubte. Gerade diese Identität führte zu einem konzeptionellen und empirischen Konflikt zwischen individuellen und kollektiven Interessen. Die neu auftauchende Vorstellung von der Person, die sich in einem Entwicklungsprozeß befindet, führt zu einem Bild des Selbst, das Teil eines sich entwickelnden sozialen Prozesses ist und nicht Baustein in einer sozialen Struktur. Es geht dabei um den Prozeß der

Selbstentdeckung, der Selbstverwirklichung, die den Widerspruch zwischen Individuum und Gesellschaft aufhebt.«

2. Neue Netzwerkaktivitäten und Arbeitsgruppen treten in dem Maße in Erscheinung, wie sich die Arbeit der Menschen verändert. Es klingt abgegriffen, entspricht aber der Wahrheit, wenn ich wiederhole, daß wir uns von Industriegesellschaften zu Informationsgesellschaften entwickeln, die in erster Linie Dienstleistungen anbieten. Im Rahmen dieses Prozesses sind neue Anforderungen an die Arbeitnehmer zur Regel geworden. In immer mehr Dienstleistungsindustrien verkaufen die Menschen tatsächlich ihre unerschütterlich gute Laune (wie Stewards und Stewardessen), oft zu einem erheblichen emotionalen Preis. Sie gehen mit ihrem »Glücklichsein« hausieren, welcher Provokation sie auch immer ins Auge sehen müssen. Wir fangen gerade erst an zu begreifen, welchen psychologischen Druck diese Situation für die Arbeitnehmer schafft.

Noch stärker ist die Überzeugung, daß wir unsere Arbeit »genießen« müssen (eine sehr westliche Vorstellung). Wir glauben, daß es bestimmte Arbeitsplätze gibt, die lohnend sind und uns helfen, als »Person zu wachsen«, während andere uns als Person einengen. Menschen, die keine lohnende Tätigkeit finden, arbeiten nur des Geldes wegen und geben ihr Geld dann im Bereich ihrer wirklichen Interessen aus. So bilden sich zwei Kategorien von Menschen heraus: die, die ihre Berufung gefunden haben und genießen und diejenigen, bei denen dies nicht der Fall ist.

3. Neue Familienformen treten an die Stelle der alten Formen. In den Vereinigten Staaten gibt es keine sogenannten »traditionellen« Familien mehr – eine Mama, ein Papa und zwei/drei Kinder, die in einer freistehenden Vorstadtvilla wohnen und zu Thanksgiving »über den Fluß und durch die Wälder zu Großmutters Haus« gehen. Auch die traditionellen Großfamilien oder polygynen Familien, die in weiten Teilen der Dritten Welt (ein Begriff, der mit dem Zusammenbruch des Kalten Krieges vermutlich auch verschwinden wird) üblich waren, sind dort nicht länger anzutreffen. Scheidungsfamilien mit zwei Haushalten und acht oder mehr Großeltern; Familien mit nur einem Elternteil ohne jede moralische Unterstützung (vielleicht sogar ohne finanzielle Unterstützung); Stieffamilien, die versuchen, durch die unbekannten Riffe von Stiefbeziehungen hindurchzuschiffen, die durch die Scheidungsverwicklungen entstanden sind (und viel verzwickter sind als die durch Witwenschaft entstandenen) – alle diese Formen zusammengefaßt überwiegen die Zahl der »traditionellen« Familien. Lange Lebenserwartung, leichte Scheidungsmöglichkeiten, persönlich

erfüllende Arbeitsplätze, und die Personenrolle selbst haben uns auf irrevisible Weise verändert. Wir befinden uns inmitten einer Revolution von Familienformen und Familienstrukturen. Wir wissen kaum noch, welche Normen gelten. Gleichzeitig wurde das »Zuhause« zu einem Hafen im Obergeschoß der persönlichen Kultur, wohin man aus dem Untergeschoß, der globalen politischen und wirtschaftlichen Kultur und ihren Zwängen, entfliehen kann.

4. Die Bürokratie ist nicht mehr so allgegenwärtig, wie es einst den Anschein hatte. Es entwickelt sich eine neue Art sozialer Organisation, die auf dem Netzwerkprinzip und nicht mehr auf dem Hierarchieprinzip basiert. Diese neue soziale Form bezeichnet man als SPIN (Hine, 1977).[1] SPINs haben keine Organisationstafeln, die entworfen und an die Wand gehängt werden können, wie dies bei Firmen der Fall ist. Es gibt keine Chefs, vielmehr handelt es sich um allgemeine Netzwerkbildungen unter Gleichrangigen (einigen Individuen und einigen Organisationen), die durch die Kraft der Überzeugung zusammengehalten werden. Die Mitglieder – Personen, sowie mehr oder weniger förmliche Gruppen oder kleinere Netzwerke – brauchen außer dieser gemeinsamen Überzeugung absolut nichts gemein zu haben. Die Macht solch führerloser, horizontaler Netzwerke kann nur durch die persönliche Furcht vor den Exzessen staatlicher Bürokratie gebrochen werden. Auch dann kann ein SPIN jahrelang am Kochen gehalten werden, um in dem Augenblick erneut hervorzubrechen, in dem die Bürokratie unachtsam wird.

SPINs setzen Zusammenkünfte, Fernsehberichte und die Wahlen ein, um ihre Sache zu fördern und die Bürokratie in Schach zu halten. SPINs sind *keine* Mobs. Dem Mob fehlt ein Ziel, während SPINs sich um ein Ziel herum gruppieren. Mobs sind im allgemeinen ungeordnet oder sogar gewalttätig. SPINs sind im allgemeinen wohlgeordnet, zumindest solange, bis die Vertreter der hierarchischen Gruppen (meist staatliche Polizeikräfte) versuchen, sie zu kontrollieren, woraufhin SPINs sich tatsächlich in Mobs verwandeln können. In den 60er und 70er Jahren waren die Zusammenkünfte von SPINs gegen den Vietnamkrieg äußerst mächtig und konnten so das politische Klima in den Vereinigten Staaten verändern. In den frühen

[1] SPIN ist ein Akronym für segmentiertes, polyzephalisches, auf Ideen gestütztes Netzwerk. Es arbeitet also nach dem logischen Prinzip einander gegenüberliegender Segmente. Es verfügt entweder über viele Köpfe oder keinen, was bedeutet, daß die Macht dezentralisiert ist. Es basiert auf Werten, und es ist ein Netzwerk, keine formelle Gruppe mit hierarchischer Struktur.

80er Jahren kamen bei den Treffen der Anti-Atomkraft-Demonstranten in Europa manchmal eine halbe Million Demonstranten aus weitem Umkreis und mehreren Ländern zusammen. Sie erreichten Fernsehberichte, die ihre Position vor der ganzen Welt darstellten – und bewirkten eine Veränderung. In den späten 80er und 90er Jahren haben SPINs für und gegen Abtreibung die amerikanische Politik beherrscht. Nationenübergreifende SPINs wie Greenpeace sind für die globale soziale Kultur mindestens ebenso wichtig, wie nationenübergreifende Firmen.

Auf intimerer Ebene arbeiten kleinere SPINs ganz so wie informelle Interessengruppen als Unterstützungsgruppen, die Leute zusammenführen, die nichts gemeinsam haben, außer einer sozialen Überzeugung oder einem persönlichen Problem. Sie teilen Lösungen mit und bieten Trost. In jeder amerikanischen Stadt gibt es buchstäblich tausende solcher Unterstützungsgruppen – angefangen bei den Anonymen Alkoholikern bis zu den Zentren für Vergewaltigungsopfer – die eine Aufgabe erfüllen, die die Familie nie richtig erfüllt hat und die der Staat überhaupt nicht erfüllen kann. Kurz vor Weihnachten 1989 wurde in den Vereinigten Staaten ein Telefondienst eingerichtet, der den Menschen helfen sollte, mit Hilfsgruppen in Kontakt zu kommen, um sie dabei zu unterstützen, die feiertagsbedingten Spannungen zu vermindern.

5. Nationalitäten treten wieder in Erscheinung und versprechen zum gravierendsten Problem des 21. Jahrhunderts zu werden. Diese neue Situation zeigt sich ganz deutlich im heutigen Europa und läßt sich am besten erkennen, wenn man das sogenannte »Nationalitätenproblem« genauer betrachtet, das im ersten Jahrzehnt des 18. Jahrhundert erstmals auftrat, mit der Französischen Revolution an Bedeutung gewann und die Weltpolitik des späten 19. Jahrhunderts beherrschte. Dieses Problem störte den Vertrag von Versailles und den Völkerbund, aber weder der Vertrag noch der Völkerbund konnten es lösen. Durch den Aufschwung der »Weltmächte« wurde das Problem unterdrückt (Kohn, 1944).

Auf einer bestimmten Ebene ist es offenkundig, daß die Nationalitäten und ihr Kampf solange unterdrückt bleiben werden, wie mächtige Staaten die Szene beherrschen. Sobald der Staat geschwächt ist, treten die Nationalitäten wieder in Erscheinung. Heute, wo der Staat als soziale Form seine relative Herrschaft, wenn nicht gar seine tatsächliche Macht verliert, und die überwältigende Präsenz bestimmter Staaten nicht mehr so belastend ist, tritt der Nationalismus auch in Europa wieder in Erscheinung, aber ebenso in Indien, Afrika, Südostasien und vielen anderen Teilen der Welt.

6. Mit vielen Fremden in unserer Mitte zu leben, war eine Fähigkeit, die zur Zeit der industriellen Revolution erlernt werden mußte (Lofland, 1973). Nun sind sie in größerer Zahl vorhanden als je zuvor. Und eine weitere Dimension kam hinzu: unser Leben ist voller Menschen, die wir nur in einem einzigen Kontext oder überhaupt nicht kennen, die aber für uns als Personen wichtig werden. Ich habe ein paar Freunde, mit denen ich häufig telephoniere und die für mein Leben wichtig sind, die ich aber nie von Angesicht zu Angesicht gesehen habe.

7. Die beständigen kulturellen Veränderungen verlangen nach einer neuen Art von Erziehung, nach lebenslangem Lernen und wiederholter Umerziehung, beruflicher Umschulung und einer Ausbildung, die wir im College versäumt haben, da wir so sehr damit beschäftigt waren, unsere Berufsausbildung zu erhalten. Schulen und Universitäten haben sich der Herausforderung solch neuer Formen noch nicht gestellt, sie schenken der Tatsache eines neuen sozialen Kontextes noch keine Beachtung. Wenn Schulen schlecht organisiert und antipersönlich sind, können sie sogar das vorherrschendste Charakteristikum der Primaten, die Neugier, abstellen.

Eine Universitätsausbildung ist heute, zumindest in den Vereinigten Staaten, ein »Recht« geworden. Die Universitäten und Colleges haben sich daher seit der Zeit, als sie traditionellerweise vor allem Zentren des Wissens und Häfen für Gelehrte und weniger Ausbildungsstätten für gewöhnliche Männer und Frauen waren, ungeheuer verändert. Mit diesen Veränderungen fühlen sich oftmals sowohl die Fakultäten als auch die Studenten unwohl, besonders in Institutionen, in denen die Studenten eher Artikeln als Ideen nachjagen. Zudem ist über die Probleme, die mit einer lebenslangen Schulung und Ausbildung einhergehen, noch kaum nachgedacht worden – wir verwenden noch immer Begriffe wie »Zusatzausbildung.«

8. Es entstehen völlig neue Mythologien. Sie handeln von der Chimäre des Friedens, von den Teufeln (wie immer wir diese sehen und definieren wollen), die den Welthunger geschaffen haben, von regionalen Diktatoren, vom übersehenen, aber jetzt in Erscheinung tretenden persönlichen Wert – es sind dies Dinge, die mythologisiert werden, während unsere Aufmerksamkeit auf sie gelenkt wird. Wir sehen, daß der Bösewicht der neuen Mythologie immer »das System« ist. Diese neuen Mythologien entstehen, weil die bisherige Mythologie eine andere Art von Sozialsystem und ein anderes Wertesystem unterstützt hat, als das, was wir heute vor Augen haben.

Die Notwendigkeit, in Europa – und in der Tat überall – die auftauchenden sozialen und kulturellen Kontexte zu untersuchen, war noch nie so dringend. Natürlich brauchen wir sichere und berechenbare wirtschaftliche Institutionen, aber sie werden nicht so beschaffen sein wie die althergebrachten. Die neuen Institutionen müssen sich der Tatsache stellen, daß wir in einer globalen Wirtschaft leben und mehr sind als nur Konsumenten. Dies gilt insbesondere im Licht der Tatsache, daß unsere heutigen Arbeitsplätze sehr hohe Anforderungen stellen. Die Anpassung, die dies dem einzelnen Arbeitnehmer abfordert, kann wertgeschätzt und erleichtert werden, aber vermutlich kann kein noch so hoher Grad an Institutionalisierung die gestiegene Verantwortung, die auf dem einzelnen liegt, vermindern.

Wir brauchen neue politische Institutionen, die uns individuelle Freiheiten garantieren, aber auch die soziale Arbeit bewältigen. Im Augenblick verfügen wir nicht über solche Institutionen. Es *muß* bessere Wege geben, als Sozialismus oder den Markt, um Wohnungen, Gesundheitsfürsorge und ähnliches sicherzustellen und gleichzeitig persönliche Freiheit zu gewähren, wie sie die Menschen überall auf der Welt nicht nur schätzen, sondern fordern.

Wir leben in einer Zeit, in der die bürokratische Hierarchie verglichen mit den neu in Erscheinung tretenden Formen eine Schwächung erfährt. Die neuen Formen basieren auf dem SPIN, das eine völlig andere Art von Führung aufweist. So wie das Verwandtschaftsprinzip in einer großen Gesellschaft zwangsläufig auf die hinteren Plätze verwiesen wird, so könnten auch das Bürokratieprinzip und das Hierarchieprinzip, auf dem ersteres beruht, in der neu in Erscheinung tretenden Realität einen niedrigeren Rang erhalten.

Wie organisiert und regiert man einen Globus voller Personen, Familien, SPINs, Unterstützungsgruppen und Nationalitäten? Werden Mechanismen wie Firmen, politische Parteien und Regierungen in der Form, in der wir sie kennen ausreichen, um die wirtschaftlichen, politischen und umweltlichen Probleme der Welt zu lösen? Vermutlich nicht. Werden wir neue soziale Institutionen einfach lose entstehen lassen? Vermutlich ja. Werden wir der Gesellschaft und der Kultur genauso nüchtern gegenüberstehen, wie der Chemie, wobei die Chemie ungleich viel einfacher ist? Das hoffe ich. Ich kann mir kein besseres Labor vorstellen, aus dem neue soziale Einsichten und vielleicht auch neue soziale Formen hervorgehen können, als die Anstrengungen, die abermals ein »Neues Europa« formen.

Zur Evolution politischer Gemeinschaften

Das Paradoxon von West- und Osteuropa in den 90er Jahren

Roger D. Masters

Der Schlüssel zu wichtigen Problemen ist manchmal so offenkundig, daß man ihn nicht einmal wahrnimmt. Der kürzliche Zusammenbruch der sowjetischen Kontrolle über Osteuropa und das nachfolgende Aufwallen von Nationalismus und ethnischen Konflikten von der Sowjetunion bis Jugoslawien konfrontiert uns mit einem auffallenden Paradoxon. Warum bewegt sich Westeuropa, wenn auch langsam und vorsichtig, auf eine wirtschaftliche, soziale und politische Gemeinschaft zu, während im Osten gleichzeitig engstirnige Verhaftungen übergreifendere politische Bindungen in Frage stellen oder zerstören? Wenngleich die Ereignisse im Westen hauptsächlich wirtschaftlicher Natur zu sein scheinen, während sie sich in Osteuropa auf politische Institutionen konzentrieren, so gab es doch einen deutlichen Schub in entgegengesetzte Richtungen, was das Ziel sozialer und politischer Einheiten anbelangt, die starke öffentliche Unterstützung und effektive Zusammenarbeit erzielen.[1]

Dieses Paradoxon erfordert deshalb Aufmerksamkeit, weil die Veränderungen in Ost und West mit einer Expansion der Marktwirtschaft verknüpft sind. In der EWG diente die Aussicht auf ein besseres Leben durch wirtschaftliches Wachstum als Motor wirtschaftlicher Integration und

Danksagung
Mein Dank gilt Martin Shubik, Carol Barner-Barry, Seth Masters und Nelson Kasfir für ihre hilfreichen Kommentare zu früheren Entwürfen.

[1] Der gescheiterte Staatsstreich in der Sowjetunion, der sich ereignete, nachdem diese Worte geschrieben waren, unterstreicht auf dramatische Weise deren Bedeutung. Der Versuch, Gorbatschow zu beseitigen, scheint zeitlich so gelegt worden zu sein, um die Unterzeichnung des Vertrages zu verhindern, der eine radikale Dezentralisierung der UdSSR sanktionieren sollte. Der Versuch scheiterte durch den Status von Boris Yelzin, dem gewählten Führer der Russischen Republik. Während sich die Aufmerksamkeit der Medien während des Staatsstreichs größtenteils auf Moskau konzentrierte, könnten auf lange Sicht die wichtigsten Auswirkungen die verstärkte Forderung nach regionaler und ethnischer Autonomie betreffen (was sich in der Art zeigte, wie dieser Staatsstreich die Unabhängigkeitserklärung der Georgischen Republik auslöste).

führte letztlich zu politischer Zusammenarbeit und – wie manche meinen – auch zu einer Art politischer Einheit. Im ehemaligen Sowjetblock führte die Aussicht auf ein besseres Leben durch die Entwicklung privater Wirtschaftsinitiativen zu Forderungen nach nationaler und ethnischer Autonomie sowohl innerhalb der Länder des ehemaligen Warschauer Paktes, als auch im Verhältnis dieser Länder untereinander. Ein Beobachter vom Mars könnte sich fragen, warum die gleichen Institutionen und Praktiken wirtschaftlicher Aktivität in Ost- und Westeuropa gegenteilige Wirkungen entfalten.

Zunächst ist man versucht, die Frage als banal abzutun. Schließlich war die westeuropäische Wirtschaftsgemeinschaft frei gewählt und ermöglichte so die langsame Entwicklung einer politischen Einheit. Im Gegensatz dazu war die politische Zusammenarbeit in Osteuropa für eine ganze Generation erzwungen worden, bis Gorbatschow Perestroika und Glasnost einführte, in der Hoffnung, dadurch die wirtschaftliche Leistung in sozialistischen Ländern verbessern zu können. Die Geschichte scheint also die Unterschiede in Ost und West zu erklären. Warum sollte man weitersuchen?

Das Problem oberflächlicher geschichtlicher Erklärungen liegt darin, daß sie entweder zu viel oder zu wenig erklären. So scheint beispielsweise der historische sowjetische Erfolg durch militärische Macht determiniert gewesen zu sein: mit ihrer Hilfe hat Stalin 1956 den Nationalismus in Ungarn und 1958 den in Prag zerschlagen. Mißt man die sowjetische Militärmacht an Truppen und Waffen, so scheint sie in den 30 Jahren nach diesen Ereignissen gewachsen zu sein. Dennoch wurde sie 1989 weder in Polen noch in Ostdeutschland eingesetzt. Warum? Der Unterschied hängt mit dem Willen zu kämpfen und zu sterben zusammen – oder zumindest mit dem, was man als Kosten und Nutzen eines solchen Vorgehens empfindet. Ohne die Psychologie des Militärs und der Öffentlichkeit im allgemeinen zu erklären, liefert uns die Geschichte nichts weiter als Beschreibungen.

Die Lösung des Paradoxons ist jedoch von größter Bedeutung. Wird der Trend zur europäischen Vereinigung auch in den 90er Jahren anhalten? Warum war die EWG in den 70er und 80er Jahren erfolgreich? Unter welchen Umständen könnte ein wiederauflebender Nationalismus und Ethnozentrismus nicht nur die gerade flügge gewordenen Institutionen der Europäischen Gemeinschaft, sondern auch die Mitgliedsstaaten als politische Einheiten herausfordern?

Um diese Frage nicht absurd erscheinen zu lassen, sollten wir uns nicht nur die anhaltende Aggressivität der IRA in Erinnerung rufen, sondern auch die Beständigkeit einer regionalen Nostalgie in ganz Westeuropa. In der Vergangenheit waren die Basken gewalttätiger als die Bretonen und die Korsen gewalttätiger als die Provenzalen. Schottische und walisische Nationalisten neigen nicht so sehr zum Terror wie ihre irischen Vettern. Größtenteils scheint diese separatistische Nostalgie so unsichtbar zu sein, wie es der ethnische und nationale Separatismus Osteuropas unter Stalin war. Die emotionalen Verhaftungen sind jedoch nicht notwendigerweise für alle Zeit verschwunden.

Ethnizität und Nationalismus sind Hilfsmittel der politischen Mobilisierung, die zum Einsatz kommen, wenn die Zeit reif ist. Der Erfolg von Jean-Marie LePen in Frankreich zeigt, welch erregendes Thema der Nationalismus sein kann, wenn es darum geht, Wähler zu mobilisieren, während sich andere von *la patrie* abwenden, da dieser Mythos nicht länger ihre politischen Energien zu aktivieren vermag. Im Gegensatz dazu berichten viele Schotten, daß sie die politische Vereinheitlichung in der EWG eifrig unterstützen, da dies für sie ein Mittel ist, um (zumindest) von der Dominierung durch die Engländer frei zu werden.

Der Schlüssel zur Zukunft Europas liegt im Aufstieg und Fall von mächtigen und oftmals irrationalen psychologischen Verhaftungen. Der Marxismus hat als Ideologie gerade deshalb versagt, weil Marx selbst glaubte, die nationale Identität würde durch die wirtschaftlichen Entwicklungs- und Wachstumskräfte verschwinden. Bankiers, Industriemanager und politische Führer sollten in Westeuropa nicht den gleichen Fehler begehen wie die kommunistischen Parteifunktionäre in Osteuropa.

Eine einzige Erklärung für so diverse Ereignisse zu finden, scheint eine große Aufgabe zu sein. Um feststellen zu können, ob Evolutionstheorie und menschliche Ethologie in der Lage sind, uns Antworten zu liefern, müssen wir diese neuen wissenschaftlichen Prinzipien genauer anwenden. Wir müssen uns also auf eine praktische Frage von verblüffener Einfachheit konzentrieren: wie weiß der einzelne, wann er kooperieren soll und vor allem, wem er helfen soll? Wie unterscheiden andere Lebewesen zwischen Freund und Feind, und welches menschliche Äquivalent gibt es für die entsprechenden Mechanismen? Vor allem aber, welche Faktoren führen eine Veränderung im Umfang sozialer Zusammenarbeit herbei?

Erkennungszeichen, gegenwärtige Befriedigung und Optimismus hinsichtlich der Zukunft

Mit wem kann ich zusammenarbeiten? Erkennungszeichen und soziale Gruppen

Alle sozialen Lebewesen haben durch natürliche Auslese Mechanismen für das Erkennen von Mitgliedern ihrer eigenen Spezies entwickelt, mit denen eine Zusammenarbeit sich wahrscheinlich als nützlich erweisen wird. Gleichermaßen entwickeln Tiere die Fähigkeit, natürliche Feinde und bedrohliche Rivalen der eigenen Art zu identifizieren. Bei einigen Spezies werden die Merkmale für die Identifikation von Freund oder Feind individuell erlernt; bei anderen sind sie instinktiv vorhanden oder werden in den ersten Lebensstunden durch Erfahrungen eingeprägt; oftmals werden angeborene und erworbene Faktoren auf komplexe Weise integriert (Lorenz, 1970–71). Wie dieser Prozeß im einzelnen auch immer ablaufen mag, die spezifischen Merkmale, die anzeigen, ob ein Individuum sich wahrscheinlioch revanchieren wird, wenn man ihm hilft oder ob es angreifen wird, wenn man es sich nähern läßt, bezeichnet man als *Erkennungszeichen*.

Der Mensch ist ein soziales Lebewesen, das über eine außergewöhnlich große Vielfalt von Erkennungsmechanismen verfügt. Stunden nach der Geburt kann ein Neugeborenes die Mutter mittels solcher Primärmechanismen wie Geruch, Gesicht und Stimme von anderen unterscheiden. Mütter und Väter verwenden ähnliche Erkennungszeichen, um ihren Nachwuchs von anderen zu unterscheiden. Bei der Identifikation von Familienangehörigen werden diese Merkmale jedoch durch sprachliche und kulturelle Faktoren ergänzt. Die komplexen und vielschichtigen Verwandtschaftssysteme, die den Ethnologen als Studienobjekte dienen, legen genau fest, wen wir »Schwestern und Kusinen« nennen und ob wir »dutzendweise zählen« und die »Tanten« miteinschließen (wie Gilbert und Sullivan es ausdrücken).

Die Wahrnehmung sichtbarer Merkmale des Gesichts, der Sprache, der Bewegung, der Kleidung oder sogar des Geruchs ist beim Menschen an symbolische Erkennungszeichen geknüpft, die im Erwachsenenalter erlernt oder modifiziert werden können. Diese Komplexität zeigt sich deutlich in modernen Familienstrukturen: wenn sich Paare scheiden lassen und sich wiederverheiraten, so werden die kooperativen Verhaltensweisen des Nepotismus auf neue und genetisch oft fremde Individuen umgelenkt, um so auf eine veränderte Wahrnehmung von Kosten und Vorteilen zu reagieren. Auf gleiche Weise haben die Menschen Mechanismen entwickelt, um soziale

Partner für Reziprozität und Hilfe außerhalb der Familie ausfindig machen zu können, wobei zum Teil auf unmittelbar wahrnehmbare Merkmale zurückgegriffen wird und zum Teil symbolische oder mythische Kennzeichen für unsere Bindung an die kooperierende Gruppe konstruiert werden.

Wir alle kennen natürlich Flaggen, Uniformen und Pässe. Solche Symbole der Gemeinschaft definieren die einzelnen Staaten und erwecken oftmals patriotische oder nationalistische Emotionen. Wie werden diese kulturellen Abstraktionen in alltägliches Verhalten umgesetzt? Die Sprache – insbesondere Dialekt, Akzent und Sprachmuster – erlauben es uns schnell festzustellen, woher jemand kommt. Kleidung, Stil und Benehmen verraten uns viel über die soziale Klasse und das zu erwartende Verhalten. Der Gesichtsausdruck und andere nonverbale Hinweise bekunden die Absicht zu helfen oder zu schaden und informieren uns auf diese Weise sofort darüber, ob vom anderen kooperatives Verhalten zu erwarten sein wird oder nicht (Frank, 1988; Masters, 1989a).

Eine vor kurzem durchgeführte Studie zeigt beispielsweise, daß Zuschauer, denen tonlose Videobänder von unbekannten französischen, deutschen und amerikanischen Politikern vorgespielt wurden, völlig anders reagierten, wenn sie Führungspersönlichkeiten ihrer eigenen Nation erblickten. Als die Zuschauer gebeten wurden, die Führungspersönlichkeiten anhand einer Skala von 0 bis 100, wie man sie zur Vorhersage von Wahlentscheidungen kennt, zu bewerten, stellte sich heraus, daß die durchschnittliche Bewertung eines unbekannten, schweigenden Amerikaners bei etwa 50 Punkten lag. Das hätte sich allein anhand der Skala vorhersehen lassen, denn den Teilnehmer an diesem Experiment war erklärt worden, daß eine Bewertung mit 50 Punkten neutral sei. Wenngleich die Videobänder von ausländischen Führungspersönlichkeiten nicht in irgendeiner Weise anders identifizeirt wurden, so wurden sie von den amerikanischen Zuschauern dennoch negativ beurteilt und zwar mit durchschnittlich 41 Punkten auf der Skala. Die Reaktionen auf französische und deutsche Führungspersönlichkeiten waren ebenfalls negativ, verglichen mit den Reaktionen auf amerikanische Politiker: kognitiv definierte Merkmale, die man mit amerikanischen Politikern assoziierte (Aufrichtigkeit, Macht, Aktivität, etc.) wurden bei diesen bedeutend positiver bewertet als bei den Ausländern, ebenso wie die Gefühlswärme, die beim Betrachten der Videobänder empfunden wurde (Tabelle 1). Kurzgesagt, irgendetwas am »Aussehen« und den Körperbewegungen einer Person verursacht einen vorhersehbaren Unterschied in unseren Reaktion gegenüber Landsleuten (Warnecke, 1991).

Tabelle 1: Unterschiede in der Reaktion amerikanischer Zuschauer auf politische Führungspersönlichkeiten aus den Vereinigten Staaten, Frankreich und Deutschland

	Nationalität der Führungspersönlichkeit		
	amerikanisch	französisch	deutsch
Durchschnittliche kognitive Bewertung (3 Dimensionen des Semantischen Differenzials von Osgood)	6,44*	2,01*	−1,21*
Durchschnittliche »Nettowärme« in der emotionalen Reaktion (positive Emotionen minus negative Emotionen)	1,66*	−0,29*	−0,48*
Durchschnittliche Gesamteinstellung (0–100 Bewertung)	50,3**	42,3	41,0

Durchschnittsantworten einer Experimentalgruppe von 84 amerikanischen Erwachsenen (42 männlich, 42 weiblich), nach dem Betrachten von tonlosen Bildern von Führungspersönlichkeiten niedrigen Ranges aus TV-Nachrichten von drei Ländern über den Zeitraum eines Monats.

Quelle: Warnecke, 1991: Tabellen 6.13, 6.15, 7.1.

* Variation zwischen den drei Nationalitäten signifikant ($p < 0{,}001$).

** Durchschnittliche Bewertung amerikanischer Führungspersönlichkeiten, die signifikant von der Bewertung der französischen und deutschen Führungspersönlichkeiten abweicht ($p < 0{,}05$); die mittlere Bewertung französischer und deutscher Führungspersönlichkeiten weist keine signifikanten Unterschiede auf.

Nonverbales Verhalten gehört also zu den Erkennungszeichen, mit Hilfe derer wir diejenigen auswählen, die als sichere Partner kooperativen Verhaltens in Frage kommen. Bestimmte Gesten, wie ein Lächeln oder ein anderer, Bestätigung vermittelnder Gesichtsausdruck können in einer Kultur als Indikatoren wirken, die uns anzeigen, wer mit hoher Wahrscheinlichkeit kooperieren wird (Frank, 1988). Solche Reize, die sich aus vergleichbaren Verhaltensweisen bei nicht-menschlichen Primaten entwickelt haben, aber in jeder menschlichen Kultur in etwas unterschiedlicher Weise eingesetzt werden, sind deshalb besonders wirkungsvoll, weil sie machtvolle Gefühle auslösen, deren wir uns nicht vollkommen gewahr sind. Zumal das Fernsehen täglich Bilder von Führungspersönlichkeiten ausstrahlt, kann gerade in der Politik ein Wahlergebniss in hohem Maße von der Fähigkeit der einzelnen Rivalen beeinflußt werden, ein wirkungsvolles nonverbales Bild ihrer selbst zu projizieren (Masters, 1989a,b; Sullivan und Masters, 1988).

Zwar werden wir uns sehr wahrscheinlich dann der Körpersprache, des Gesichtsausdruckes und anderer nonverbaler Anzeichen gewahr, wenn diese nicht unseren Erwartungen entsprechen, wir verlassen uns aber fortlaufend auf diese Erkennungszeichen, wenn es darum geht, Informationen über andere zu gewinnen. Die Gefühle, die wir jemandem gegenüber empfinden, der in geschlossenen Räumen eine verspiegelte Sonnenbrille trägt und uns so an der Beobachtung seiner Augenbewegungen hindert, spiegelt dieses Bedürfnis wider. Viele Menschen finden Ausländer »beängstigend«, gerade weil es ihnen schwerer fällt, deren Absicht hinter dem, was wie eine Maske wirkt, zu entschlüsseln. Natürlich ist auch die Maske eines Verbrechers ein bedrohliches Symbol für die Absicht, sich auf unsere Kosten Vorteile zu verschaffen.

Andere Erkennungszeichen sind nicht nur die verbalen oder grammatikalischen Aspekte der Sprache, sondern auch der Sprechrhyhtmus (Treeck, Bente und Frey, 1989), der Stimmakzent (Mehler, 1986) und der soziale Abstand (Hall, 1959). Solche Anzeichen liefern subtile aber wichtige Informationen darüber, wo der andere »herkommt« und was er vermutlich tun wird. Im Vergleich zu nicht-menschlichen Lebewesen scheinen die Menschen hinsichtlich der Anzahl und Bandbreite der Zeichen zu differieren, die es uns ermöglichen, kooperationsbereite Partner von Konkurrenten zu unterscheiden. Auf irgendeine Weise gelingt es dem Gehirn, die aus einer Vielzahl verschiedener Anzeichen gewonnenen Informationen zu integrieren und abzuwägen, so daß der Mensch im allgemeinen dazu tendiert, vorzugsweise mit denjenigen zu kooperieren, die er als »zur Gruppe gehörig« identifiziert, wenngleich die einzelnen unterschiedlich auf eine bestimmte Person oder ein bestimmtes Ereignis zu reagieren pflegen (Falger, Reynolds und Vine, 1987).

Da bei uns Menschen so viele Reize für Gruppenzugehörigkeit in Gebrauch sind, scheint unsere Spezies darauf spezialisiert zu sein, Treuegehorsam nicht nur innerhalb der Gruppe zu wechseln, sondern die Definition der sozialen Einheit selbst. In einer wichtigen Studie aus jüngster Zeit haben Shaw und Wang (1989) fünf Hauptkategorien von Erkennungszeichen klassifiziert: Verwandtschaft (vermutete gemeinsame Abstammung), phänotypische Ähnlichkeit (erkennbare Ähnlichkeit von Gesichts- oder Körpermerkmalen, Bewegung oder Kleidung), Sprache (gegenseitig verständliche Sprache), Religion (gemeinsame Glaubensvorstellungen und Rituale) und Territorium (gemeinsames Wohngebiet). Bei einigen Gesellschaften, etwa bei primitiven Stämmen ohne Zentralregierungen, werden kooperative Gruppen von denjenigen gebildet, die Kennzeichen aller fünf Katagorien aufweisen. Da in solchen Kulturen gemeinsame Sprache, Religion und gemeinsames Territorium mit vermuteter Verwandtschaft und erkennbarer physischer Ähnlichkeit zusammenfallen, findet man oft intensive Kooperation innerhalb und Feindseligkeit außerhalb der Gruppe. Multi-linguale und multi-ethnische Staaten oder Reiche, wie die traditionelle österreich-ungarische Monarchie, stellen das andere Extrem dar, da ihre Mitgliedsstaaten wenig mehr als das gemeinsame Territorium teilen (Shaw und Wong, 1989).

Auf diese Weise wird es möglich, die Mechanismen, die der Mensch zur Definition von Gruppenzugehörigkeit einsetzt, ein wenig klarer zu erkennen; und was noch wichtiger ist: die Evolution der verschiedenen Erkennungszeichen und ihre Multiplizität beim Menschen erklärt zum Teil, warum Diskussionen um Eingliederung in und Ausschluß aus Gruppen so emotional und scheinbar irrational geführt werden. Jeder der unter rassischen oder religiösen Vorurteilen gelitten hat, kennt dies aus erster Hand. So überrascht es kaum, daß Kursänderungen bei sozialen, wirtschaftlichen und politischen Institutionen oft von heftigen Emotionen und erstaunlich schwachen rationalen Rechtfertigungen begleitet sind.

Was ist der Staat und warum sind Zentralregierungen anfällig?

In der Evolutionsbiologie werden Prinzipien der sozialen Zusammenarbeit und des Wettbewerbs nachgewiesen, die auf den Strategien des Nepotismus, der unmittelbaren und mittelbaren Reziprozität, der Hilfeleistung und des Altruismus basieren (siehe Anhang).

Bei den meisten sozialen Säugetieren verhindern Kosten und Vorteile dieser Strategien das Entstehen großer Sozialsysteme, etwa eines zentralistischen Nationalstaates (Wilson, 1975; Alexander, 1987; Masters, 1989a). Anders als andere Lebewesen können Menschen jedoch ihr soziales Verhalten je nach Umgebung verändern, wobei sie ein beachtliches Repertoire an Erkennungszeichen einsetzen, um zu erwartende Kooperation oder Konkurrenz ausmachen zu können. Wenn ein gemeinsames Territorium und eine gemeinsame Sprache die Hauptanzeichen sind, die soziale Kooperation definieren, kann ein zentralistischer Staat dann entstehen, wenn die Gruppenzugehörigkeit nicht mehr auf die gemeinsame Verwandtschaft und ethnische Gruppe beschränkt bleibt. Wenn Staaten auf der eingeschränkteren Basis vorausgesetzter Homogenität der ethnischen Abstammung, der physischen Erscheinung und/oder der Religion, sowie des Territoriums und der Sprache gegründet werden, so läßt sich das leidenschaftliche Bekenntnis des einzelnen zu diesem Staat steigern. Wenn diejenigen, die von den Gesetzen und der Sicherheit des Staates profitieren nur nach ihrem

Wohnsitz definiert werden, wie dies in ethnisch, linguistisch und religiös heterogenen Reichen der Fall ist, so kann die Bevölkerungszahl erhöht werden.

Im allgemeinen korreliert also Ausmaß und Intensität sozialer Zusammenarbeit mit der Anzahl und Bandbreite der Erkennungszeichen, auf die die Gruppenmitglieder zurückgreifen, um soziale Partner ausfindig zu machen. Die *intensivste* Form von Zusammenarbeit innerhalb von Gruppen (und des Wettbewerbs zwischen diesen) findet man wahrscheinlich in staatenlosen Gesellschaften (Stämme, die über keine Schrift und keine zentralistische Regierung verfügen), in denen Fehden und Kriege der Gruppen untereinander mit Clan- oder Stammessolidarität verknüpft sind. Die *extensivsten* kooperativen Einrichtungen finden sich in multi-ethnischen und multilingualen Reichen, die ein Minimum an Sicherheit und sozialer Mobilität bieten, sowie bei Weltreligionen, die erklärtermaßen alle Gläubigen ungeachtet ihrer rassischen Erscheinung, ihrer ethnischen Abstammung, ihrer Sprache oder sogar ihrer territorialen Herkunft willkommen heißen.

Unter dieser Perspektive scheint der Nationalstaat nur eine von vielen möglichen Sozialeinrichtungen zu sein. Die Prinzipien der Evolutionstheorie besagen in der Tat, daß die als selbstverständlich erachteten Charakteristika, die »nationale Selbstbestimmung« und »Souveränität« rechtfertigen, problematischer sind als allgemein bekannt. Biologen haben vielfach darauf hingewiesen, daß die Strategien der mittelbaren Reziprozität und der Hilfeleistung normalerweise mit so hohen Kosten verbunden sind, daß Institutionen wie der Staat bei anderen Säugetieren nicht anzutreffen sind und auch während der menschlichen Evolution die längste Zeit fehlten (Wilson, 1975; Alexander, 1987; Troisi, in diesem Band). Wo in der Geschichte Staaten auftauchten, brachen diese gewöhnlicherweise unter dem Druck innerer Konflikte und äußerer Angriffe zusammen. Der einzelne Bürger mag bei kurzfristiger Betrachtung die zentralistischen Regierungen als allmächtig empfinden. Aus evolutionärer Sicht sind diese Institutionen jedoch erstaunlich anfällig.

Ein Nationalstaat verlangt jedem Opfer ab, die dazu führen können, daß ein unbekannter reproduktiver Rivale auf Kosten der eigenen Verwandtschaft Vorteile erringt. Technisch betrachtet sind Bezahlen von Steuern und Hingabe des Lebens für das Vaterland Akte der Hilfeleistung oder des Altruismus (was die traditionellen Philosophen als Tugend bezeichneten), die skrupellosere Bürger dazu verleiten, die Vorteile des Staates zu erhalten, ohne ihren Anteil an den Kosten zu tragen. Sogar der einfache Akt der

Stimmabgabe – von der noch umfangreicheren Verpflichtung, sich über die öffentlichen Angelegenheiten auf dem laufenden zu halten einmal abgesehen – ist für viele Bürger zu aufwendig. Diese Tendenz wird besonders relevant, wenn der Staat sogenannte *kollektive Güter* schafft: gemeinsame Vorteile – wie Frieden, Sicherheit oder eine wirtschaftliche Infrastruktur – die der einzelne nur dann genießen kann, wenn sie allen zugänglich sind.

Ich habe an anderer Stelle die Alternativhypothesen zur Staatenbildung im einzelnen zusammengefaßt, indem ich gezeigt habe, wie diese Sichtweise helfen kann, menschliche Politik zu erklären. Wie manche Denker glauben, entstehen Staaten aufgrund von äußerer Bedrohung und von Wettbewerb. Andere Theoretiker glauben, daß wirtschaftliche und soziale Kooperation, die durch gemeinsame rechtliche und soziale Einrichtungen ermöglicht wird, für die Staatenbildung verantwortlich sind. Die Beweise scheinen aber dafür zu sprechen, daß die Kosten mittelbarer Reziprozität und nichtunterscheidender Hilfeleistung so hoch sind, daß vermutlich erst die Interaktion *beider* Prozesse unter der Führung außergewöhnlicher Führungspersönlichkeiten die menschliche Bevölkerung dazu gebracht hat, zentralistische Staaten zu bilden (Masters, 1989a). Selbst dann trägt der Erfolg eines Staatswesens bereits den Keim seines Niedergangs in sich.

Das Problem läßt sich konkret anhand der Finanzierung der öffentlichen Bildung in einer Modellgemeinde veranschaulichen.[2] Nehmen wir an, von den 4000 Einwohnern einer Stadt, seien 3000 Paare mit Kindern im schulpflichtigen Alter. Wenn die Schulausbildung für ein Kind pro Jahr $ 1000 kostet und es 2000 Schulkinder in der Stadt gibt, so läge das Schulbudget der Stadt bei $ 2 000 000. Eine Steuer von $ 1000 pro Familie oder $ 500 pro Erwachsener würde die Schulen finanzieren. Warum sollten aber diejenigen Familien die Steuer bezahlen, deren Kinder bereits erwachsen oder noch zu jung für den Schulbesuch sind, geschweige denn die Kinderlosen oder Unverheirateten?

---

[2] Dieses Beispiel wurde willkürlich gewählt, da die Einrichtung freier öffentlicher Ausbildungsmöglichkeiten zum Markenzeichen moderner Nationalstaaten des späten 19. und des frühen 20. Jahrhunderts wurden. Vor dieser Epoche boten zentralistische Staaten die Ausbildung selten als freies Gut an. Der Zusammenhang zwischen dem Aufkommen eines gut geschulten, des Lesens und Schreibens mächtigen Arbeitskräftereservoirs (ein Schlüssel zur Entwicklung der vollindustrialisierten Gesellschaft) und der nationalen »Selbstbestimmung« als einem politischen Grundprinzip (wie es in Wilsons Rhetorik während und nach dem Ersten Weltkrieg zu finden ist) wird von den Kritikern jeder Form »staatlicher« Tätigkeit, welche die Infrastruktur der Marktwirtschaft für selbstverständlich erachten, allzu leicht vergessen.

Einfache Reziprozität – man zahlt für die Ausbildung der Kinder anderer Bürger als Gegenleistung für den späteren Schulbesuch der eigenen – vermag das Verhalten der Steuerzahler nicht zu erklären. Zum einen haben einige immer weniger Kinder als andere (oder gar keine Kinder), zum anderen würden die vernünftigen »Trittbrettfahrer« erst dann in die Stadt ziehen, wenn ihre Kinder schulpflichtig werden und in eine Gemeinde ohne Schulen umziehen, sobald das jüngste Kind die Schule abgeschlossen hat. Das praktizieren tatsächlich viele amerikanische Familien, wobei sie einem Siedlungsmuster folgen, das besonders in großen Vorstadtgemeinden zu erheblichen Problemen geführt hat, da die älteren Bewohner der Mittelklasse in Rentnergemeinden abwandern, sobald ihre Kinder erwachsen sind.

Sicherlich verbessert ein gutes Ausbildungssystem die Produktivität der Arbeitskräfte und nützt damit allen. Wie groß diese Vorteile auch sein mögen, noch größere Gewinne erwachsen jenen, die vermeiden können, Steuern zum Vorteil der Allgemeinheit zu zahlen (Olson, 1965; Margolis, 1982). Ohne eine Art Bürgerstolz, ein gutes Schulsystem zu haben, bleibt nur noch Zwang als Mittel für Steuereinnahmen. Solche Zwangsmaßnahmen sind wiederum kostspielig für die Machtinhaber. Daher tendieren politische Systeme dazu, nur solche Dienstleistungen anzubieten, deren Nutzen nicht nur die Kosten für die Allgemeinheit, sondern auch die der Steuereinnahme und -eintreibung übersteigen.

In vielen früheren Staaten, die sich aus heterogenen Bevölkerungsgruppen zusammensetzten, lagen die Hauptvorteile der Untertanen im Schutz vor äußeren Angriffen, einer minimalen Infrastruktur für den Handel und im Bedarfsfall rechtlicher Hilfeleistung bei der Schlichtung eines Streits. Da die Kosten für ein solches Staatswesen ebenso wie die Vorteile vergleichsweise gering waren, waren die Steuerzahlungen – für die es meist der Gewaltanwendung bedurfte – weniger problematisch. In unserer imaginären Modellstadt mit 4000 Einwohnern könnte mit einer Steuer von $ 125 pro Erwachsener eine Polizeitruppe für $ 40000 finanziert werden. Da alle von der Sicherheit profitieren würden, wäre die Anfälligkeit für Trittbrettfahrer geringer als bei öffentlichen Schulen. In einem Staat, der allen Bürgern ein begrenztes Maß an Vorteilen bringt, wird Zwang also wahrscheinlich eher als Mittel zur Sicherung des Gehorsams gegenüber dem Staat dienen können. Im Gegensatz dazu wird irgendeine ideologische, mythische oder religiöse Legitimation erforderlich, sobald der Staat ausgedehntere Möglichkeiten der Kooperation und mehr kollektive Güter bietet.

Beschränkt man die Angehörigen oder die Identität eines Staates auf eine einzige ethnische oder kulturelle Gruppe, so läßt sich damit die Unterstützung der staatlichen Institutionen rechtfertigen, die den Bürgern großen potentiellen Nutzen bieten, aber anfällig für Trittbrettfahrer sind. Als in der zweiten Hälfte des 18. Jahrhunderts das Wachstum der Marktwirtschaft, die technischen Neuerungen und die industrielle Produktion einen bisher nicht gekannten wirtschaftlichen Wohlstand versprachen, traten Nationalstaaten allmählich an die Stelle der multi-kulturellen Monarchien und lokalen Fürstentümer. Im ersten Viertel des 20. Jahrhunderts war das Konzept des Nationalstaates zur Norm oder Erwartung geworden (mit allen dazugehörenden Widersprüchlichkeiten, die bis zum heutigen Tage anzutreffen sind). Der moderne Nationalstaat, der auf einer gemeinsamen Sprache und Kultur und auf abgegrenzten Territorien basiert, ist also nicht so »natürlich«, wie allgemein angenommen wird. Er ist ganz im Gegenteil eine historisch bedingte Einrichtung zur Ordnung der Erkennungszeichen, um so die Intensivierung der wirtschaftlichen und sozialen Zusammenarbeit in einem stark wettbewerbsorientierten internationalen System zu erleichern.

Warum Gemeinschaften expandieren und schrumpfen: Gegenwärtige Befriedigung und Hoffnung auf die Zukunft

Bisher habe ich dargestellt, wie sich mit Hilfe der evolutionären Anschauung die Geschichte der sozialen und politischen Institutionen *beschreiben* läßt, indem man diese zu dem sich verändernden Spektrum kooperativer Gruppen in Beziehung setzt. Die menschliche Fähigkeit, Verhaltensstrategien zu verändern, indem die Erkennungszeichen für Freund und Feind erweitert oder eingeschränkt werden, liefert einen plausiblen Mechanismus zur Erklärung von Ereignissen, wie der jüngsten Explosion von Nationalismus und Ethnizität in Osteuropa. Es mag nützlich sein, sich auf die psychologischen Grundlagen der Politik zu konzentrieren: es ist riskant, unbewußte Verhaltensweisen, Emotionen und Glaubensinhalte über uns selbst und andere zu ignorieren, welche die Menschen dazu veranlassen, zu wählen, Steuern zu zahlen, zu protestieren, Umstürze herbeizuführen oder in politische Apathie zu verfallen. Eine wissenschaftliche Theorie muß aber noch mehr leisten.

Um eine umfassende Theorie über den Aufstieg und Fall von Staaten entwickeln zu können, müssen die oben dargestellten Prinzipien so formalisiert werden, daß sie schließlich gemessen und geprüft werden können. In der Biologie gelang es den Verhaltensökologen auf diese Weise, die verschiedenen Varianten der Sozialstruktur bei anderen Spezies zu analysieren. Will man solche Theorien auf den Menschen ausweiten, so stellt sich das Problem, daß wir Symbole konstruieren, die Welt durch Mythen und Schemata wahrnehmen, uns täuschen und in sonstiger Weise Kosten und Nutzen unserer materiellen Welt transformieren. Im folgenden soll der zwangsläufig vorläufige und noch unvollkommene Versuch unternommen werden, aufzuzeigen, wie diese scheinbar undefinierbaren Faktoren zu solchen Paradoxa führen können, wie der Vereinigung Westeuropas und der Disintegration des Ostblocks unter dem Einfluß derselben sozialwirtschaftlichen Vorgänge.

Die evolutionäre Betrachtung der sozialen Zusammenarbeit basiert auf einer einfachen Kosten-Nutzen-Beziehung. Tiere helfen anderen im allgemeinen dann, wenn dies auf lange Sicht den reproduktiven Erfolg steigert, der am genetischen Beitrag des einzelnen zu künftigen Generationen gemessen wird. Unter helfendem Verhalten versteht man ein Handeln, dessen Kosten den Nutzen für den Ausführenden übersteigen. Solches Verhalten wird oft als »Altruismus« bezeichnet, wobei man letztere Bezeichnung vielleicht besser auf einen besonderen Fall der Hilfeleistung beschränken sollte, nämlich auf die menschliche Motivation oder das Verlangen, Fremden ohne materielle Belohnung und – in reinster Ausprägung – ohne dabei beobachtet zu werden, umfangreiche Hilfe zuteil werden zu lassen. Aus neo-darwinistischer Sicht eliminiert die natürliche Auslese normalerweise jede Form kostenloser Hilfeleistung, da Tiere, die von einer Unterstützung profitieren, ohne eine Gegenleistung zu erbringen auf lange Sicht durchschnittlich mehr Nachwuchs haben werden, als die Hilfeleistenden.

Die häufigste Ausnahme zu dieser Prämisse, von Hamilton (1964) als »inklusive Fitness« bezeichnet, besteht in einer Hilfe, die Verwandten geleistet wird: ist der Empfänger der Hilfeleistung ein naher Verwandter, so kann der Helfer Kosten, die ihm entstehen und die seinen unmittelbaren Vorteil übersteigen, so lange in Kauf nehmen, wie der Nutzen, der dem Empfänger erwächst, den tatsächlichen Reproduktionserfolg der Gene des Helfers erhöht. Evolutionstheoretiker (z. B. Barash, 1982) drücken diese Beziehung mit folgender Formel aus:

$$K > 1/r \qquad (1)$$

K = Verhältnis zwischen Vorteilen beim Empfänger und Kosten beim Helfer
r = Verwandtschaftskoeffizient von Empfänger und Helfer

Ein an sich selbst interessiertes Individuum neigt an sich nicht dazu, Dinge zu tun, wenn die Kosten den persönlichen Nutzen übersteigen. Ein solches kostspieliges Verhalten, das einem der Vollgeschwister oder einem Abkömmling (sofern beide einen Verwandtschaftskoeffizienten von 0,5 aufweisen und somit den Genotypus des Helfers zur Hälfte teilen) hilft, würde dennoch praktiziert werden, wenn der Nutzen beim Empfänger doppelt so hoch läge wie die Kosten beim Helfer (K = 2). Die gleiche Aktion würde nicht zugunsten eines einzigen Enkels oder Vetters ersten Grades durchgeführt werden (Verwandtschaftskoeffizient 0,25), es sei denn, das Verhältnis von Vorteilen zu Kosten betrüge 4. Gegenüber entfernt verwandten Gruppenmitgliedern (mit einem Verwandtschaftskoeffizienten von 0,01) wären nur sehr »preiswerte« Hilfeleistungen (K = 100) zu erwarten. Wirtschaftlich gesprochen verringert sich bei dieser Beziehung der Vorteil, den ein rational Handelnder aus seiner Hilfeleistung für einen anderen erzielen würde in dem Maße, wie die beiden verwandt sind.

Die Grundannahme der Theorie inklusiver Fitness läßt sich auf das gesamte kooperative und helfende Verhalten eines einzelnen in seiner Beziehung zu allen anderen Gruppenmitgliedern ausweiten. Dafür wird es notwendig, das Nutzen/Kosten Verhältnis im Verhaltensrepertoire des Handelnden zusammenzustellen und die Gesamtanzahl der Nutznießer zu berücksichtigen, wobei jeder nach seinem Verwandtschaftkoeffizienten eingestuft wird. Errechnet man den durchschnittlichen Verwandtschaftskoeffizienten all derer, die von der Hilfeleistung profitieren,[3] erhält man eine Beschreibung des Gleichgewichtsniveaus sozialer Kooperation.

$$\Sigma K = 1/(n)(r') \qquad (2)$$

r' = durchschnittlicher Verwandtschaftskoeffizient
n = Größe der von einer Kooperation profitierenden Gruppe

Durch Einsetzen der entsprechenden Termini erhält man die Zahl derjenigen, die kooperieren:

$$n = \frac{\Sigma C}{\Sigma B(r')} \qquad (2a)$$

Zeigt ein einzelner beispielsweise ein Hilfsverhalten mit einem Verhältnis der Vorteile zu den Kosten von 4, so müßte er acht Enkelkindern oder Vettern ersten Grades helfen, um das zu erwartende Niveau inklusiver

[3] Dieser Durchschnitt könnte bei kleinen Gruppen technisch nicht exakt sein. Es mag ein Unterschied bestehen, zwei Vettern zweiten Grades und einem Bruder zu helfen, als drei Vettern ersten Grades (wenngleich in beiden Fällen r = 0,25).

Fitness zu erreichen. Wären die Nutznießer aber nur entfernt verwandt ($r = 0{,}01$), so würde die gleiche Aktion nur dann praktiziert, wenn sie gleichzeitig 25 anderen nützen würde. Diese anderen 25 wären natürlich genetische Rivalen, weshalb viele oder alle von ihnen keine Gegenleistung erbringen würden.

Wie dieses Beispiel zeigt nimmt es nicht Wunder, daß die Jäger-und-Sammler-Gruppen, die den größten Teil der menschlichen Evolution kennzeichneten, ebenso wie Gruppen von Schimpansen, Gorillas, Pavianen oder grünen Meerkatzen am häufigsten ausgedehnte verwandtschaftliche Gruppierungen von begrenzter Größe bilden. Wenn sich Hilfeleistung über geradlinig Verwandte hinaus erstreckt, wie dies der Fall ist, wenn man sich mit Außenstehenden zusammentut, so ist typischerweise eine auf individuellem Erkennen basierende Reziprozität mit im Spiel (Trivers, 1971). Wenngleich Ackerbau und Viehzucht betreibende Stämme größere Populationen bilden, so besteht auch bei ihnen die tatsächliche Gemeinschaft typischerweise aus einem Dorf oder einer Gruppe mit weniger als 100 Einzelpersonen. Wenn bei einer Überschreitung dieser Größe die Anfälligkeit für Trittbrettfahrer steigt, wie können dann Populationen mit Millionen von Angehörigen unter einer zentralistischem Staatsregierung entstehen? Die Glaubenshaltungen oder Gebräuche, die eine Erweiterung der Erkennungszeichen auf eine ausgedehnte Bevölkerung fördern, bringen es notgedrungen mit sich, daß die durchschnittliche genetische Verwandtschaft innerhalb der Gruppe sinkt. Damit wird es wahrscheinlicher, daß einzelne sich weigern, Steuern zu zahlen oder gar in der Armee zu dienen und zu sterben.

Der Schlüssel, der den Menschen von anderen Primaten unterscheidet, scheint in unserer Fähigkeit zu liegen, Dinge beim Namen zu nennen und die Zukunft zu planen. Die größere Großhirnrinde des *homo sapiens* ermöglicht es in Zeitbegriffen zu denken, sich Mythen oder Symbole vorzustellen und gegenwärtige Befriedigung zugunsten eines künftigen Vorteils aufzuschieben. Versuchen Sie Ihrem Hund zu erklären, daß er einen Knochen bekommen wird, wenn er 15 Minuten stillsitzt. Wenn der Hund nicht darauf dressiert ist, auf Kommando beliebig lange sitzenzubleiben, so wird er sich bei der ersten Versuchung davonmachen. Aber schon ein fünfzehnjähriger Junge kann die Aufforderung, 15 Minuten oder länger für eine Tüte Eis zu warten, verstehen und ihr nachkommen...und dies sogar dann tun, wenn er weiß, daß er das Eis nur unter der Bedingung erhalten wird, daß er es mit seiner Schwester teilt.

Sprachliche Kommunikation und Zukunftsplanung ermöglichen es dem Menschen, einen zukünftigen Nutzen für Kinder und Verwandte in seine Kalkulation miteinzubeziehen, auch wenn dies nur vage und unpräzis erfolgen mag. Wie eine Analyse bevorzugter Zeiten und Zinsraten aufzeigt (Rogers, 1990), *ersetzt* eine solche Planung niemals die Abwägung gegenwärtiger Kosten und Vorteile. Sie gestaltet die Kalkulation nur noch komplexer. Um zu sehen, wie dies auf die Bildung, Ausweitung oder Schrumpfung politischer Gemeinschaften einwirkt, wollen wir unser Beispiel der Finanzierung öffentlicher Schulen in unserer fiktiven Gemeinde wieder aufnehmen und dieses Mal die Formeln der Theorie inklusiver Fitness anwenden, wie sie für den Menschen, der Mythen und Symbole erschafft, zutreffen.

Erinnern Sie sich an unser Modell: eine Stadt mit 4000 erwachsenen Einwohnern, wovon 1000 keine Kinder im schulpflichtigen Alter haben. Nehmen wir an, die übrigen Einwohner bilden 1500 Familien, von denen 250 ein Kind, 1000 zwei Kinder und 250 drei Kinder zur Schule schicken. Die öffentliche Ausbildung kostet pro Kind und Jahr $ 1000, was als Niveau direkter Vorteile für die Familien mit Kindern zu betrachten ist. Wenngleich Familien ohne Kinder nicht unmittelbar von den Schulen profitieren, so ist die öffentliche Ausbildung doch auch ein kollektives Gut, da sie ausgebildete Arbeitskräfte schafft und die Eigentumswerte in der Gemeinde erhöht. Nehmen wir an, dieser kollektive Vorteil (an dem alle Stadtbewohner teilhaben, solange sichergestellt ist, daß Trittbrettfahrer von der Stadtverwaltung gestellt und bestraft werden) beliefe sich auf 20% der Ausbildungskosten.

In Tabelle 2 erfolgt die Umrechnung aus dem Grundprinzip der Theorie inklusiver Fitness (Formel 1) in den Vorteil, den der einzelne Erwachsene je nach der Anzahl seiner Kinder, die die Schule besuchen, erhält. Es wird deutlich, daß es unterschiedliche Eigeninteressen gibt: Familien mit Schulkindern – insbesondere Familien mit zwei oder mehr Nachkommen – gewinnen bei einer Steuer zur Finanzierung der Schulen, während die Kinderlosen verlieren. Wäre es nicht leicht, diese Leute zu zwingen, so spräche die Logik des Eigeninteresses gegen die Bildung einer politischen Gemeinschaft und die Bereitstellung staatlicher Leistungen, auch wenn dadurch kollektive Vorteile geschaffen werden, die sonst nicht zu erzielen wären.

Nehmen wir jetzt an, die Stadtväter erklärten ihren Bürgern, daß sie alle als Nachkommen eines entfernten Vorfahren miteinander verwandt seien oder

Tabelle 2: Kosten und Vorteile der Ausbildung in einer Modellstadt
(Keine kulturellen Erkennungszeichen)

Anzahl der Kinder, die die Schule besuchen	Vorteil für die Eltern	Kollektivgut (Ø 20%)	Kosten pro Erwachsener	Nettogewinn pro Erwachsener
3 (n = 500)	$1500 ($1000x3x0,5)	+ $200	– $500	= $1200
2 (n = 2000)	$1000	+ $200	– $500	= $ 700
1 (n = 500)	$ 500	+ $200	– $500	= $ 200
keine (n = 1000)	keiner	+ $200	– $500	= – $ 300

Prämissen: in allen Familien gibt es zwei Elternteile, die sich die Steuerzahlung zu gleichen Teilen teilen. Alle Kinder sind eheliche Abkömmlinge ihrer Eltern. Die Erwachsenen sind nicht miteinander verwandt. Weitere Versionen des Modells sehen vor, daß von den 1000 Erwachsenen ohne schulpflichtige Kinder 300 Kinder im Vorschulalter haben, 300 erwachsene Kinder haben und 400 unverheiratet sind, im Zölibat leben oder kinderlos sind.

sie schüfen irgendeine Ideologie mit vergleichbarer Wirkung.[4] Der fiktive Verwandtschaftsgrad wäre gering (r = 0,0002) – zu gering, um durch die in der Erfahrung verankerten Erkennungszeichen erinnert zu werden, die der Mensch mit anderen Lebewesen teilt. Er würde aber ausreichen, um Steuerzahlungen von allen zu rechtfertigen (Tabelle 3). Da Familien mit Kindern erhebliche Vorteile erhalten, wäre der Zuzug in die Stadt ebenfalls attraktiv: die an die gemeinsame Abstammung geknüpften mythischen Erkennungszeichen würden also auch dazu dienen, Neuankömmlinge fernzuhalten. Auf lokaler Ebene lassen sich hierfür leicht Beispiele finden, etwa ethnische Vorurteile auf dem Immobilienmarkt oder das Erfordernis früherer Ortsansässigkeit als Voraussetzung für einen Anspruch auf Sozialhilfe und andere öffentliche Dienstleistungen. Bei modernen Nationalstaaten fiel die Ausweitung öffentlicher Güter, die allen Bürgern zur Verfügung stehen, mit der Erfindung der Reisepässe, Einwanderungsquoten und anderen Beschränkungen der Bevölkerungsbewegungen zusammen.

[4] Das klassische Beispiel hierfür ist natürlich die »edle Lüge« im dritten Buch von Platos *Der Staat*.

Tabelle 3: Kosten und Vorteile der Ausbildung in einer Modellstadt (Erkennungszeichen für fiktive Verwandtschaft)

Anzahl der Kinder, die die Schule besuchen	Vorteil für die Eltern	Kollektiv-gut	Vorteil fiktiver Verwandt-schaft (r = 0,0002)	Kosten pro Erwachse-ner	Netto-gewinn pro Erwachse-ner
3	$1500 +	$200 +	$299,40 –	$500 =	$1499,40
2	$1000 +	$200 +	$299,60 –	$500 =	$ 999,60
1	$ 500 +	$200 +	$299,80 –	$500 =	$ 499,80
keine	keiner +	$200 +	$300 –	$500 =	keiner

Prämissen: wie in Tabelle 2, aber alle Bürger sind überzeugt, daß das Wohnen in der Stadt eine »fiktive Verwandtschaft« erzeugt, die einem Verwandtschaftskoeffizienten von 0,0002 entspricht.

Tabelle 4: Kosten und Vorteile der Ausbildung in einer Modellstadt (Erkennungzeichen für fiktive Verwandtschaft)

Anzahl der Kinder, die die Schule besuchen	Vorteil für die Kinder	Vorteil für die Enkel	Kollektiv-gut	Vorteil fiktiver Verwandt-schaft (r = 0,0002)	Kosten pro Erwach-sener	Netto-gewinn pro Erwach-sener
Erwachsene mit Kindern (n = 3600)	$18000	$27000	$8000	$77760	$81000	$49760
Erwachsene ohne Kinder	keiner	keiner	$8000	$77760	$81000	$ 4760

Prämissen: Alle Bürger nehmen einen Kredit von $40000 zu 5% Zinsen pro Jahr auf, um 40 Jahre lang jährlich $1000 Steuern zu zahlen. Die Gesamtzinsen für die Laufzeit des Darlehens betragen $41000. Der Vorteil für die Kinder der Bürger beträgt $1000 pro Jahr für 12 Schuljahre und drei Kinder pro Erwachsener, vermindert um den Verwandtschaftskoeffizienten (0,5). Der Vorteil für die Enkel berechnet sich auf die gleiche Weise, wobei von je neun Enkelkindern mit einem Verwandtschaftskoeffizienten von 0,25 ausgegangen wird.

Die Situation unserer Modellgemeinde in Tabelle 3 stellt die expansive oder optimistische Phase der Staatsentwicklung dar. Der Nettoüberschuß für alle, die Kinder haben, schafft Anreize, die Familie zu vergrößern und die Investitionen und das wirtschaftliche Wachstum zu erhöhen. Auch wenn Neuankömmlinge kontrolliert werden, so werden diese Vorteile wahrscheinlich zu illegaler Einwanderung führen. Zieht man die menschliche Fähigkeit zu planen und die Neigung einiger Bürger zu optimistischer Zukunftseinschätzung mit in Betracht, so werden der Gemeinde ein neues Schulgebäude und langfristige Investitionen für die Infrastruktur vorgeschlagen werden. Wenngleich es Schwierigkeiten bereitet, rivalisierende Einzelpersonen für die Unterstützung kollektiver Güter zu gewinnen, so wird dies doch durch die menschliche Fähigkeit des Vorausdenkens ermöglicht. In der Geschichte kam es tatsächlich häufig vor, daß in diesem Stadium die optimistischen Investitionen über die tatsächlichen Bedürfnisse oder wirklichen Vorteile hinausschossen und so zu den Aufschwung- und Abschwung-Zyklen führten, die für das 19. Jahrhundert kennzeichnend waren (besonders bei der Entwicklung der Vereinigten Staaten). Um erkennen zu können, warum dies so ist, wollen wir zu unserer fiktiven Gemeinde zurückkehren.

Die Bürger unserer Modellstadt können ihre langfristigen Gewinne aus Kapitalinvestitionen in Schulen oder andere kollektive Güter berechnen, indem sie die in Tabelle 3 aufgeführten Kosten und Vorteile zugrundelegen und diese auf künftige Generationen projizieren. Um dies zu veranschaulichen, nehmen wir an, die Erwachsenen planten bis zu der Zeit voraus, wenn ihre Enkelkinder die Schule abgeschlossen haben werden, also etwa 40 Jahre (fünf Jahre Vorschule für die Kinder der ersten Generation, dreizehn Jahre Schulzeit, neun weitere Jahre bis diese Kinder wiederum eigene Kinder in der Schule haben und dreizehn Schuljahre für die Enkelkinder). Um die Auswirkungen der fiktiven Verwandtschaft in möglichst konservativer Weise einzuschätzen, wollen wir annehmen, daß alle Bürger, die daran interessiert sind, Kinder zu haben, nicht nur in optimistischer Weise ihren Zeitgenossen mit drei Kindern nacheifern, sondern auch erwarten, daß jedes dieser Kinder wiederum drei Kinder haben wird. Wenn die Preise stabil bleiben, so würden allen Bürger auch dann beträchtliche Vorteile erwachsen, wenn sie die Gesamtkosten der Erziehung für die 40 Jahre bereits im voraus bezahlten und diese Investition durch eine Kreditaufnahme zu 5% Zinsen finanzierten (und $ 1000 im Jahr an Kapital abzahlten).

Die bei einer fiktiven Verwandtschaft mit den Nachkommen anderer Bürger zu erwartenden Vorteile wären so groß, daß sogar Erwachsene ohne Kinder glauben würden, sie wären an einer Investition in die öffentliche Ausbildung interessiert und im voraus genug Geld aufnehmen würden, um ihren Anteil an den Ausbildungskosten der Gemeinde für die kommenden 40 Jahre zu bezahlen. Kalkulationen dieser Art scheinen zu erklären, warum Bürger Steuern zahlen, um die Infrastruktur eines wachsenden

Staates zu finanzieren. Bei Staatsgründungen – besondern bei »ursprünglichen« zentralistischen Staaten, die zum ersten Mal in Erscheinung treten – gilt als erwiesen, daß während einer frühen Wachstumsphase erhebliche Investitionen in die Infrastruktur getätigt werden: Bewässerungssysteme, gemeindliche Bauwerke, Mauern, Straßen und Monumente, sie alle versprechen typischerweise künftige Vorteile, in Form einer Mischung aus rein kollektiven Gütern, mittelbaren Vorteilen für die Nachkommen anderer Gemeindemitglieder und unmittelbaren Vorteilen für den eigenen Nachwuchs (Masters, 1989a).

Anhand der fiktiven Stadt mit 4000 Einwohnern läßt sich veranschaulichen, warum in dieser optimistischen Phase die Bevölkerung rasch anwächst. Die menschliche Geschichte zeigt, daß das Aufstreben eines Staates genau diese Wirkung zeitigt. Die enormen Vorteile, die als Ausfluß kollektiver Unternehmungen *wahrgenommen* werden, schaffen auch wichtige Unterschiede im Wohlstand der einzelnen (symbolisch und im vereinfachten Modell durch die beträchtlichen Ungleichheiten in den letzten Spalten der Tabellen 3 und 4 dargestellt). Die historische Evidenz bestätigt wiederum, daß das Wachstum eines Staates mit dem Entstehen oder der Betonung von Status und Klassenunterschieden zusammenfällt. Es bedarf staatlicher Behörden, um kommunale Projekte zu verwalten und zu planen, Steuern einzunehmen und diejenigen zu bestrafen, die nicht zahlen. Erinnern Sie sich, eine Prämisse des gesamten Modells war der Glaube, daß diejenigen, die sich als Trittbrettfahrer versuchen, identifiziert, bestraft und ausgeschlossen werden. Es wird eine Polizeitruppe oder Armee benötigt, nicht nur um Ordnung zu halten, sondern vor allem auch, um die Ressourcen der Gemeinde vor äußeren Angriffen zu schützen.

Es lassen sich unschwer geschichtliche Beispiele dafür finden, wie fiktive Verwandtschaft tatsächlich bei der Entstehung des modernen Nationalstaates die Funktion inne hatte, die im Modell beschriebenen Wirkungen hervorzurufen:

Allons enfants de la patrie
Le jour de gloire est arrivé...
Aux armes, citoyens...[5]

[5] Eine wörtliche Übersetzung dieser Zeilen der Marseillaise könnte lauten: »Auf ihr Kinder des Vaterlandes, der glorreiche Tag ist gekommen..Zu den Waffen, Bürger..«.

Die »Bürger«, die in der *Marseillaise* zu den »Waffen« gerufen wurden, waren »Kinder« des »Vaterlandes«, dessen Motto – *liberté, egalité, fraternité* – offen fiktive Verwandtschaft proklamierte. Der daraus resultierende Gemeinschaftsgeist in einer vormals äußerst vielschichtigen Feudalmonarchie mit starken provinziellen und regionalen Bindungen schuf die außergewöhnliche Dynamik, die Frankreich nach 1789 prägte. Eine bisher nicht erschlossene Bereitschaft, Steuern zu zahlen und für den Staat zu sterben, führte zu wiederholten militärischen Erfolgen, sowohl während der Republik, als auch während des ersten Kaiserreiches. Die gewaltsame Ausweisung oder Hinrichtung derjenigen, die Widerstand leisteten (besonders während des Terror), wirtschaftliches Wachstum, die Entwicklung zentralistischer bürokratischer Institutionen – kurz, das Zusammenschmieden eines modernen Nationalstaates – fiel mit der Fiktion zusammen, daß alle Angehörigen der Gemeinschaft (zur Kennzeichnung ihres neuen Status als *citoyens* bezeichnet) »Brüder« wären.

Wenn sich Staaten entwickeln entstehen neue Kosten. Zunächst übersteigen diese nur die langfristigen Vorteile für die weniger begünstigten Angehörigen der Gemeinschaft, deren Zahl gering ist und die den Status Quo vermutlich nicht in Frage stellen werden (die Kinderlosen in Tabelle 4). Im Laufe der Zeit fallen die gestiegenen Kosten mehr Gemeindemitgliedern auf. Und was noch schlimmer ist, *relative* Unterschiede in der Nutznießung werden offenbar, wie beispielsweise in Tabelle 3, wo zwischen Familien mit einem und solchen mit zwei oder drei Kindern unterschieden wird. Die Ideologie oder der Mythos der fiktiven Verwandtschaft gerät unter Beschuß.

Die optimistische psychologische Haltung während der Wachstumsphase weicht sozialen Konflikten und der Forderung nach gerechter Verteilung des Wohlstands. Anstelle des Mythos, wonach alle gleichermaßen an den Vorteilen des Staates teilhaben, werden die anderen Angehörigen der Gesellschaft jetzt als Rivalen oder Feinde betrachtet. Diejenigen, die am meisten profitieren und die Kontrolle noch in der Hand haben, können durch Anwendung mehrerer Methoden reagieren: erneute Indoktrination und Betonung des sozialen Mythos (Aufwertung der Erkennungszeichen durch Betonung der Reinheit von Abstammung, Rasse, Kultur oder Religion), äußere Konflikte (Krieg wird als Mittel eingesetzt, um das Volk zur Verteidigung kollektiver Güter zu bewegen), innerer Zwang (man zwingt die weniger Begünstigten zum Gehorsam und bringt ihre abweichenden Meinungsäußerungen zum Schweigen), erhöhtes wirtschaftliches Wachstum (die unmittelbaren Vorteile für die Gemeindeangehörigen werden erweitert) oder Verfemung (eine machtlose Gruppierung wird zum Sündenbock gemacht, ausgewiesen oder getötet).

Wenn das wirtschaftliche Wachstum gesteigert wird oder die Eroberung fremden Territoriums gelingt, so kann ein gewisses Maß an Optimismus wiederhergestellt werden. Ist dies nicht der Fall, so werden die von den Mächtigen eingesetzten Mittel vermutlich die psychologischen Glaubensinhalte unterminieren, auf denen der zentralistische Staat beruht: Indoktrination, Krieg, Zwang und Verfemung legen den Schluß nahe, daß die traditionellen Erkennungszeichen für fiktive Verwandtschaft entweder zu weit oder zu eng gefaßt waren. Da einige profitieren, während andere leiden, läßt sich der Mythos, daß alle von den kollektiven Gütern profitieren, immer schwerer aufrechterhalten. Diejenigen, die den Staat kontrollieren, beginnen, ihre Macht immer unverhüllter und offener für private Eigeninteressen einzusetzen. Es folgt eine Periode des Pessimismus, gekennzeichnet von sinkenden Investitionen, steigenden inneren Konflikten, von Zwang, Auswanderung oder Eroberung durch Fremde und – wie die historischen Beispiele, angefangen beim alten Mesopotamien, Ägypten oder Rom bis zu modernen Staaten wie Libanon, Äthiopien oder Kambodscha zeigen – einem Zusammenbruch der zentralen Staatsautorität.

Diese Phasen lassen sich mit Hilfe der einfachen Beziehung zwischen der Einschätzung gegenwärtiger und künftiger Vorteile erklären. Wie schon hervorgehoben wurde, unterscheidet sich der Mensch von anderen Lebewesen durch seine Fähigkeit zu denken, zu planen und andere (oder sich selbst) hinsichtlich der Zukunft zu täuschen. Diese Fähigkeit scheint die Grundlage für das Phänomen zu sein, daß in solche Kollektivgüter investiert wird, die andere sexuell reproduzierende Säugetiere überhaupt nicht erzeugen. Sie haben sich nur im Zusammenhang mit der Entstehung festangesiedelter Gemeinschaften und zentralistischer Regierungen ungefähr in den letzten 15000 Jahren entwickelt (nachdem die Evolution der Hominiden über 2 Millionen Jahre lang in kleinen Gruppen erfolgt war), die nach einer Zeit des Erfolges in periodischen Abständen wieder zusammenbrechen. Nach dieser Ansicht liegt der Expansion und Schrumpfung von Staaten die Fähigkeit zugrunde, gleichzeitig über Zukunft und Gegenwart nachdenken zu können.

Dieses psychologische Phänomen läßt sich formal anhand eines einfachen Verhältnisses darstellen. Nehmen wir an, die Menschen wären sich zumindest intuitiv des Nettowertes aller materiellen Güter bewußt, zu denen sie Zugang haben, wozu nicht nur unmittelbare persönliche Vorteile zählen,

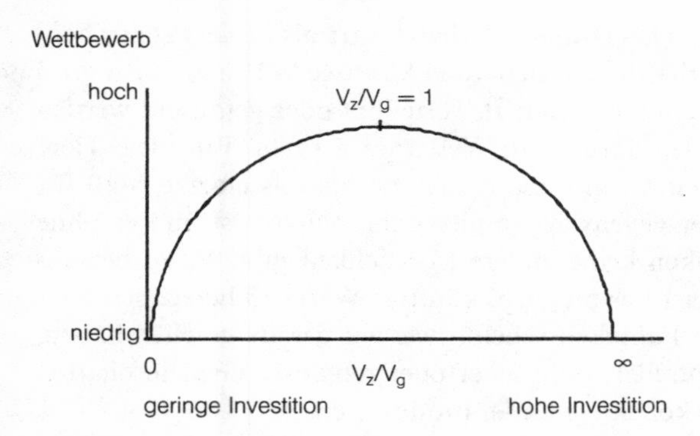

Abb. 1: Das Verhältnis von Vz/Vg und die Geneigtheit zu Konsum, Wettbewerb und Investitionen

sondern auch solche, die sich aus indirekter Reziprozität mit anderen Gemeindeangehörigen ergeben oder von kollektiven Gütern herrühren (d. h. eine Zusammenfassung der in den Tabellen 3 oder 4 dargestellten Vorteile). Setzen wir für den Nettowert dieser Vorteile in der Gegenwart V_g ein und V_z für den Wert zu irgendeinem künftigen Zeitpunkt (wobei die Anzahl von Generationen, die in die Zukunft projiziert wird, selbst eine wichtige Variable darstellt). Das Verhältnis V_z/V_g steht dann für die relative Beurteilung der Zukunft verglichen mit der Gegenwart.

Nähert sich V_z/V_g der Einheit, entspricht der Wert der gegenwärtigen materiellen Ressourcen also in etwa dem auf die Zukunft bezogenen Wert, so läßt sich ein Höchstmaß an Wettbewerb um die Kontrolle über diese Ressourcen erwarten. Sinkt V_z/V_g dagegen unter 1 und nähert sich dem Wert 0, so wird der einzelne die ihm zur Verfügung stehenden Ressourcen eher konsumieren als einen Überschuß zu verteidigen oder zu investieren. Wenn im Gegensatz dazu V_z/V_g 1 übersteigt und sich einem unendlichen Wert nähert, so wird es zweckmäßiger zu investieren und letzlich zu kooperieren als zu konsumieren und zu konkurrieren. Diese Beziehung wird in Figur 1 dargestellt.

Wenn der Wert einer Ressource nur in ihrem sofortigen Konsum liegt (der Wert V_z ist im Vergleich zu V_g sehr niedrig) wird ein Organismus soviel konsumieren wie er kann und den Rest den anderen überlassen. In einer Umwelt, die sehr ressourcenreich ist, kann es zu einer solchen Situation kommen. Gibt es aber einmal eine große Menge von Ressourcen, die ein Tier allein nicht verteidigen kann, etwa wenn es einen Hirsch erlegt hat, bezeichnet Blurton-Jones (1991) diese Verhaltensart als »tolerierten Diebstahl« und nicht als wahrhaftiges Teilen. Sind künftige Werte genauso groß wie gegenwärtige – weil ein Gut gelagert, verteidigt oder getauscht werden kann – werden die Rivalen darüber in Wettstreit geraten. Für viele Tiere fallen die meisten Ressourcen in diese Kategorie, da das einzige Maß für einen künftigen Wert der gegenwärtige physische Nutzen ist und es ohne Sprache und Vorausdenken keine andere Möglichkeit gibt, V_z zu berechnen. Dem Menschen aber ist es möglich, künftige Werte zu berechnen oder einzuschätzen, und diese Fähigkeit scheint, wie wir gerade gesehen haben, mit der Entstehung kultureller, politischer oder religiöser Gemeinschaften zusammenzuhängen, die kollektive Güter produzieren.

Ein neugeborenes Baby, das nicht die Fähigkeit hat, sich einen Begriff von künftigen Werten zu machen (das Verhältnis V_z/V_g geht gegen 0) konsumiert ohne zu konkurrieren. Ein Mönch, ein religiöser Asket oder ein politischer Revolutionär, für den die Zukunft einen unendlichen Wert aufweist, während ihm gegenwärtige materielle Güter wertlos sind (das Verhältnis V_z/V_g nähert sich einem unendlichen Wert) gibt uneingeschränkt, wobei er persönlichen Konsum und Konkurrenz mit anderen in Grenzen hält; in diesen Fällen scheint sich die Investition von Ressourcen und Energien auf ausgedehntere und weniger genau definierte Sozialgruppen zu konzentrieren. Für den heiligen Mann christlichen oder buddhistischen Glaubensbekenntnisses ist dies die gesamte menschliche Spezies. Wenngleich die meisten menschlichen Situationen zwischen diesen beiden Extremen einzuordnen sind, so gibt es doch eine große Bandbreite von Möglichkeiten, wie einzelne oder Gruppen ihre gegenwärtige Befriedigung und ihre künftigen Hoffnungen beurteilen.

Man tut gut daran, sich auf die politischen Implikationen in solchen Situationen zu konzentrieren, in denen V_z den Wert V_g weit übersteigt. Ist zu erwarten, daß der künftige Wert von Ressourcen viel größer ist als der gegenwärtige, so wird es sinnvoll, zu investieren und materielle Güter zu verteidigen, auch wenn einen dies viel kostet. Man denke an die Motivation der Europäer, die Nordamerika vom 16. bis zum 19. Jahrhundert besiedelten. Solche Investitionen mögen auf Berechnungen der Vorteile für die eigene Nachkommenschaft durch den einzelnen zurückgehen, die Logik eines sehr hohen V_z/V_g-Verhältnisses wird aber, besonders dann, wenn V_z auch künftige Generationen mit einschließt, Investitionen in Kollektivgüter wie die soziale Infrastruktur begünstigen, wie sie von den Schulen in unserer fiktiven Stadt symbolisiert wird (siehe Tabellen 2 bis 4). Die Ursache hierfür ist hervorzuheben, da sie unmittelbar mit der Erschaffung,

Ausweitung oder Einengung der symbolischen Erkennungszeichen für fiktive Verwandtschaft verknüpft ist.

Wenn ich auf lange Sicht meinen Reproduktionserfolg steigern möchte, indem ich meinen Kindern – oder sogar meinen Enkelkindern – Ressourcen übertrage, so kann ein hohes V_z/V_g-Verhältnis nepotistischen Investitionsstrategien Aufschwung geben. Projiziert man die Zukunft auf die vierte, fünfte oder nte Generation, so erzielt man einen paradoxen Effekt: mit jeder Generation nähert sich mein Verwandtschaftskoeffizient gegenüber jedem unmittelbaren Nachkommen dem Koeffizienten gegenüber jedem beliebig ausgewählten Gruppenmitglied. Der Unterschied zwischen fiktiver Verwandtschaft und direkter Abstammung oder Verwandtschaft in einer Nebenlinie wird zunehmend geringer, je weiter man in die Zukunft hineinkalkuliert (Tabelle 5).

Plant jemand vier oder fünf Generationen voraus, so wird es zudem schwierig vorherzusehen, wer von den eigenen Nachkommen oder Enkelkindern seinerseits Urenkel haben wird, in die es sich zu investieren lohnt. Wird V_z also auf die sehr ferne Zukunft ausgedehnt und liegt der Wert V_z/V_g hoch, so ist es vernünftiger, in kollektive Güter zu investieren (die man mit jedem teilt, der die eigenen Gene trägt), als den Versuch zu unternehmen, die Reproduktionslotterie zu kontrollieren, indem man in einzelne investiert. Es ist kein Zufall, daß die sehr Wohlhabenden den

Tabelle 5: Generationentiefe, Abstammung und fiktive Verwandtschaft

Generation	Art der Verwandtschaft	Verwandtschaftskoeffizient	Verhältnis zur fiktiven Verwandtschaft (r = 0,0002)	Art der Verwandtschaft	Verwandtschaftskoeffizient	Verhältnis zur fiktiven Verwandtschaft
1	selbst	1,0	5000	Vetter	0,25	1250
2	Kind	0,5	2500	Kind des Vetters	0,125	625
3	Enkel	0,25	1250	Enkel des Vetters	0,0625	312
4	Urenkel	0,125	625	Urenkel des Vetters	0,0312	156
5	Ururenkel	0,0625	312	Ururenkel des Vetters	0,0156	78

Universitäten, Museen und anderen Wohlfahrtseinrichtungen große Vermächtnisse hinterlassen, sobald sie ihre eigenen Nachkommen gut versorgt glauben – besonders dann, wenn dadurch einem Gebäude oder öffentlichen Monument der Familienname verliehen wird.

Fiktive Verwandtschaft – die Ausdehnung der Erkennungszeichen auf die große Bevölkerung eines Nationalstaates – dient dazu, mythische Verweise auf Vergangenheit und Zukunft zu begünstigen. Die Führer sprechen sowohl von künftigem Fortschritt (»*les lendemains qui chantent*«), als auch von einem gemeinsamen Erbe: Patriotismus, die Flagge, Kultur, Geschichte und der Verband der Mitbürger. Aber – und es ist ein entschiedenes *aber* – solche Appelle und die psychologische Haltung, die sie reflektieren, sind nie vom Fluß der Ereignisse zu trennen. Während ein Wirtschaftswissenschaftler die Kurve in Figur 1 zu irgendeinem Zeitpunkt betrachten kann, müssen aus evolutionärer Sicht die *Veränderungen* des gegenwärtigen und künftigen Wertes der materiellen Ressourcen betont werden.

Erst jetzt können wir uns dem Paradoxon zuwenden, von dem wir ausgegangen sind. War V_z/V_g sehr hoch, so werden die Bürger ermutigt, hart zu arbeiten, zu investieren und sich der Verbesserung der politischen Gemeinschaft zu widmen. Die Ideologie des Marxismus dehnte das Prinzip der fiktiven Verwandtschaft auf eine unmittelbare Reziprozität mit allen Proletariern der Welt aus (»Arbeiter aller Länder vereinigt euch! Ihr habt nichts zu verlieren als euren Ketten«). In der leninistisch-stalinistischen Phase des »Aufbaus des Kommunismus« wurde die Gegenwart geopfert, um eine bessere Zukunft zu schaffen. Das enorme Mißverhältnis zwischen V_z und V_g trug zum Austausch der ursprünglichen deutlichen Erkennungszeichen für Kooperation bei: Nationalität, Religion, Ethnizität, Sprache und Territorium wurden übertönt vom ideologischen Bekenntnis zu den Erkennungszeichen Kommunismus und Parteizugehörigkeit.

Bei der letzten Generation Osteuropas ist der Wert der gegenwärtig verfügbaren Güter (V_g) *gestiegen.* Paradoxerweise hat gerade diese Verbesserung der materiellen Lebensbedingungen den institutionalisierten Kommunismus zerstört: Als V_g stieg, fingen die Leute an, V_g und V_z in »realistischer« Art und Weise zu bewerten. Unbequemlichkeiten und eine Knappheit an Vorräten, die noch eine Generation früher notwendig erschienen waren, wurden jetzt als das Ergebnis menschlicher Fehler und vermeidbarer Ineffizienz betrachtet. Zukunftsziele wurden zurückgesteckt, als an Stelle der Ideologie, Korruption und Eigeninteresse der Führungselite entdeckt wurde. Der Bedarf an technischen Fachkenntnissen als

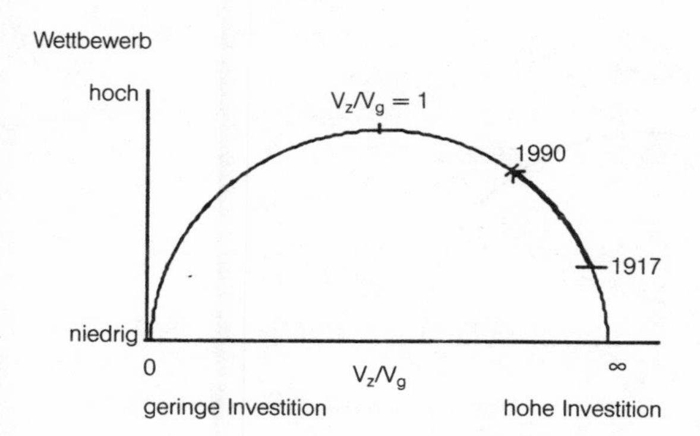

Abb. 2: Hypothetische Veränderung des Verhältnisses von V_z/V_g in Osteuropa

Voraussetzung zur Verbesserung der materiellen Bedingungen steigerte die Fähigkeit, sowohl Zukunft als auch Vergangenheit realistischer einschätzen zu können. Eine Steigerung von V_g führt daher zu einem Sinken von V_z und eine Verschiebung im Verhältnis V_z/V_g führt von den leninistischen Werten (die gegen unendlich gehen) zu denen einer Wettbewerbssituation (1). Diese Veränderung wird in Figur 2 symbolisch dargestellt.

Die universellen Erkennungszeichen, die mit der kommunistischen Ideologie verknüpft und für ein sehr hohes V_z/V_g Verhältnis typisch sind, werden jetzt psychologisch unhaltbar. Investitionen in eine Zusammenarbeit können nur dann Unterstützung finden, wenn sie sich auf eine Gemeinschaft richten, deren fiktive Verwandtschaft enger gefaßt und glaubwürdiger ist. Vorhergegangene historische Ereignisse – man möchte fast sagen *beliebiger* Art – reichen hierfür aus. Ethnische und nationale Bindungen, die unterdrückt oder verborgen waren, Religion (der von einem polnischen Papst unterstützte polnische Katholizismus, lutheranische Pastoren in Ostdeutschland, die russisch-orthodoxe Kirche), Sprache und sogar vergessene Symbole der Ethnizität – ältere Erkennungszeichen, die mit engeren Gruppen und weniger exzessiven Appellen zum sofortigen Selbstopfer assoziiert sind – gelangen wie durch Zauberhand zu enormer Macht. Es ist kein Zufall, daß die Rückbenennung von Leningrad in St. Petersburg gerade dann ein heikles Thema wurde, als man versuchte, den Umfang der Marktwirtschaft auszuweiten und den bankrotten kommunistischen Staat zu reformieren. Diese Veränderung ist in Figur 2 dargestellt.

Im Gegensatz dazu spiegelt sich in der Entwicklung der Europäischen Wirtschaftsgemeinschaft eine Phase des langsamen Wachstums von vor-

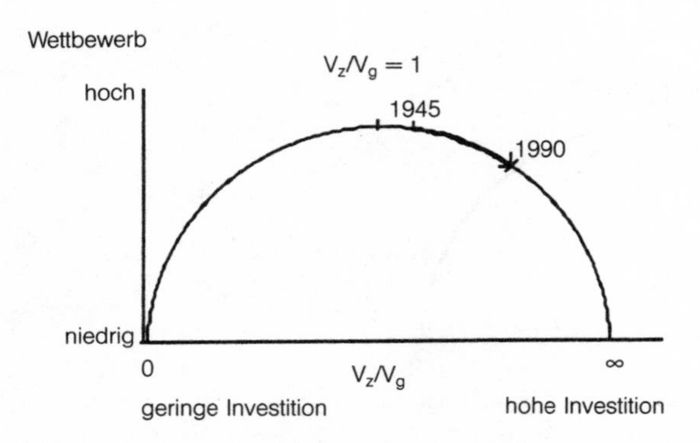

Abb. 3: Hypothetische Veränderung des Verhältnisses von V_z/V_g in Westeuropa

sichtigem Optimismus wider. Nach dem Zweiten Weltkrieg ist der historische Pessimismus der 30er Jahre allmählich einem größeren Selbstvertrauen gewichen. Die Zukunft, auf die die Franzosen, Engländer oder Italiener im Jahr 1945 hinplanten, war das Essen am nächsten Samstag. Jetzt ist es das 21. Jahrhundert. Als V_g anstieg, stieg V_z ebenfalls an, um Schritt zu halten; und jetzt, da sich der gegenwärtige Wert materieller Vorteile mit den Hoffnungen der gegenwärtigen Generation trifft, richtet sich das Selbstvertrauen darauf, den künftigen Wohlstand zu vergrößern. Diese Veränderung wird in Figur 3 dargestellt.

Die Figuren 2 und 3 sollen veranschaulichen, wie sich der gleiche Wert von V_z/V_g sowohl als Ergebnis einer Veränderung bei einem höheren Verhältniswert (Osteuropa), als auch bei einem niedrigeren (Westeuropa) einstellen kann. Im ersten Fall werden die Erkennungszeichen für die wichtigen politischen Gemeinschaften schrumpfen, im zweiten Fall werden sie sich ausdehnen. In beiden Fällen sind die Erkennungszeichen jedoch gleichermaßen symbolisch, wenn nicht sogar mythisch: »Europa« ist genauso viel oder wenig eine Fiktion wie »Litauen« oder »Kroatien«.[6] Ein gemeinsamer psychologischer Prozeß läßt sich somit in den scheinbar widersprüchlichen Ereignissen des letzten Jahrzehnts erkennen.

---

[6] Um dies nicht als Übertreibung erscheinen zu lassen, sollten wir uns daran erinnern, daß Europa im Mittelalter – Die Respublica Christiana – genauso viel oder mehr kulturelle Einheit aufwies, als die heutigen »Nationalitäten«.

Schlußfolgerung

Politische Beobachter, Journalisten und nationale Führer zeigten sich allesamt erstaunt über die plötzlichen Veränderungen, die der sowjetischen Dominanz in Osteuropa ein Ende setzten. Ein unerwarteter Umschwung von so massivem Gewicht legt den Schluß nahe, daß unter den anscheinend soliden Fakten wirtschaftlicher Statistiken, militärischer Macht oder politischer Institutionen tiefe aber nur unzureichend verstandene Emotionen und Empfindungen liegen. Genauer gesagt scheinen die von den Menschen geschaffenen Mythen und Symbole bei der Festlegung des Umfangs politischer oder wirtschaftlicher Gemeinschaften eine größere Rolle zu spielen, als Wirtschaftswissenschaftler und politische Wissenschaftler erkannt haben.

In diesem Aufsatz habe ich zu zeigen versucht, daß die Evolutionstheorie für das Verständnis dieser Vorgänge von besonderer Bedeutung ist. Für Säugetiere wie für Menschen ist es untypisch, Fremden unterschiedslos zu helfen. Die Institutionen des zentralistischen Staates, die dem Bürger, Steuerzahler und Soldaten solches Hilfsverhalten abverlangen, sind verhältnismäßig neue und erstaunlich zerbrechliche Erscheinungen im breiten Spektrum der menschlichen Geschichte. Erst wenn dieser Umstand vollkommen verstanden wird, können wir erkennen, in welcher Weise die mythischen Erkennungszeichen – wie etwa fiktive Verwandtschaft in modernen Nationen – als Basis für die Entwicklung der wirtschaftlichen und sozialen Infrastrukturen dienen, von denen umfangreiche Märkte abhängen.

Die Einschätzung von Zukunft und Vergangenheit wurde durch die Entwicklung der menschlichen Intelligenz und des menschlichen Bewußtseins möglich. Aber diese Transformationen von Primärmechanismen, mit Hilfe derer andere Primaten verschiedene Verhaltensstrategien und Sozialstrukturen geschaffen haben, haben ihren Preis. Mythen und Symbole ermöglichen es dem Menschen, bisher nie dagewesenen Wohlstand zu entwickeln und die Kontrolle über Umweltzusammenhänge zu erlangen. Dieselben Mythen und Symbole ermöglichen es den Menschen aber auch, sich und andere in nie gekanntem Ausmaß zu täuschen. Ob unsere Zivilisation weiterhin gedeihen oder infolge überzogener Hoffnungen und exzessiven Zwangs zusammenbrechen wird, bleibt das entscheidende Thema des kommenden Jahrhunderts. Vielleicht kommt es zu einem günstigeren Ausgang, wenn wir verstehen können, wie die westeuropäischen Institutionen unter dem Einfluß derselben Faktoren expandieren können, die in derselben historischen Epoche zur Desintegration Osteuropas geführt haben.

Anhang:
Die Analyse politischer Institutionen aus biologischer Sicht

Die Existenz zentralistischer Regierungen (oder »des Staates«) ist problematischer als es zunächst erscheinen mag. Während der Evolution der Hominiden lebte unsere Spezies zu 99% in überschaubaren Gruppen mit höchstens 50 bis 100 Mitgliedern. Unsere nächsten Verwandten unter den Primaten – Schimpansen, Orang-Utans und Gorillas – bilden Gruppen derselben Größe. Auch in der Industriegesellschaft übersteigen die Arbeitsgruppen in Büros, Schulen, Armeen und Fabriken selten diese Größenordnung. Wir Menschen ertragen vielleicht unpersönliche Menschenansammlungen während wir zur Arbeit gehen, nach Hause zurückkehren, einer Veranstaltung oder einem sportlichen Ereignis beiwohnen, wir investieren aber nur selten Zeit und Energie in die Unterstützung anonymer Fremder. Regierungen verschaffen Vorteile – Bestrafung von Straftätern, Entwicklung einer wirtschaftlichen Infrastruktur, Verteidigung gegen Bedrohung durch Fremde – in Form »kollektiver Güter«, an denen alle Mitglieder einer Gemeinschaft, die in die Millionen geht, teilhaben. Es ist wichtig, die Hindernisse zu erkennen und zu verstehen, denen sich solche Institutionen gegenübersehen.

Der zentralistische Staat, besonders wenn er mit Marktwirtschaft und Zusammenarbeit anonymer »Bürger« verknüpft ist, ist seit der frühen Entstehung einer systematischen politischen Theorie ein Rätsel geblieben. Wie die Sophisten im alten Griechenland hervorhoben, können alle Vorteile, die man dadurch erzielen kann, daß man den Gesetzen des Staates gehorcht, vergrößert werden, indem man nach außen hin konform geht, im geheimen aber betrügt. Es ist gut, wenn Sie ihre Steuern zahlen, aber besser, wenn Sie die Steuerbehörde hintergehen. Helden sterben für ihr Land, die Schlauen aber erwirken einen Einberufungsaufschub und verdienen an der Heimatfront Geld. Was die modernen Wirtschaftstheorien und die Theorien über freie Wahl anbelangt, sollte eine Berechnung der Kosten und Vorteile den einzelnen in seinem eigenen Interesse dazu verleiten, ein Trittbrettfahrer für Kollektivgüter zu werden und so alle Vorteile der Gemeinschaft zu erhalten, ohne sich an irgendwelchen Kosten zu beteiligen.

Wann ist es vernünftig, das Gesetz zu befolgen oder sich altruistisch zu verhalten? Diese Frage steht im Mittelpunkt des Dialogs zwischen Sokrates und Thrasymachus im ersten Buch von Platos *Der Staat*. Ihr sind berühmte Denker wie Hobbes, Locke, Rousseau, Kant, Hegel und in unserer Zeit von Philosophen wie John Rawls, Wirtschaftswissenschaftler wie Friedrich von Hayek oder Ökologen wie Garrett Hardin nachgegangen. Praktisch geht es bei dieser Frage darum, warum Menschen ihr Schicksal manchmal an einen zentralistischen Staat binden und manchmal gegen diesen rebellieren. Da die Frage schon seit über 2500 Jahren diskutiert wird, scheint es fast, als hätten die Gelehrten der historischen Erklärung der fluktuierenden Rolle der ethnischen oder nationalen Identität, die man heute in Ost- und Westeuropa beobachten kann, nichts hinzuzufügen.

Eine evolutionäre Sichtweise kann aus drei Gründen zum Verständnis dieses Problems beitragen. Erstens, während politische Theoretiker und Philosophen gewöhnlich versuchten, Pflichten durch abstrakte logische Betrachtungen über die Natur des Menschen zu erklären, studieren Biologen die Variationen sozialen Verhaltens bei Tieren in Relation zur Ökologie und zu den jeweils für eine Spezies typischen Charakteristika oder Verhaltensweisen. Genauer gesagt unterscheidet sich diese neue Methode von früheren Bemühungen, eine Staatstheorie zu konstruieren, da sie sich auf die Interaktionen zwischen der derzeitigen Umgebung, der Geschichte und den psychologischen Erwartungen konzentriert. Die evolutionäre Sichtweise verspricht daher im Ergebnis Einsichten über den Aufstieg und Fall von Staaten, sowie Erklärungen für die oftmals verwirrenden Verhaltensunterschiede nach Klasse, Alter oder Geschlecht (Masters, 1989a,b; Schubert; 1989, Schubert & Masters, 1991).

Andererseits stützen Biologen ihre Verhaltensvorhersagen auf Kosten/Nutzen-Erwägungen, ähnlich wie die Wirtschaftswissenschaftler dies tun, mit der Ausnahme, daß die *Ursachen* für individuelle Vorlieben oder Geschmäcker in der Wirtschaftstheorie gewöhnlich als gegeben vorausgesetzt werden, während sich eine evolutionäre Analyse des Sozialverhaltens gerade auf solche Überlegungen konzentriert (Hirshleifer, 1987; Getty, 1989). Die Verhaltenswissenschaften können deshalb erklären, warum Menschen manchmal investieren und manchmal konsumieren und warum manche Einzelpersonen oder Gruppen Terrorismus, Krieg und Haß wirtschaftlicher Zusammenarbeit und politischer Entwicklung vorziehen.

Der dritte Vorteil der neo-darwinistischen Biologie liegt darin, daß sie formale oder mathematische Modelle (parallel zu denen der Wirtschaft oder Spieltheorie) mit erläuternden und experimentellen Studien über die Mechanismen kombiniert, die das tatsächliche Verhalten kontrollieren (womit sich die Psychologie und die Neurowissenschaften befassen). Verhaltenswissenschaftler setzen sich mit der Art und Weise auseinander, wie Tiere ihre soziale und natürliche Umwelt wahrnehmen und auf diese reagieren. Da sich die ethologische Forschung während der letzten 20 Jahre auch auf unsere Spezies erstreckt hat, wurde offenkundig, daß der Mensch von ähnlichen Mechanismen beeinflußt wird (Gruter, 1991). Deshalb integrieren die in diesem Buch vorgestellten Methoden verschiedene Arten der Analyse und treffen gleichzeitig bestimmte Voraussagen, die im allgemeinen, wie die Aussagen der Naturwissenschaften, prinzipiell durch Experiment oder Erfahrung überprüft werden können.

Die Analyse menschlicher Angelegenheiten aus der Sicht der Verhaltenswissenschaften ist allerdings großenteils mißverstanden worden, insbesondere von denen, die nichts von der Komplexität der neo-darwinistischen Evolutionstheorie und der aus ihr abgeleiteten Disziplinen wissen. Im Denken der Allgemeinheit bedeutet Evolution Biologie, Biologie bedeutet Genetik und Genetik bedeutet Determinismus. Keine dieser einfachen Gleichungen ist zutreffend. Evolution bedeutet das Studium der *Geschichte* von *Populationen* von *Organismen* in ihrer *Anpassung* an wechselnde *Umweltbedingungen* und ihrer Beeinflussung des *ökologischen Systems*, von dem sie ein Teil sind. Jeder der hervorgehobenen Begriffe ist wichtig: *Geschichte*, da Evolution steten Wechsel bedeutet – und wie man am Aussterben sehen kann, nicht notwendigerweise eine Verbesserung bedeutet; *Populationen*, da evolutionäre Vorgänge mehr mit Wahrscheinlichkeiten und Möglichkeiten zu tun haben, als mit Sicherheit und Determinismus; *Organismen*, da lebende Dinge komplexe Systeme darstellen, in denen dieselben Ursachen, seien diese genetischer oder umweltlicher Natur, bei verschiedenen Einzelwesen oft verschiedene Wirkungen zeitigen; *Anpassung*, da die natürliche Auslese die Kosten und Vorteile verschiedener Alternativen gegeneinander abwägt und, wenn auch oft in unvollkommener Weise, die erfolgversprechendste durch Nachwuchs favorisiert; *Umweltbedingungen*, da Lebensvorgänge nie abstrahiert und von einer sich verändernden Welt abgetrennt werden können; *ökologische Systeme*, da verschiedene Spezies oft auf eine Art und Weise interagieren, durch die sie einander und auch die Umwelt als ganzes verändern. Dank dieser Komplexität stellt die evolutionäre Sichtweise viele der gängigen Annahmen über die menschliche Natur in Frage, wie sie von Politologen, Wirtschaftswissenschaftlern oder Verhaltenspsychologen – ganz zu schweigen von Journalisten oder Politikern – vertreten werden.

Warum befolgen Menschen also das Gesetz oder allgemeiner gefragt, wann ist der einzelne eher hilfsbereit oder altruistisch, obwohl er vom Egoismus profitieren könnte? Das in Frage stehende Grundprinzip betrifft den Zweck kooperativen Verhaltens. Da die natürliche Auslese diejenigen Individuen begünstigt, die mehr Nachwuchs hinterlassen, könnte man erwarten, daß Tiere immer so selbstbezogen sind, wie der in der politischen und wirtschaftlichen Theorie weitverbreitete rationale Egoist. Während manche Spezies asoziales oder »selbstsüchtiges« Verhalten an den Tag legt (das Waldmurmeltier, das sich beim Erblicken eines Raubtiers versteckt, aus Furcht, ein Alarmschrei könnte einen Angriff auslösen), zeigen andere ein helfendes Verhalten auf eigene Kosten (die Paviane, welche die Gruppe durch Bedrohen oder sogar Angreifen eines beutesuchenden Leoparden verteidigen). Diese Varianten lassen sich anhand verschiedener Verhaltenskategorien erklären, mit Hilfe derer sich bestimmte Arten von kooperativen Strategien und die Partner, auf die diese in der Regel ausgerichtet werden, definieren lassen.

Zur Darstellung der evolutionären Sichtweise im Hinblick auf die Expansion und Kontraktion politischer Gemeinschaften, ist es erforderlich, kurz Umfang und Ausmaß solcher Kooperationsstrategien darzustellen und zu zeigen, in welcher Beziehung diese zu menschlichen Gemeinschaften und Regierungen stehen. Nach Ansicht moderner Evolutionstheoretiker kommt es unter folgenden Umständen zu einer sozialen Kooperation:

Nepotismus (Verwandtschaft). Da der Lohn natürlicher Auslese im genetischen Beitrag eines Lebewesens zu künftigen Generation liegt, muß sich das Verhalten nicht darauf beschränken, das Leben des eigenen Organismus zu unterstützen oder sogar eigenen Nachwuchs zu haben. Wie Hamilton (1964) in seinem die moderne Evolutionstheorie prägenden Modell dargestellt hat, kann es zu aufwenidger Kooperation oder einem scheinbaren Selbstopfer kommen, wenn die Begünstigten einen ausreichend großen Genanteil mit dem Helfer gemeinsam haben. Einfach ausgedrückt, die offensichtlichsten Partner für eine Kooperation sind verwandt: je näher die Verwandtschaft, um so größer der Anreiz zu kooperieren und anderen zu helfen.

Unmittelbare Reziprozität (Bekannte Partner). Wenn die Wahrscheinlichkeit besteht, daß die Rollen getauscht und ein erwiesener Gefallen erwidert wird, so können helfendes Verhalten und Kooperation auch dann vernünftig sein, wenn sie sich an Nicht-Verwandte richten. Bei dieser von Trivers (1971) als »reziproker Altruismus« bezeichneten Form gegenseitiger Vorteilsverschaffung geht es um eine unmittelbare Reziprozität zwischen Gebendem und Empfangendem, was in der Regel voraussetzt, daß die Partner bekannt sind oder einander erkennen können.

Mittelbare Reziprozität (Gruppenmitglieder). Wie Alexander (1987) bemerkt hat, läßt sich das Modell von Trivers auch auf ein helfendes Verhalten beziehen, bei dem der Vorteil darin liegt, daß sich der Helfende eine günstige Reputation erwirbt. Hierfür müssen die Beteiligten der gleichen Gruppe oder dem gleichen sozialen Netzwerk angehören, der Gebende muß aber keine unmittelbare persönliche oder genetische Verwandtschaft mit dem Empfänger aufweisen. Diese mittelbare Reziprozität nimmt die Form einer *sozialen Verpflichtung* an, wenn sie auf persönlichen aber informellen Gruppenzwängen beruht: Belohnung durch sozialen Status und Bestrafung durch Ächtung (Gruter und Masters, 1986).

Rechtliche Verpflichtungen (Mitbürger). Wenn die sozialen Pflichten durch das *Gesetz* definiert und geltend gemacht werden und dieses von einem zentralistischen Staat angewendet wird, so liegen die Kosten einer Nichteinhaltung in einer formellen Bestrafung. Ein solches Sozialsystem macht es möglich, Beiträge zu kollektiven Gütern, die einer viel größeren Bevölkerung zugutekommen, zu erzwingen (gleich ob es sich dabei um eine sozioökonomische Infrastruktur oder um militärische Verteidigung handelt). Während der Umfang einer Gruppe, die auf informelle Weise mittelbare Reziprozität zustandebringt, durch die Fähigkeit begrenzt wird, egoistische »Trittbrettfahrer« zu identifizieren und auszuschließen, können Staaten die Überwachung und Bestrafung abweichenden Verhaltens delegieren und so das Ausmaß sozialer Kooperation vergrößern (Margolis, 1982).

»Reiner« Altruismus (Nicht unterscheidende Hilfeleistung). Die mit Hilfe der Evolutionstheorie am schwersten erklärbaren Formen der Kooperation und Hilfeleistung betreffen ein Verhalten, durch das unbekannte und nicht verwandte Personen profitieren, wobei diese aufwendige Handlung nicht beobachtet oder bekannt wird. Wenn dieser Altruismus durch religiöse Lehren ermutigt wird, die ewige Belohnung für Tugendhaftigkeit und ewige Bestrafung für Lasterhaftigkeit versprechen – bewacht und gerichtet von einer göttlichen Allwissenheit – könnte man Altruismus dann als eine Form mittelbarer Reziprozität einstufen, die nach dem Leben durch göttliche, nicht durch menschliche Herrscher erfüllt wird. Diese Kategorie, die im allgemeinen bei anderen Lebewesen nicht zu beobachten ist, wurde von den Weltreligionen entwickelt, bleibt aber mehr ein Bestreben, als eine allgemeine Realität.

Die Ausdehnung des Netzwerkes sozialer Kooperation auf immer größere Gruppen verdrängt jedoch nicht die von unseren Vorfahren aus der Familie der Primaten ererbten engeren Formen der Hilfeleistung. Zum Entstehen von mittelbarer Reziprozität, rechtlicher Verpflichtung und reinem Altruismus, entsprechend den Institutionen von Stammesgesellschaften oder ethnischen Gesellschaften, zentralistischen Staaten und Weltreligionen, kann es durch Überlagerung von Kooperation und helfendem Verhalten innerhalb der Familie (Nepotismus) und in reziproken Beziehungen (Freundschaft und Marktwirtschaft) kommen. Unter den gegenwärtigen Umständen engagieren sich die meisten Menschen in gewisse Formen »kostenintensiven« Hilfeverhaltens auf allen diesen Ebenen.

In diesem Kontext kann die Evolutionsbiologie wahrscheinlich zum Verständnis der Ausweitung und des Zusammenbruchs von Staaten sowie der Aktivierung oder des Verschwindens von ethnischen Bindungen beitragen. Verhaltensökologen analysieren den Umfang kooperativer Gruppen hinsichtlich der relativen Kosten und Vorteile verschiedener Verhaltensweisen unter bestimmten Umweltbedingungen. Ethologen übersetzen die formalen Modelle der Verhaltensökologie in »Primärmechanismen«, die Kooperation herbeiführen. Die Entdeckung der »Erkennungszeichen« ist dabei von besonderer Bedeutung, da sie es einem Individuum erlauben, diejenigen zu identifizieren, welche die Kriterien für Nepotismus und unmittelbare oder mittelbare Reziprozität erfüllen. Will man diesen methodischen Ansatz auf den Menschen anwenden, so muß man sich auf die verschiedenen Arten der Identifizierung potentieller Partner für Kooperation und Hilfeleistung konzentrieren.

Die Evolutionstheorie erlaubt die Vorhersage, daß der Umfang der Gruppen, in denen Menschen kooperieren, sich fortlaufend verändert und daß die Gründe für diese Veränderungen verstanden werden können. Gemeinschaften expandieren und schrumpfen als Reaktion auf das subtile Verhältnis der Vor- und Nachteile von Kooperation und Kampf im Namen von Nationen, Stämmen und Religionen. Zentralistische politische Institutionen, die große anonyme Bevölkerungsgruppen regieren, können nur dann überleben, wenn die einzelnen bereit sind, im Namen von Abstraktionen zu sterben und Steuern zu zahlen. Sogar Menschen, die vorgeben, »vernünftig« zu handeln, sind sich oft der Ursachen für ihre Bindungen nicht bewußt. Letzlich liefert das psychologische Haften an Mythen und Symbolen den Schlüssel zur Erklärung des Paradoxons der wirtschaftlichen Integration Westeuropas und der politischen Desintegration Osteuropas.

Das *Prinzip* dieser Analyse besagt also, daß wir das Wachstum und den Zusammenbruch politischer, sozialer und wirtschaftlicher Institutionen verstehen können, wenn wir die Ursachen für menschliche Bindungen an verschiedene Gruppen aufdecken. Diese Ursachen sind wiederum mit den sich verändernden Kosten und Vorteilen von Nepotismus, (unmittelbarer oder mittelbarer) Reziprozität, rechtlich erzwungenen Verpflichtungen gegenüber anderen und reinem Altruismus verknüpft. Die Psychologie – die emotional befrachtete Wahrnehmung von Eigeninteresse und sozialer Zugehörigkeit – hat ihre Gründe, auch wenn (und höchstwahrscheinlich gerade wenn) die beteiligten Einzelpersonen den Beobachtern menschlichen Ereignisse von wilder Irrationalität getrieben zu sein scheinen.

Durch dieses Prinzip müssen anscheinend irrationale und destruktive Verhaltensweisen eine Erklärung finden, wie das Verhalten der IRA-Terroristen, die Explosion von Euphorie angesichts der Zerstörung der Berliner Mauer (und die nüchternen Nachgedanken in Deutschland), die Angst von Jean-Marie LePen, daß ausländische Arbeitnehmer die nationale Integrität und Ehre Frankreichs zerstören könnten, der Ausbruch des jahrhundertealten Haßes zwischen Serben und Kroaten, Tschechen und Slowaken oder Armeniern und Aserbaidschanern, sowie der optimistische Glaube, daß die politische Vereinigung der EWG für Westeuropa und die zivilisierte Welt eine sichere und fruchtbare Zukunft schaffen werde.

Sprache und Förderalismus

George P. Fletcher

Verglichen mit den Vereinigten Staaten weist Europa vom Atlantik bis zum Ural ein auffälliges Charakteristikum auf, nämlich seine sprachliche und kulturelle Vielfalt. Die zwölf Nationen der Europäischen Gemeinschaft sprechen zehn Hauptsprachen, deren Anhänger stolz auf ihre jeweilige Literatur und ihre Lexika sind, die sie von ihren Nachbarn abheben. Im Osten der Gemeinschaft befinden sich zwischen neun bis etwa zwanzig weitere Länder, die sich von der *Pax Sowjetica* befreit haben oder gerade im Prozeß ihrer Befreiung begriffen sind. Einige von ihnen bemühen sich um Aufnahme in die europäischen Institutionen, insbesondere in den Europarat mit Sitz in Straßburg und in die Europäische Gemeinschaft mit Sitz in Brüssel. Bei der Planung der europäischen Wirtschaftsentwicklung gilt es im Auge zu behalten, daß diese kulturelle Vielfalt auch weiterhin bestehen wird.

1948, als es den Deutschen und den Italienern schlecht anstand, kulturelle Ansprüche zu stellen, gelang es dem Europarat (der zuletzt annähernd 25 Mitglieder hatte, wozu Ungarn, die Tschechoslowakei und Polen zählten), in seiner Charta die sprachliche Vielfalt auf Französisch und Englisch zu beschränken. Rechtsansprüche, die gemäß der Europäischen Menschenrechtskonvention geltend gemacht wurden, mußten in einer dieser beiden Sprachen abgefaßt sein. Der Vertrag von Rom, durch den die Europäische Gemeinschaft in den späten 50er Jahren gegründet wurde, konnte die sprachliche Kakophonie nicht in der gleichen Weise eingrenzen. Alle zehn Sprachen der gegenwärtigen Mitglieder sind offiziell, wenngleich im täglichen Geschäftsgang nicht mehr als vier (Englisch, Französisch, Deutsch und Italienisch) Verwendung finden. Aus mehreren Quellen ist mir bekannt, daß in der Tat die Sprachen Englisch und Französisch am ehesten die Unterredungen in Brüssel dominieren. Die Deutschen haben allerdings kürzlich den Anspruch erhoben, mit jener Sprache Gehör zu finden, die mittlerweile mehr Menschen als Muttersprache dient, als irgendeine andere europäische Sprache.

Es steht noch nicht fest, daß die Beschränkung auf die Sprachen Französisch und Englisch, wie sie offiziell für den Europarat und inoffiziell für die

Behörden der Gemeinschaft in Brüssel gilt, von Dauer sein wird. In beiden Organisationen gibt es jetzt mehr Deutschsprachige als Muttersprachler anderer Nationen. Im Grunde spricht nichts dafür, daß Deutschsprachige ihre Rechtsfälle in Straßburg oder ihre Ansprüche in Brüssel in einer Fremdsprache vorbringen oder verhandeln sollten. Auch der wachsende Einfluß der englischen Sprache stärkt die Position der Deutschen, denn die Franzosen neigen dazu, wie man behauptet, sich auf die Seite der Deutschen zu stellen, um eine Dominanz ihres Hauptkonkurrenten zu verhindern.

Die Sprachenvielfalt unterminiert offenbar die Effizienz einer freien Handelszone. Die Europäische Gemeinschaft wendet – wie aus verschiedenen Quellen berichtet wird – 50% ihres Haushaltsbudgets für Übersetzungskosten auf. Die Kosten vor Ort liegen sogar noch höher. Etiketten müssen in zahlreichen Sprachen gedruckt werden. Gebrauchshinweise müssen einem breiten Spektrum potentieller Verbraucher verständlich gemacht werden. Arbeiter können nicht so leicht von Land zu Land reisen. Manager können nicht mit ihren Gastarbeitern kommunizieren. Nur wenn man über die gegenwärtig in Europa verbreitete Kakophonie nachsinnt, lernt man als Amerikaner die Wichtigkeit einer einzigen Sprache schätzen, wenn es darum geht, ein hohes Maß an Mobilität für Arbeitskräfte, Produktion und Handel zu schaffen.

Die Zukunft Europas wird sich voraussichtlich noch komplizierter gestalten, als die Gegenwart. Leitprinzip der wirtschaftlichen Integration in die Europäische Gemeinschaft ist die freie Beweglichkeit von Kapital und Arbeitskräften. Der Gerichtshof der Gemeinschaft in Luxemburg hat den Vertrag von Rom so weit ausgelegt, daß die freie Beweglichkeit für Familienmitglieder und sogar für diejenigen garantiert wird, die nur auf der Suche nach einem Arbeitsplatz sind.

Unter diesen Umständen ist die wirtschaftliche Gleichschaltung in der EG nur eine Frage der Zeit. Als die freie Mobilität in den Vereinigten Staaten kulturelle Anerkennung fand, stieg das pro Kopf Einkommen im ehemals armen Süden sehr rasch auf den nationalen Durchschnitt an. Eine solche Veränderung hat allerdings sowohl kulturelle wie auch rechtliche Voraussetzungen. Die Südstaatenbewohner mußten bereit sein, wegzuziehen und die Investoren mußten bereit sein, sich südwärts zu wenden. Der Zweite Weltkrieg und die Bürgerrechtsbewegung mögen notwendige Vorbedingungen für die veränderte Haltung der Investoren gewesen sein, die eine solche wirtschaftliche Angleichung herbeigeführt haben.

Die EG-Kommission kann die Voraussetzungen für einen freien Kapitalfluß dadurch sicherstellen, daß sie einheimische Wirtschaftssysteme überwacht und im Gegenzug für die Gewährung von Darlehen und Kreditsicherungen Veränderungen fordert. Diese Art von Supervision wurde kürzlich im Falle des Mitgliedsstaates Griechenland, wegen der abweichenden Art seines Wirtschaftsmanagements, eingesetzt. Wie das amerikanische Verhalten gegenüber den Südstaaten beweist, hängt die Frage, ob Kapital in unterentwickelte Gebiete fließen wird und Arbeiter zu verfügbaren Arbeitsplätzen ziehen werden, von vielen Faktoren und nicht nur von rechtlichen Strukturen ab.

Was Kapitalinvestitionen betrifft, so zeigt sich die Rolle nicht-wirtschaftlicher Faktoren recht deutlich am unterschiedlichen Investitionsverhalten in Ungarn und Polen. Seit dem letzten Jahr entfielen auf einen in Polen investierten Westdollar zehn Dollar zugunsten der ungarischen Wirtschaft. Ein solcher Unterschied kann nicht allein auf Faktoren von wirtschaftlicher und rechtlicher Bedeutung zurückgeführt werden, denn die wirtschaftliche Kühnheit polnischer Reformen sollte den Investoren eigentlich Vertrauen einflößen. Offenbar überwiegen andere, weniger rationale Faktoren. Budapest ist einfach eine wesentlich schönere und komfortablere Stadt als Warschau. Sie ist dem Westen näher, verfügt über eine Anzahl erlesener Hotels, die mit akzeptablen Telefonen und Faxgeräten ausgestattet sind. Auch die Rolle, die der polnische Antisemitismus dabei spielte, eine große Zahl jüdischer und nicht-jüdischer Investoren abzuhalten, würde ich nicht unterschätzen. Solche Gefühlsangelegenheiten haben jahrzehntelang amerikanische Investitionen im Süden verhindert, und sie haben in Mitteleuropa offenbar dieselben Auswirkungen.

Eine noch interessantere Frage ist die der Arbeitskräftebewegung. Der große Vorteil einer freien Handelszone liegt meiner Ansicht nach nicht in der Eliminierung von Zöllen, sondern in der Mobilität der Arbeiter von Gebieten mit niederigem Einkommensniveau zu solchen mit höherem Niveau. Von den arbeitsplatzbedingten Umsiedlungen profitieren alle. Produzenten erhalten die benötigten Arbeitskräfte. Arbeiter, die umziehen, erhalten höhere Löhne und jene, die bleiben, profitieren von der stärkeren Nachfrage nach ihren Dienstleistungen. Die ortsansässigen Produzenten müssen also die Löhne erhöhen, um die Arbeiter zu halten. (Die ortsansässigen Produzenten, die eines Teils ihrer Monopolstellung verlustig gehen, stellen vielleicht die einzige Verlierergruppe dar.)

Die Europäische Gemeinschaft wird sich noch radikaler für die freie Beweglichkeit der Arbeitskräfte einsetzen, als dies gegenwärtig in den

Vereinigten Staaten der Fall ist. Die unzähligen Gerichtsbezirke in den Vereinigten Staaten halten nach wie vor an ihrer Praxis fest, Rechtsanwälte einem Gerichtsexamen und praktische Ärzte einem Examen vor einem Gremium zu unterziehen. So wie ich es sehe, wird die EG letztlich den Berufstätigen jedes Mitgliedsstaates gestatten, in jedem anderen Mitgliedsstaat zu praktizieren. Abgesehen von den materiellen Vorteilen einer so radikalen Reform der Mobilität von Arbeitskräften ist es auch ganz klar, daß sie sowohl für die Gastbevölkerung, als auch für die zuziehenden Familien enorme kulturelle Spannungen mit sich bringt. Das gilt sogar im vereinigten Deutschland, wo die »Ossies« trotz der Gemeinsamkeit der Sprache das Gefühl haben, ihre Kultur zu verlieren und der schleichenden Dominierung durch die »Wessies« ausgesetzt zu sein. Eine noch größere Spannung zeigt sich im französischen Mutterland, das drei bis vier Millionen *pieds noirs* aus Nordafrika aufzunehmen hat. Die größten Probleme scheinen jedoch offenbar da aufzutreten, wo die Unterschiede nicht nur religiöser und kultureller, sondern auch sprachlicher Natur sind. Ein typisches Beispiel für diese Problematik sind die zwei bis drei Millionen Türken, die als *Gastarbeiter* nach Deutschland gekommen sind.

Um die Komplexität dieses Problems würdigen zu können, sollten wir uns einige grundlegende Unterschiede zwischen den Vereinigten Staaten und der Europäischen Gemeinschaft vor Augen halten. Auf staatsbürgerlicher Ebene gibt es einen charakteristischen Unterschied zum amerikanischen Recht, das im 14. Zusatzartikel zur Verfassung eindeutig festgelegt, daß »alle in den Vereingigten Staaten geborenen oder eingebürgerten Personen« Staatsangehörige der Vereinigten Staaten und des Staates, in welchem sie leben, sind. Wenngleich die Europäer eine größtmögliche Freizügigkeit von Land zu Land fördern wollen, fehlt ihnen die Bereitschaft, dieses Prinzip entsprechend anzuwenden, wodurch Angehörige der Gemeinschaft automatisch zu Staatsangehörigen desjenigen Staates würden, in welchem sie leben. Der Slogan lautet – *Deutschland ist kein Einwanderungsland.* Ebensowenig sind die Franzosen und Engländer bereit, ihre Länder als einwanderungsfreundliche multi-ethnische Gemeinschaften zu betrachten. Dies bedeutet, daß weder für Angehörige der Gemeinschaft, noch für Außenseiter (z. B. Türken und Jugoslawen) ein arbeitsbedingter Aufenthalt die Möglichkeit bietet, die Staatsangehörigkeit zu erlangen.

Es ist bezeichnend, daß die Engländer und Amerikaner dem *jus soli* folgen, während die kontinentalen Rechtssysteme Anhänger des *jus sanguinus* sind. In den Vereinigten Staaten werden die Kinder illegaler Einwanderer vollwertige Staatsbürger, während auf dem Kontinent die Kinder von

Angehörigen anderer Mitgliedsstaaten nicht notwendigerweise Staatsangehörige des Landes werden, in dem sie vielleicht ihr ganzes Leben verbringen. Jedes Land betreibt seine eigene Staatsangehörigkeitspolitik. Zur Zeit scheint aber in einigen Mitgliedsländern ein Trend dahingehend zu bestehen, die Kriterien zu lockern, nach denen Gastarbeiter und ihre Familien die Staatsangehörigkeit in dem Land erwerben können, in dem sie ihren dauerhaften Wohnsitz haben. Und doch streben die Europäer offenkundig nach den Vorteilen einer Arbeitskräftemobilität, während sie sich gleichzeitig bemühen, ihre sprachliche und kulturelle Autonomie zu wahren. Es wird weder in der Europäischen Gemeinschaft, noch in den Mitgliedsstaaten, die einen Zustrom von Arbeitskräften verzeichnen, einen »Schmelztiegel« geben.

Hieraus ergibt sich eine Reihe schwerwiegender Folgen für die Zukunft der europäischen Zusammenarbeit. Zum ersten wird bei Aufrechterhaltung der kulturellen Autonomie als grundlegende Politik der Gemeinschaft die EG wahrscheinlich nur zögerlich zur Aufnahme der europäischen Grenzstaaten (Türkei, Polen) bereit sein, die voraussichtlich ein großes Reservoir an Arbeitskräften in den Arbeitsmarkt der EG einspeisen werden. Insgesamt gesehen wäre es für viele der ärmeren Ostländer trotz Verlustes ihrer Handelsbarrieren wirtschaftlich und politisch vernünftig, der EG so schnell wie möglich beizutreten. Die größere Arbeitskräftemobilität würde nicht nur die oben erwähnten Vorteile mit sich bringen, die Verhandlungen über die Beitrittsbedingungen würden auch zur Reform der postkommunistischen Wirtschaftssysteme beitragen. Die EG könnte beispielsweise diktieren, daß kein Land dem Club beitreten könne, ehe nicht mindestens fünfzig Prozent der industriellen Produktion in privaten Händen liegt. Unter einem derartigen Druck könnten die schleppenden Privatisierungsbemühungen der postkommunistischen Wirtschaftssysteme über Nacht beschleunigt werden.

Ein solcher Ablauf von Beitrittsverhandlungen zum Europarat veranschaulicht den Einfluß, den die EG im wirtschaftlichen Bereich ausüben könnte, wenn sie bereit wäre, den Massen aus dem Osten ihre Türen zu öffnen. Dies wird sie jedoch nicht tun – zumindest nicht in näherer Zukunft. Die Angst vor kultureller Vermischung ist der Art von Europapolitik hinderlich, die am besten zu wirtschaftlicher Entwicklung und politischer Stabilität beitragen könnte. Ende Oktober 1991 erreichte Ungarn durch Verhandlungen den Beitritt zur EG als außerordentliches Mitglied. Dieser erste Schritt zur Integration in die Gemeinschaft verschaffte den Ungarn nicht das Recht, nach freier Wahl in den westlichen Arbeitsmarkt einzutreten. Die postkommunistischen Länder bleiben in den Randbereichen, während die Europäer die Hoffnung nähren, daß die von der neuen Bank für Wiederaufbau und Entwicklung gewährten Kredite in diesen verfallenden Wirtschaftssytemen eine wirtschaftliche Katastrophe verhindern werden.

Nach meiner Ansicht ist das eine äußerst unglückliche Situation. Das letzte, was Mittel- und Osteuropäer brauchen, sind mehr Schulden. Wie ein Kolumnist schreibt[1], zahlen diese Länder bereits mehr Zinsen für die von den Kommunisten aufgenommenen Darlehen, als sie als westliche Unterstützung erhalten. Mehr Verschuldung (anstatt höhere Arbeitskräftemobilität) zu schaffen, grenzt an wirtschaftliche Torheit. Es führt zu nichts, aber die Befürchtungen, die in Brüssel zum Ausdruck gebracht werden, gehen dahin, daß einige der postkommunistischen Länder vielleicht deshalb der EG beitreten möchten, um die Probleme der Arbeitslosigkeit, die sie durch ihre Privatisierungsprogramme ausgelöst haben, zu exportieren.

Es nützt nichts, daß der etwas inklusivere Europarat Druck auf Reformen im Bereich der Menschenrechte ausübt. Polen, Ungarn und die Tschechoslowakei sind dem Europarat beigetreten und haben sich der Appellationsgerichtsbarkeit des Gerichtshofs in Straßburg unterworfen. Jedes dieser Länder mußte sein Rechtssystem ändern, um sowohl der Menschenrechtskonvention als auch den besonderen Auflagen des Rates zu genügen. Die Ungarn – deren Fall mir am vertrautesten ist – mußten vier besonderen Bedingungen zustimmen. Sie mußten sich zu Pressefreiheit und zu unabhängiger Gerichtsbarkeit bekennen, die Zeit verkürzen, während der ein Verdächtiger in Haft gehalten werden darf, ehe er dem Richter vorgeführt wird und, was am kontroversesten verhandelt wurde, die Todesstrafe abschaffen. Die letzte Bedingung mag in Frage gestellt werden, weil sie gemäß Europäischer Konvention tatsächlich nicht erforderlich ist.

In der Gemeinschaft selbst bringt die Politik der Aufrechterhaltung kultureller Autonomie bestimmte Verpflichtungen im Hinblick auf den Zustrom ausländischer Arbeitskräfte aus den Mitgliedsstaaten oder von außerhalb mit sich. Wenn diese ausländischen Arbeitskräfte keine Staatsangehörigen werden können, so müssen Schritte unternommen werden, um ihnen die Pflege der Sprache und Kultur, die sie mitbringen, zu ermöglichen. Solange die Aus- und Einwanderungsbewegung anhält, wird sich jeder Mitgliedsstaat mit einer großen Anzahl entfremdeter Einwohner konfrontiert sehen, die ihre eigenen Schulen und Sozialeinrichtungen benötigen.

---

[1] William Pfaff, International Herald Tribune, 8. Juni 1991.

Europa wird so bald zu einem Mosaik kultureller Minderheiten werden, die im Ausland leben. Das große Problem der Rechte von Minderheiten, das in der Geschichte sowohl Ost- wie auch Mitteleuropa heimgesucht hat, wird bald für den gesamten Kontinent typisch sein. Die Problematik liegt nicht nur in der Schaffung getrennter Schulen, sondern in den Konsequenzen verschiedener Bildungswege. Sollte die Reifeprüfung in Minderheitensprachen abgehalten werden? Sollen die Minderheiten berechtigt sein, ihre Sprache vor Gericht zu sprechen? Haben sie ein Recht darauf, von Postangestellten bedient zu werden, die ihre Sprache sprechen? Auf diese Fragen gibt es keine leichten Antworten. Wir können sicher sein, daß die Notwendigkeit, Fragen solcher Art zu stellen in Zukunft zunehmende ethnische Spannungen verursachen wird.

Für die Zukunft der europäischen Zusammenarbeit gibt es noch kein klares sprachliches Modell. Eine Möglichkeit, die der bekannte Philosoph Jürgen Habermas kürzlich in Brüssel in einem Vortrag vorgeschlagen hatte, besteht in einem zweistufigen Ansatz. Die EG sollte unter einer Sprache vereinigt werden, wobei andrerseits jede ethnische und nationale Gemeinschaft ihre örtliche Sprache und Literatur kultiviert. Die einzige realistische Kandidatin, die alleinige Sprache der EG werden könnte, ist die englische Sprache. Der Grund liegt darin, daß sich bereits zwei Drittel der wirtschaftlichen Supermächte auf Englisch geeinigt haben. Vertreter der Gemeinschaft müssen die Sprache Shakespeares nicht nur gegenüber den einsprachigen Amerikanern, sondern was noch entscheidender ist, gegenüber den asiatischen Mächten, einschließlich Japans und der immer mächtiger werdenden Staaten Südkorea, Singapur, Hongkong und Taiwan anwenden, die allesamt ihre internationalen Geschäfte in englischer Sprache abwickeln.

Englisch als Geschäftssprache würde die ganze Reihe kleiner Probleme lösen, die in einem Europa kultureller Minderheiten auftreten werden. Regierungsbeamte müßten nicht zweisprachig in der Sprache der lokalen Minderheit sein, sondern könnten verlangen, daß jede Minderheit sowohl in der englischen, als auch in ihrer Muttersprache ausgebildet wird. Die einheitliche Sprache, die neben den einheimischen Sprachen Verwendung findet, wäre wie die Einheitswährung ECU, die neben den einheimischen Währungen gilt.

So vernünftig ein solches Vorgehen auch wäre, so wird es doch nicht aufgrund einer bewußten Entscheidung in Form eines gesetzgeberischen Aktes dazu kommen. Dieses Thema geht tiefer als der französische

Widerstand und die Eifersucht auf die Engländer. Die Europäische Gemeinschaft muß erst noch dazu kommen, sich als eine Einheit zu sehen, die sich Loyalität gegenüber einer einheitlichen Reihe von Institutionen schaffen kann. Doch der Prozeß der kulturellen Evolution wird dazu führen, daß die englische Sprache weiterhin an Boden gewinnt, als die Sprache der Musik, des Films und der in der Gemeinschaft verbreiteten Zeitungen und Fernsehprogramme. Der Impetus mag nicht wirtschaftliche Effizienz sein, doch wenn die Freude an Musik und Film diese Evolution bewirken kann, so wird die Wirtschaft sicherlich die Gewinnerin sein.

Teil 3: Verhalten und wirtschaftliche Entscheidungen

Unternehmens-eigentum und Privatisierung[1]

Robert Cooter

In modernen Wirtschaftssystemen findet die Produktion großenteils in Unternehmen statt, die es in vielerlei Ausformungen, etwa als Kapital- oder Personengesellschaften gibt. Privateigentum und Kapitalismus liefern in idealer Weise einen Rahmen für den Wettbewerb zwischen den Unternehmen. Unter kapitalistischen Bedingungen sollten produktive Unternehmen gedeihen und weniger produktive Formen verschwinden. Das Rechtsideal des Kapitalismus besteht in einer gesetzlichen Neutralität gegenüber den verschiedenen Unternehmensformen.

In der Praxis ergeben sich aber durch unterschiedliche Gesetze und Gemeinwohlerwägungen grundlegende Unterschiede bei der Organisation und insbesondere der Art und Weise, wie Führungskräfte gewählt und entlassen werden. Zum Beispiel sehen sich die Manager amerikanischer Aktiengesellschaften mit der Möglichkeit feindlicher Übernahmen konfrontiert, in Deutschland oder Japan ist dies nicht der Fall. Dieser Unterschied basiert auf der Gesetzgebung, nicht auf den Wettbewerb. Es gibt mehrere Kapitalismen, nicht nur einen.

Diese Beobachtung wirft Fragen hinsichtlich der Grenzen gesetzlicher Neutralität gegenüber dem Wettbewerb von Unternehmensformen auf. Sind Privateigentum und Kapitalismus solange unvollständig, bis Recht und Politik bestimmte Formen geschäftlicher Organisationen favorisieren? Oder können Privateigentum und Kapitalismus einen neutralen Rahmen für den Wettbewerb von Unternehmen unterschiedlicher Organisationsformen liefern?

In diesem Artikel bemühe ich mich um die Beantwortung dieser Fragen, indem ich den Eigentumsbegriff anwende, der durch die wirtschaftliche Analyse der Gesetze für Unternehmensmärkte entwickelt wurde. Meiner Ansicht nach schließen Unvollkommenheiten in den Märkten für die

[1] Dies ist eine Kurzfassung meines Artikels »Unternehmen als Eigentum: Eine wirtschaftliche Analyse des Eigentumsrechts und der Privatisierung,« in: C. Clauge und G. Rausser (Hrsg.), The Emergence of Market Economies in Eastern Europe, (Blackwells).

Kontrolle von Gesellschaften eine vollkommene gesetzliche Neutralität aus. Dieser Schluß hat wichtige Folgen für die Privatisierung Osteuropas. Die post-kommunistischen Länder müssen zwischen mehreren Kapitalismen wählen, wenn es darum geht, einen gesetzlichen Rahmen für die Kontrolle von Kapitalgesellschaften zu entwickeln. Amerika, Deutschland und Japan bieten alternative Modelle an, die post-kommunistischen Länder werden aber vermutlich ihre eigenen Hybriden entwickeln.

Reines Eigentumsrecht

Eigentum ist die Institution, die Menschen das freie Verfügungsrecht über knappe Ressourcen gewährt. Das freie Verfügungsrecht wird geschaffen, imdem den Eigentümern gewisse Rechte übertragen werden und anderen verboten wird, deren Ausübung zu stören. Rechte verleihen den Eigentümern die rechtliche Befugnis, etwas zu tun oder zu unterlassen, ohne sie zu verpflichten, das eine oder andere zu tun. Der Eigentümer ist anderen gegenüber, seien es Privatleute oder Staatsbeamte, rechtlich nicht verantwortlich, was die Ausübung seiner Eigentumsrechte anbelangt, es sei denn, er hätte vertraglich eine solche Verpflichtung übernommen. Eigentum umgibt den Eigentümer mit freier Verfügungsmöglichkeit und schafft so eine Privatsphäre, in der er so handeln kann, wie es ihm beliebt.[2]

Ich verwende den Begriff »reines Eigentumsrecht«, um mich auf einen Gesetzeskodex zu beziehen, durch den vollständige und umfassende Eigentumsrechte geschaffen und vor Störung geschützt werden. Die herkömmliche Aufzählung vollständiger und umfassender Eigentumsrechte umfaßt das Recht, eine Ressource zu benutzen, zu konsumieren, auszubeuten, zu zerstören, zu verbessern, zu entwickeln, umzuwandeln, zu verkaufen, zu verschenken, zu vermachen, mit einer Hypothek zu belasten oder zu vermieten. Zu einem vollen und vollständigen Schutz vor Störungen durch Privatpersonen oder den Staat gehören Verbote, die unbefugte rechtsverletzende Handlungen, Eindringen, Diebstahl, Zerstörung, Störung, Verschmutzung, Überflutung, unbefugten Gebrauch, Aneignung, Enteignung, Entnahmen und Verstaatlichung untersagen. Bei Verletzung von Eigentumsrechten kann sich die Haftung auf eine vergangene Beeinträchtigung, das Unterlassen künftiger Vorfälle oder eine strafrechtliche Bestrafung erstrecken.

---

[2] Die Beziehung zwischen Eigentum und Freiheit ist ein altes Thema der politischen Philosophie. Eine ausführliche Bibliographie und kritische Würdigung findet sich bei Underkuffler (1990).

Wie groß sollte die Sphäre freier Verfügbarkeit für den Eigentümer sein? Ein Eigentümer hat die größtmögliche vertretbare Verfügungsbefugnis innerhalb eines gewissen Freiheitrahmens nur dann, wenn er mit seiner Ressource verfahren kann wie er möchte, ohne andere zu beeinträchtigen. Wirtschaftlich gesprochen gewährt das Gesetz dem Eigentümer die größtmögliche freie Verfügungsbefugnis mit der Maßgabe, daß die Ausübung dieser Befugnis niemand Schaden zufügen darf. Ich nenne diese These das *Prinzip der beschränkten maximalen Verfügungsbefugnis*.

Die Schadensverursachung ist unter den meisten Bedingungen eine notwendige Voraussetzung für eine rechtliche Haftung. Mensch und Natur bilden aber eine solch komplexe Ökologie von gegenseitiger Abhängigkeit, daß die Feststellung, wer wem Schaden zugefügt hat, problematisch ist. Soziale und rechtliche Normen legen fest, was unter Schadensverursachung bei anderen zu verstehen ist. Wird beispielsweise ein Monopolpreis verlangt, so schadet dies den Käufern und führt oft zu einer Haftung nach den Kartellgesetzen. Wird im Gegensatz dazu der Preis einer Ware in einem wettbewerbsorientierten Markt unterboten, so schadet dies den anderen Anbietern, führt aber gewöhnlich nicht zu einer Haftung. Die entsprechenden Rechtsnormen, die Schaden und Haftung bestimmen, sind in den Gesetzen über Eigentum, unerlaubte Handlung, Verträgen, Straftaten und anderen Kodierungen, wie etwa Kartellgesetzen und sonstigen Vorschriften, enthalten. Eigentum ist also in einen größeren normativen Rahmen eingebettet, auf den ich in diesem Aufsatz nicht näher eingehen kann.

Effizienz eines reinen Eigentumsrechts

Eigentum dient einer Vielzahl von Zwecken. Zum einen stellt es einen bedeutenden Aspekt der Freiheit dar, die ungeachtet ihrer Auswirkungen um ihrer selbst willen wichtig ist. Zum zweiten hilft Eigentum, die Freiheit zu erhalten, indem es Macht dezentralisiert und sich der Tyrannei widersetzt. Zum dritten fördert Eigentum die Effizeinz – das Kernthema dieses Aufsatzes.

Im Idealfall internalisiert das Eigentumsrecht die Auswirkung der Ressourcennutzung. »Internalisierung« bedeutet, daß alle Vorteile und Kosten, die aus Handlungen des Eigentümers resultieren, ihm und nicht anderen anheimfallen. Um Internalisierung zu erreichen, weisen die Eigentumsgesetze dem Eigentümer die unmittelbar aus der Nutzung einer Ressource entstehenden Vorteile und Kosten zu. Manchmal aber verursacht der Gebrauch einer Ressource Emissionen, wie Luftverschmutzung, Lichtverdunkelung oder Wasserverseuchung. Die Schutzgesetze, die sich mit solchen Störungen befassen, weisen dem Eigentümer der Ressource, der diese Emission verursacht hat, die Verantwortung hierfür zu. In ähnliche Weise werden Risiken oft denen auferlegt, die beispielsweise Autofahren, Felsen sprengen, verderbliche Lebensmittel servieren oder potentiell schadhafte Produkte verkaufen. Wenn diese Risiken sich verwirklichen, so kann das Recht der unerlaubten Handlungen dem Eigentümer der Ressource, die den Schadensfall verursacht hat, die Verantwortung zuweisen.[3] Die Schutzgesetze und das Recht der unerlaubten Handlungen können also als Mechanismus zur Internalisierung von Kosten verstanden werden. Die Fairness erfordert es, daß diejenigen, die anderen einen Schaden zufügen, ihre Opfer entschädigen müssen, so erscheint es zumindest vielen Rechtsanwälten. Ist die Internalisierung vollständig, so gilt dies auch für den Schadensersatz. Was für die Leistungsfähigkeit noch wichtiger ist, ist der Umstand, daß eine Form vollständigen Schadensersatzes dazu führt, daß ein Eigentümer im Eigeninteresse alle Kosten und Vorteile aus dem Gebrauch des Eigentums in sein Entscheidungskalkül miteinbeziehen muß. Werden die Nettoerträge aus der Nutzung einer Ressource dem Eigentümer zugewiesen, so gibt ihm das den Anreiz, diese zu maximieren. Die Maximierung der Nettoerträge verlangt Unternehmensgeist und Innovation, welche die wirtschaftliche Produktion in Gang setzen. So ist Internalisierung sowohl fair als auch effizient.

Neben der Internalisierung fördern die Eigentumsgesetze die Leistungsfähigkeit auch dadurch, daß sie Transaktionen in die Form eines freiwilligen Austausches lenken. Größtenteils basiert die mikroökonomische Theorie seit Adam Smith auf der Einsicht, daß der Handel in der Regel jedem nützt, der sich darauf einläßt, und wettbewerbsorientierte Märkte den gesamten Handelsüberschuß maximieren. Die Eigentumsgesetze fördern den Handel, indem sie zunächst eine klare und sichere Definition des Eigentumsrechts liefern. So stellt beispielsweise ein öffentliches Grundbuch sicher, daß der Titel, den ein Grundstückskäufer erwirbt, abgeklärt ist. Im Gegensatz dazu belasten obskure und unsichere Eigentumsrechte den Austausch mit einem hohen Aufwand für die Informationsgewinnung und wertmindernden hohen Risiken.

[3] Eine Schadensverursachung ist fast immer notwenige Voraussetzung für eine Haftung. (Stellvertretende Haftung ist die Ausnahme.) Wenn die Schadensverursachung für eine Haftung ausreicht, so nennt man diese rechtliche Regelung »strenge Haftung«. Im Gegensatz dazu verlangt eine Haftung nach Fahrlässigkeitsvorschriften, daß der Rechtsverletzer den Schaden schuldhaft verursacht hat.

Diese Bemerkungen über Handel und Recht lassen sich in der Sprache der Wirtschaft kurz zusammenfassen. Wirtschaftswissenschaftler fassen die Informationskosten, die Wertminderung durch Risiko und die Koordinationskosten zur allgemeinen Kategorie »Transaktionskosten« zusammen. Wir können also sagen, daß die Eigentumsgesetze im Idealfall den Handel fördern, da sie die Transaktionskosten eines Austausches minimieren.

Gemischte Eigentumsrechte

Das oben beschriebene reine Eigentumsrecht wurde geschichtlich niemals realisiert. In gewisser Weise wurde es in der zweiten Hälfte des 19. Jahrhunderts in England und Amerika noch am ehesten erreicht, als die Politik von der Philosophie des Liberalismus dominiert wurde. In dieser Zeit wiesen die Wähler fast alle Formen einer Marktregulierung zurück, so daß die Einmischung minimal war. Dennoch blieben die Gesetze der damaligen Zeit in zweierlei Hinsicht hinter dem Ideal eines reinen Eigentumsrechts zurück.

Zum einen waren viele soziale Kosten externalisiert, einschließlich Verschmutzung, Risiken durch mangelhafte Konsumgüter und Schadstoffemissionen einer Grundeigentumsentwicklung ohne Städteplanung. In Amerika und England waren die Hersteller vor einer rechtlichen Verfolgung durch die Konsumenten durch die Gesetzesdoktrin gesichert, wonach ein Hersteller nicht verklagt werden konnte, da der Konsument seinen Vertrag ja mit dem Händler abgeschlossen hatte (»Gegenseitigkeit des Vertrages«). Umweltverschmutzer und andere, die vielen Leuten ein wenig und keinem viel schadeten (»öffentliche Bösewichte«), waren vor einer Haftung geschützt, da es keine Gemeinschaftsklagen oder entsprechende Vorschriften gab. Die Städteplanung in den rasch wachsenden Städten hätte einen Rahmen von Vorschriften erfordert, der im Amerika und England des 19. Jahrhunderts fehlte und auch heute, insbesondere in Amerika, noch unzureichend zu sein scheint.

Zum zweiten hat die Öffentlichkeit zu dieser Zeit wenig Möglichkeiten, sich gegen die Ausbeutung durch private Monopole, einschließlich der Monopole auf den Finanzmärkten, zur Wehr zu setzen. Die Richter haben die Lücken in der Gesetzgebung nicht dadurch gefüllt, daß sie die allgemeine Rechtsdoktrin erweitert oder die vorhandenen Gesetze so ausgelegt hätten, daß sie einen hinreichenden Schutz gegen Monopole geboten hätten. Kartellgesetze wurden in Amerika erst Ende des 19. Jahrhunderts verabschiedet.

Diese Mängel des liberalen Staates im 19. Jahrhundert gerieten gegen Ende des 19. und im 20. Jahrhundert unter die zunehmende Kritik der Progressiven, Populisten und Sozialisten. Die gemäßigteren Reformer wollten die Abgrenzung von Wohn- und Industriegebieten, öffentliche Gesundheitsversorgung, Sicherheit am Arbeitsplatz, sichere Arbeitsplätze, Arbeitnehmerrechte und die Anerkennung von Gewerkschaften, während die Extremisten eine soziale Revolution wollten, die im Sozialismus oder Kommunismus enden sollte. In Amerika wurde dem Liberalstaat des 19. Jahrhunderts in den 30er Jahren ein entschiedenes Ende gesetzt, als mit Roosevelts *New Deal* umfangreiche Vorschriften und Beschränkungen für Eigentümer eingeführt wurden.

Die amerikanische Verfassung garantiert sowohl Menschenrechte als auch Eigentumsrechte. Vor dem *New Deal* schützten die Gerichte mit großem Einsatz die Eigentumsrechte, vernachläßigten aber nach heutiger Auffassung die Menschenrechte. In den Jahren nach dem Zweiten Weltkrieg hob der Oberste Gerichtshof seine eigenen Entscheidungen auf. Die Menschenrechte wurden aggressiv geschützt, während die Vorschriften für Eigentum weit über Kosteninternalisierung und Monopolkontrolle hinausreichten. Anstelle eines reinen Eigentumsrechts haben Amerika und andere kapitalistische Demokratien jetzt Mischformen reglementierten Eigentums eingeführt. Eine allgemeine Würdigung der Mischwirtschaft ist jedoch nicht Ziel dieses Aufsatzes. Stattdessen konzentriere ich mich auf industrielle Organisation und die Leitung von Kapitalgesellschaften.

Der Aktienmarkt wird oft das Herz des Kapitalismus genannt, sollte aber eher als dessen Gehirn bezeichnet werden, denn er steuert die Zuteilung der Ressourcen bei mehreren alternativ möglichen Verwendungsformen. In jedem Land wird dieser Markt durch Gesetze geregelt. Gesetz und Politik ziehen eher gewisse Unternehmensformen anderen vor, als einen neutralen Rahmen für den Wettbewerb zu schaffen. Ich will zunächst erklären, warum die Reglementierung der Märkte zur Kontrolle der Kapitalgesellschaften einen unerlässlichen Bestandteil des zeitgenössischen Kapitalismus darstellt und warum die Reglementierung der Kapitalmärkte in der Tendenz eher über das hinausreicht, was unvermeidlich oder notwendig ist. Dazu muß ich zunächst erklären, warum so es viel problematischer ist, ein Unternehmen zu besitzen, als etwa eine Ölquelle oder eine Zahnbürste.

Ein Unternehmen als Eigentum

Jedes Unternehmen kann Eigentum besitzen, etwa eine Kapitalgesellschaft, die Grundbesitz ihr eigen nennt. Darüber hinaus können einige Unternehmen Eigentum *sein*; die *Ford Motor Company* beispielsweise gehörte Henry Ford. Alleineigentum, Teilhaberschaft, Gesellschaften, die in den Händen weniger sind, sind reines Eigentum. Eigentum ist in diesem Sinne eine Unternehmensform. Um als Eigentum zu gelten, muß ein Unternehmen so ausgeformt sein, daß jemand die freie Verfügung darüber ausüben kann. Die freie Verfügungsmacht wird durch eine vollständige und umfassende Reihe von Rechten, wie oben ausgeführt, gewährleistet. Dazu gehört etwa das Recht, das Unternehmen zu benutzen, zu verbessern, zu entwickeln, umzuwandeln, zu reorganisieren, auszubeuten, zu zerstören, zu verkaufen, zu verschenken, zu vermachen, mit einer Hypothek zu belasten oder zu vermieten.

Unternehmen, die selbst nicht Eigentum sein können, können Eigentum besitzen. So kann eine Kooperative oder Regierungsform Eigentum haben, wie etwa Grundbesitz, Maschinen, Patente und Warenzeichen. Das Eigentum einer Kooperative oder Regierung kann verkauft, die vertraglichen Rechte können übertragen werden. Ein Unternehmen ist aber nicht sein Vermögen, genausowenig wie eine Person das Eigentum ist, das ihr gehört. Kooperativen und Regierungen können selbst nicht verkauft werden, da sie kein Eigentum sind.

Um verstehen zu können, warum manche Unternehmen Eigentum sein können und andere nicht, muß die Grundvorstellung von einem Unternehmen erklärt werden. Ich werde eine Definition anbieten und die verwendeten Begriffe erklären. Aus soziologischer Sicht ist ein Unternehmen eine Struktur von Ämtern und Rollen, die zu körperschaftlichem Handeln befähigt sind. Ein Amt ist eine Arbeit, an die ausdrücklich festgelegte rechtliche Befugnisse und Verpflichtungen geknüpft sind. Die wichtigsten Ämter sind bei einer geschäftlichen Organisation meist festgelegt, die Befugnisse werden durch ein Verfassungsdokument, etwa eine Gesellschaftsgründungsurkunde, verliehen. Die Verfassung eines Unternehmens regelt auch, wie Verfahrensvorschriften erlassen werden.

Die Aktivitäten eines Unternehmens folgen größtenteils informellen Praktiken und weniger den Formalvorschriften, die bei seiner Gründung in Verfahrensvorschriften niedergelegt wurden. Die informellen Praktiken sind um die Rollen herum organisiert und werden durch die gemeinsamen Erwartungen über die Arbeitsteilung geschaffen. So gehört es beispielsweise zur Rolle des Buchhalters, die Bücher zu führen und zu der der Sekretärin, Berichte abzuschreiben. Die Personen, welche die Rollen ausführen, verfügen oft über Anstellungsverträge, die aber nicht in allen Einzelheiten festlegen, worin die Befugnisse und Pflichten bestehen.

Ämter und Rollen können so strukturiert werden, daß die Bemühungen der Leute auf gemeinsame Ziele gelenkt werden, deren Verfolgung die Unternehmenstätigkeit ausmachen. Um die Unternehmenstätigkeit in einer Geschäftsorganisation zu erleichtern, sind die Ämter und Rollen meist hierarchisch angeordnet. Informationen fließen in der Hierarchie nach oben, während Anordnungen nach unten fließen. Eine hierarchische Struktur befähigt ein Unternehmen, schnell und entschieden zu handeln. Einige Firmen sind vom traditionellen hierarchischen Modell abgewichen und haben dezentralisierte Netzwerke geschaffen. Ein solches Netzwerk bleibt so lange ein Unternehmen, wie es die Fähigkeit behält, körperschaftlich zu handeln. Geht diese Fähigkeit verloren, so läßt sich das Netzwerk am besten als eine Beziehung verschiedener Unternehmen zueinander beschreiben.

Innerhalb eines Unternehmens haben die Leute Ämter und Rollen inne, die ihr Verhalten koordinieren. Außerhalb des Unternehmens kommt es zum Güteraustausch auf den Märkten, wobei das Verhalten durch die Preise koordiniert wird. Die Grenze für ein Unternehmen wird also durch die Märkte gesteckt, in denen es operiert. Nehmen wir an, die *Ford Motor Company* benötigt Reifen für ihre Autos. *Ford* könnte sein Unternehmen verlassen und Reifen von einem anderen Hersteller kaufen. Alternativ könnte *Ford* auch eine Tochterfirma gründen, die Reifen herstellt. Bei der Produktion durch eine Tochterfirma bleibt die Aktivität innerhalb des selben Unternehmens.

Wenn ein Unternehmen reines Eigentum darstellt, dann hat der Eigentümer das gesetzliche Recht, seine Ziele festzulegen. Außerdem kann er die Ämter und Rollen so umstrukturieren, wie es seinen Bedürfnissen entspricht. Der Eigentümer kann das Unternehmen also ganz oder teilweise umwandeln, auflösen, fusionieren oder verkaufen. Bei einer Kapital- oder Personengesellschaft werden die Eigentümerrechte durch das Verfassungsdokument des Unternehmens und das anwendbare Recht verliehen. Bei einer Kooperative oder Regierung, die kein Eigentum darstellen, werden die Eigentümerrechte durch die Verfassung des Unternehmens und das anwendbare Recht gehemmt und so die willkürliche Verfügungsbefugnis des einzelnen über das Unternehmen beschränkt.

Wie schon erklärt verleiht das Eigentum dem Eigentümer die freie Verfügungsbefugnis, mit dem Eigentum so zu verfahren, wie es ihm gefällt. Alternativ könnte diese Befugnis auch einer Gruppe von Personen verliehen werden, die gemeinsam handelt. So legen die Mitglieder einer Kooperative im allgemeinen durch Mehrheitsbeschluß fest, wie über das Vermögen verfügt werden kann. Sind mehrere Parteien an einer Entscheidung beteiligt, so tritt meist das Problem der Kontrolle auf. Die Alternative zum Eigentum an Unternehmen ist somit die Politik. Eigentum ist eine Form individueller Wahl, während die nicht auf Eigentum basierende Kontrolle über Ressourcen gewöhnlich eine Form kollektiver Wahl ist.

Der wirtschaftliche Vorteil, der sich ergibt, wenn ein Unternehmen einen Eigentümer hat, ist der gleiche, wie bei jeder anderen Ressource. Eigentum bringt Anreize für Anstrengung und das Eingehen von Risiken, da es Vorteile und Kosten der Ressourcennutzung internalisiert. Ein und dieselbe Person – der Eigentümer – legt die Struktur des Unternehmens fest, profitiert von den sich einstellenden Vorteilen oder erleidet die sich ergebenden Verluste. Außerdem können nur solche Unternehmen, die Eigentum sind, gekauft und verkauft werden. Durch den Handel mit Unternehmen wird ebenso wie durch den Handel mit Zahnbürsten oder Ölquellen in der Regel ein Überschuß erzielt. Empirische Forschungen auf den Aktienmärkten haben gezeigt, daß der Verkauf von Firmen beträchtliche Gewinne bringt.[4] Die Gewinne ergeben sich oft daraus, daß unrentable Produktreihen aufgegeben werden, ein schlecht-qualifiziertes Management ersetzt und die technische Struktur verändert wird, um Synergien zu nutzen. Beim Verkauf eines Unternehmens werden die Ressourcen sehr schnell modernisiert, wodurch die rasche Anpassung an eine veränderte Technologie und Nachfrage erfolgen kann.

Das Unternehmenseigentum hat aber auch Nachteile. Durch die Konzentration von Vorteilen und Kosten auf den einzelnen wird auch das Risiko konzentriert, während eine Risikoverteilung effizienter sein könnte. Außerdem kann die freie Verfügnisbefugnis des Eigentümers über das Unternehmen die Loyalität seiner Angehörigen unterminieren, wie noch zu erklären sein wird. Ein Vorteil der Herrschaft über Eigentum hat mit rechtlichen Normen zu tun. Eine alte Tradition im westlichen Denken, der Kontraktarianismus besagt, daß die Autorität des Gesetzes von der Billigung der

[4] Die Käuferfirma zahlt gewöhnlich eine Prämie, und der höhere Aktienpreis bleibt auch nach dem Erwerb bestehen, während der Aktienpreis der Käuferfirma weitgehend unverändert bleibt (Jensen und Ruback, 1983).

Menschen abhängt, für die es gilt. Billigung führt viel eher zu einer freiwilligen und enthusiastischen Einhaltung der Gesetze und weniger zu Ausflucht und zähneknirschender Befolgung. Das Herrschaftssystem in einem Unternehmen kann Zustimmung und wirksame Normen besser zustandebringen, als ein Eigentumssystem. So haben sowohl die auf Eigentum gegründeten wie die nicht auf Eigentum gegründeten Organisationsformen ihre Vor- und Nachteile.

Eigentum als Rahmen für den Wettbewerb

Unternehmen liegen im Wettstreit um Geld und Mitglieder. Im Idealfall sollten diejenigen Unternehmen gedeihen, die von den Leuten am besten beurteilt werden, die entscheiden, wo sie investieren und wo sie sich beteiligen. Bei diesem Wettbewerb sollte sich das Gesetz neutral verhalten. Um Neutralität zu erreichen, erklärt das Gesetz, daß Unternehmen »juristische Personen« sind und formuliert Eigentumsrechte mit Rechten und Pflichten wie bei natürlichen Personen. Im Idealfall hat ein Eigentümer dieselben Eigentumsrechte über materielle Ressourcen, ob es sich um einen einzelnen, eine Familie, einen Clan, einen Stamm, einen Gesellschafter, einen Aktionär, eine Kooperative, eine Kapitalgesellschaft, ein Kollektiv, eine Stiftung, einen Rentenfond, eine Bank oder eine Regierung handelt. Das reine Eigentumsrecht berücksichtigt die Identität des Eigentümers also in keiner Weise.

Eine Indifferenz des Gesetzes gegenüber der Identität des Eigentümers förderät die Schaffung eines neutralen rechtlichen Rahmens. Um zu verstehen, warum dies so ist, vergleiche man Eigentumsgüter, die aktiv gehandelt werden, wie etwa Zahnbürsten oder Lastwagen mit Eigentumsgütern, die nur selten den Eigentümer wechseln, wie die Gemälde von Rembrandt. Wenn der Markt für Unternehmen aktiv ist, so wechseln diese von Zeit zu Zeit den Eigentümer und werden zu Tochterfirmen der einen, dann einer anderen Gesellschaft. Auf inaktiven Märkten bleiben Unternehmen lange Zeit im Eigentum derselben juristischen Person, beispielsweise einer großen Holdingfirma.

Für den Wettbewerb werden aktive Märkte benötigt. Eine wichtige Frage der politischen Haltung gegenüber den Märkten bezieht sich auf das rechtliche Rahmenwerk, das zur Aufrechterhaltung des Wettbewerbs benötigt wird. Unter günstigsten Umständen unterstützt das Gesetz den Wettbewerb nur durch Definition und Durchsetzung von Eigentumsrechten. In einem Wirtschaftszweig findet dann Wettbewerb statt, wenn der tatsächliche Produktionsumfang im Vergleich zur Nachfrage nach dem Wirtschaftsprodukt gering ist. Kommt es nicht zu einer Kollusion, so ist ein natürlicherweise wettbewerbsorientierter Wirtschaftszweig sehr aktiv und es gibt zu viele Käufer und Verkäufer, als daß einer von ihnen die Preise beeinflussen könnte. Dagegen liegt ein natürliches Monopol vor, wenn der Wettbewerb sich selbst zum Erliegen bringt, weil es im Vergleich zur Nachfrage viele Wirtschaftsunternehmen großen Umfangs gibt, so daß der größte Produzent immer die niedrigsten Kosten hat.

Unglücklicherweise weist ein Markt für große Unternehmen unausweichlich zumindest zwei Elemente eines natürlichen Monopols auf. Zum einen könnten potentielle Käufer zögern, ein Unternehmen zu kaufen, wenn sie nicht über das technische Wissen verfügen, um dieses zu leiten. Hauptkandidaten für den Kauf einer Fluglinie sind beispielsweise andere Fluglinien, und auf vielen Märkten gibt es nur wenige Fluglinien. Zum anderen beschränkt sich die Zahl potentieller Käufer für große Unternehmen auf diejenigen, die genügend Kapital aufbringen können, und Kapitalmärkte sind in notorischer Weise unvollkommen.

In Märkten für Produkte und Unternehmen sehen sich Politiker oft mit einem gegenseitigen Herunterhandeln der Monopolmächte konfrontiert. Wenn die Kartellbehörde es beispielsweise einer Fluglinie gestattet, eine andere zu kaufen, so nimmt der Wettbewerb auf dem Flugreisemarkt ab. Verbietet die Kartellbehörde einer Fluglinie, eine andere zu kaufen, so nimmt der Wettbewerb auf dem Markt für Fluglinien ab. Etwas ähnliches ergibt sich, wenn die Kartellbehörde kleinen Banken erlaubt zu fusionieren oder zusammenzuarbeiten, um den Kauf großer Firmen zu finanzieren, denn dadurch könnte der Wettbewerb im Markt für finanzielle Dienstleistungen nachlassen. Wird im Gegensatz dazu das Bankgewerbe durch Gesetz fragmentiert, wie dies in den Vereinigten Staaten der Fall ist, so gibt es wenig Käufer für große Unternehmen.

Einseitige Rahmenbedingungen

Das Element eines natürlichen Monopols ist teilweise für die Inaktivität auf den Märkten für Unternehmen verantwortlich, aber auch Verträgen und Gesetzen kommt eine wichtige Bedeutung zu. Um zu erkennen warum dies so ist, erinnern Sie sich daran, daß das reine Eigentumsrecht dem Eigentümer gestattet, mit seiner Ressource alles zu tun, was anderen nicht schadet. Die Einschränkung, daß anderen nicht geschadet werden darf, wird problematisch, wenn das Eigentum ein mit Mitarbeitern ausgerüstetes Unternehmen ist. Anders als Zahnbürsten oder Ölquellen haben die Menschen in einem Unternehmen gesetzliche und moralische Rechte, und ihre Interessen und ihr Wohlergehen sind Angelegenheiten von öffentlichem Interesse.

Die Umstrukturierung eines Unternehmens und die Ausrichtung auf neue Ziele berührt unmittelbar das Wohlergehen seiner Angehörigen. Den Menschen sind die ihnen zugewiesenen Ämter und Rollen wichtig. Sie möchten gute, sichere Arbeitsplätze. Um die Arbeitsplatzsicherheit zu gewährleisten, streben die Amtsinhaber danach, die Rechte der Eigentümer zur Umstrukturierung der Unternehmen einzuschränken. Die Eigentümerrechte im Hinblick auf Unternehmen sind typischerweise definiert und geregelt und kaum vollständig und umfassend.

Die Beschränkungen, die in der Öffentlichkeit am bekanntesten sind, betreffen den Schutz der Arbeitnehmer. Weniger bekannt, aber für die Produktivität nicht weniger wichtig, sind die Schutzvorschriften für Direktoren und Manager. Ich habe keinen Überblick über die von Land zu Land variierenden vielfältigen Schutzvorschriften für leitende Angestellte, kann aber einige Beispiele anführen. Ein anschauliches amerikanisches Beispiel ist der sogenannte »goldene Fallschirm.« Dieser Begriff bezieht sich auf die großzügigen Abfindungszahlungen, die leitenden Angestellten für den Fall garantiert werden, daß sie ihre Stelle bei der Übernahme der Firma durch einen Konkurrenten verlieren. Die Abfindungszahlung kann so hoch sein, daß Firmenhaie abgeschreckt werden.

In Deutschland enthalten die Gründungsurkunden großer Firmen oft eine »5%-Regelung«, die bestimmt, daß kein Einzelaktionär mehr als 5% der Stimmrechte innehaben darf, auch wenn er mehr als 5% der Aktien besitzt. Infolgedessen haben deutsche Banken die sichere Kontrolle über viele deutsche Gesellschaften. Diese Kontrolle wird dadurch gesichert, daß die Eigentümer ihre Aktien den Banken zur Depotverwaltung überlassen und die Banken die Befugnis haben, die Stimmrechte auszuüben. So verfügen die Banken im Gegensatz zu anderen Großinvestoren über mehr als 5% der Stimmrechte der Gesellschaften (Baums, 1991). Die deutschen Banken verzichten fast nie auf die Kontrolle über ihre Kundengesellschaften.

In Japan ist die Arbeitsplatzsicherheit eher eine Frage der Rolle als des Vertrags. Die Firmenkultur favorisiert auch für Manager die lebenslange Anstellung. Die Hauptbank und das Netzwerk der Zulieferer, die zusammen einen kontrollierenden Anteil am Aktienvermögen der Gesellschaft innehaben, können ein erfolgloses Management zwar innerhalb der Gesellschaftshierarchie kaltstellen, aber nicht feuern. Der Verkauf eines Unternehmens wird als unloyal gegenüber seinen Mitgliedern erachtet (Sheshido, 1991).

In allen drei Beispielen werden die Entlassungsmöglichkeiten für leitende Angestellte durch Vertrag oder Usus beschränkt. Diese Privatvereinbarungen vermindern das Maß der Aktivität und des Wettbewerbs auf dem Markt für Unternehmen, da sie die Kosten und Schwierigkeiten erhöhen, die bei einer Umstrukturierung oder beim Verkauf zu erwarten wären. Neben den Privatvereinbarungen unterliegt der Markt für Unternehmen in der Regel auch gesetzlichen Beschränkungen. Dies läßt sich an einem amerikanischen Beispiel veranschaulichen. Das Williams Gesetz (*Williams Act*) fordert, daß jemand, der 5% der Aktien einer Gesellschaft erwirbt, dies öffentlich zu verkünden hat und weitere Käufe erst nach Ablauf einer festgelegten Frist tätigen darf.

Adam Smith beobachtete, daß Geschäftsleute kaum miteinander reden können, ohne gegen die Öffentlichkeit zu konspirieren, da ein Monopol profitabler ist als der Wettbewerb. Sind die Vereinbarungen und Gesetze zum Schutz leitender Angestellter Verschwörungen gegen die Öffentlichkeit? Diese Frage ist nicht leicht zu beantworten. Ein »goldener Fallschirm« kann eine legitime Abfindungszahlung sein, die es der Firma ermöglicht, die fähigsten Manager einzustellen, er kann aber auch ein hinterlistiges Mittel sein, um weniger qualifizierte Manager vor Wettbewerb zu schützen. Trotz dieser Komplexität kann eine Tatsache als Richtschnur für Gesetz und Politik dienen: Leitende Angestellte sind keine Klasse, die des väterlichen Schutzes durch den Staat bedarf. Sie haben das Wissen und die Macht, um sich ihren Schutz mittels Privatvereinbarungen selbst auszuhandeln. Damit gibt es ein gewichtiges Argument gegen alle Gesetze oder Vorschriften, die offenkundig dem Schutz leitender Angestellter dienen oder in sonstiger Weise den Markt für Unternehmen zugunsten der leitenden Angestellten behindern. Der Schutz leitender Angestellter sollte auf Privatvereinbarungen, jedoch nie auf Gesetzen basieren.

Schwieriger ist die Frage zu beantworten, ob das Gesetz die Durchsetzung von Privatvereinbarungen zum Schutz leitender Angestellter verweigern oder diese aktiv abschaffen sollte. Sollten solche Vereinbarungen durch kartellrechtliche Gesetze mit der Begründung abgeschafft werden, daß es sich hierbei um Verschwörungen zur Handelsbeschränkung handelt? Die Frage ist kompliziert, denn Privatbeschränkungen auf den Märkten für Unternehmen können die Effizienz steigern. Die Effizienz wird dann gefördert, wenn die Sicherheit zu Loyalität und Anstrengung anspornt, wie ich nun erklären werde.

Trennung von Macht und Profit

Ist ein Unternehmen reines Eigentum, so hat im Idealfall jemand die freie Verfügungsbefugnis inne und internalisiert auch die Nettoerträge aus seiner Nutzung. In einem Familienunternehmen beispielsweise sind Macht und Verantwortung vereint, der alleinige Eigentümer trifft die Entscheidungen und trägt Gewinn und Verlust. Im modernen Kapitalismus ist es für die Eigentümer florierender Unternehmen aber unwirtschaftlich, eine Expansion intern zu finanzieren. Geldmittel müssen rasch von einem großen Unternehmen zum anderen transferiert werden, um auf die kreative Zerstörung des Marktes zu reagieren. Um schnell an Geldmittel zu gelangen, müssen die Firmen Aktien und Anleihen verkaufen. Eine Firma, die öffentlich Aktien verkauft, steht nicht im alleinigen Eigentum der Leute, die sie leiten. Bei Aktiengesellschaften wird das die Eigentümerstellung ausmachende Paket an Rechten durch den Verkauf der Aktien an die breite Öffentlichkeit fragmentiert und verteilt.

Um diese Fragmentierung zu verstehen, betrachten Sie die Leitung einer Aktiengesellschaft. Bei Angelegenheit von zentraler Bedeutung für die Gesellschaft, einschließlich der Wahl der Verwaltungsratsmitglieder, sind in der Regel alle Aktionäre berechtigt, pro Aktie eine Stimme abzugeben. Die Verwaltungsratsmitglieder bestimmen ihrerseits das Management und billigen die Unternehmenspolitik. Bei Gesellschaften, die in den Händen weniger sind, hat eine Person oder kleine Gruppe von Partnern einen so großen Aktienanteil inne, daß sie die Wahl der Verwaltungsratsmitglieder kontrollieren kann. Eine sichere Kontrolle über kleine Gesellschaften verlangt einen Aktienbesitz von 51%. In größeren Gesellschaften kann die Kontrolle mit einem viel kleineren Prozentsatz erreicht werden.

Theoretiker, die sich mit kollektiven Entscheidungen befassen, definieren die »Macht« einer Stimme oftmals als die Möglichkeit, daß diese Stimme ausschlaggebend sein könnte. Bei einer knappen Wahl zwischen zwei Kandidaten beispielsweise ist jede Stimme mächtig, sie hat aber wenig Gewicht bei einem haushohen Sieg eines der Kandidaten. Die Macht einer Stimme, die dem kontrollierenden Block in einer Gesellschaft angehört, ist groß, während die Macht der Stimme eines Aktionärs der Minderheit gleich Null ist. Die kontrollierenden Aktionäre haben die Macht inne und erhalten einen Anteil an den Gewinnen. Aktionäre der Minderheit erhalten einen Anteil an den Gewinnen, haben aber keine Macht.

In der Realität kontrollieren oftmals die Manager eine Gesellschaft, auch wenn sie nur einen kleinen Prozentsatz der Aktien ihr eigen nennen. Bei einer Aktiengesellschaft sind also Macht und Verantwortung in unvollkommener Weise verbunden. Die daraus resultierende Trennung von Profit und Macht, die man als »Trennung des Eigentums von der Kontrolle« bezeichnet, wurde intensiv untersucht, in jüngster Zeit etwa von den Spieltheoretikern.[5] In der Standardformulierung werden die Aktionäre als »Auftraggeber« , das Management als »Auftragnehmer« bezeichnet. Im Verhältnis zwischen Auftraggeber und Auftragnehmer besteht das Problem darin, ein System von Anreizen zu schaffen, das dazu führt, daß das, was den Interessen des Auftragnehmers am besten dient auch das ist, was dem Auftraggeber den größten Nutzen bringt.

Das Problem zwischen Auftraggeber und Auftragnehmer ist mit einem System von Anreizen in vollkommener Weise gelöst. Es bewirkt, daß der Auftragnehmer den Nutzen für sich oder sein Einkommen dann maximiert, wenn sein Handeln den Nutzen für den Auftraggeber oder dessen Einkommen maximiert. Eine vollkommene Lösung verlangt, um tatsächlich vollkommen zu sein, daß der Auftraggeber über das Verhalten des Auftragnehmers informiert ist. In der Realität sind die Informationen, über die der Auftraggeber verfügt aber in höchstem Maße unvollständig, so daß für den Auftragnehmer in der Regel einige Anreize bestehen, Handlungen vorzunehmen, die ihm auf Kosten des Auftraggebers Vorteile verschaffen. Für das in modernen Firmen bestehende Problem zwischen Auftraggeber und Auftragnehmer gibt es also keine vollkommene Lösung.

In dieser unvollkommenen Welt kommen verschiedene vertragliche und gesetzliche Mittel zur Anwendung, um zu erreichen, daß Manager sich einsetzen und in angemessener Weise Risiken auf sich nehmen. Die vertraglichen Lösungen sehen beispielsweise Aktienoptionen vor, um den Eigentumsanteil des Managements zu vergrößern, oder einen Bonus oder eine Leistungszulage, um Anstrengungen und Resultate zu belohnen. Zu den gesetzlichen Lösungen gehören zivilrechtliche und strafrechtliche Haftung, insbesondere für die Verletzung von Vertrauenspflichten. Das Fiduziarrecht ist wegen seiner glatten Lösung des Problems asymmetrischer Informationen erwähnenswert. Aktionäre verfügen selten über hinreichende Beweise für ein Fehlverhalten von Managern, um den vor Gericht erforderlichen Beweisregeln genügen zu können. Folglich ersetzt das Fiduziarrecht die üblichen Beweisnormen und vermutet ein Fehlverhalten nach Anschein. Von einem Manager, der beispielsweise eine Gelegenheit für die

[5] Vgl. die Literatur über das Verhältnis Auftraggeber – Auftragnehmer, etwa bei Holmstrom und Tirole (1989) oder Tirole (1988).

Firma für sich ausnützt, wird gesetzlich vermutet, daß er die Aktionäre geschädigt hat und er muß seine Gewinne an die Firma herausgegeben, auch wenn eine Schädigung der Aktionäre nicht nachgewiesen werden kann (Cooter und Freedman, 1992).

Im Geschäftsleben ist bekannt, daß Personen in kurzfristigen Beziehungen eher zu harten Praktiken und zu Betrug neigen, als in langfristigen Beziehungen. Dies entspricht der These, daß viele Mängel, die in einmaligen Spielen auftreten, bei mehreren Spielwiederholungen verschwinden (Fudenberg und Maskin, 1986; Hadfield, 1990). Folglich hilft es bei der Lösung des Problems zwischen Auftraggeber und Auftragnehmer, wenn der Zeithorizont verlängert wird. Der Zeithorizont läßt sich durch Verträge und Praktiken verlängern, die Arbeitsplatzsicherheit und Loyalität unter den leitenden Angestellten schaffen. Optimale Lösungen für das Problem zwischen Auftraggeber und Auftragnehmer greifen oft auf Verträge und Praktiken zurück, die langfristige Beziehungen unterstützen.

Gibt man den Angehörigen eines Unternehmens eine Monopolmachtstellung, so schafft man damit Loyalität gegenüber der Firma. Wer würde eine Arbeitsstelle kündigen, an der Monopolgehälter gezahlt werden, um eine Arbeitsstelle anzunehmen, an der durch Wettbewerb bestimmte Gehälter ausgeschüttet werden? Gesetzgeber und Leute, die Vorschriften zu erlassen haben, sehen sich also einem schwierigen Problem gegenüber, wenn sie versuchen sollen, optimale Lösungen für das Problem zwischen Auftraggeber und Auftragnehmer zu finden und private Vereinbarungen zu treffen, um für die leitenden Angestellten Monopolprofite zu schaffen. Für dieses Problem biete ich keine allgemeingültige Lösung an, da es eine solche nicht gibt. Es gibt keine allgemeinverbindliche Lösung, weil die entsprechenden Märkte naturgemäß zu dünn sind, um vollkommen wettbewerbsorientiert zu sein.

Fachleute erklären bisweilen, für die Antitrustpolitik sollten nur vier Zahlen von Bedeutung sein: eins, zwei, drei und vier-oder-mehr. Diese kryptische Bemerkung besagt, daß ein Markt mit vier oder mehr Anbietern sich annähernd so verhält, wie ein vollkommen wettbewerbsorientierter Markt, während jede Reduktion von Anbietern auf eine Zahl unter vier, die Wahrscheinlichkeit monopolistischer Praktiken erhöht. Wenn sie auch nicht völlig zutrifft, so liefert diese Faustregel doch einen Ansatzpunkt für die Diskussion über Märkte für Unternehmen.

Für die Zwecke dieser Diskussion wollen wir so komplexe Gesichtspunkte wie Importwettbewerb, angreifbare Märkte (*contestable markets*) und Eingangsbeschränkungen (*barriers to entry*) außer acht lassen. Nehmen wir an, daß der Markt für Unternehmen dann, wenn er vier oder mehr aktiv Beteiligte umfaßt, naturgemäß groß genug ist, um einen effektiven Wettbewerb zu ermöglichen. Nehmen wir des weiteren beispielsweise an, daß mehr als vier Fluglinien untereinander in Wettbewerb stehen und daß diese sich alle aktiv bemühen, Fluglinien zu erwerben und keine der Fluglinien einer Übernahme durch einen Konkurrenten Hindernisse entgegensetzt. Es ist anzunehmen, daß der Markt für Fluglinien naturgemäß wettbewerbsorientiert ist. Nehmen wir jetzt an, daß eine Vereinbarung zwischen einer Fluglinie und ihren leitenden Angestellten, wie etwa der »goldene Fallschirm«, einer Übernahme Hindernisse entgegensetzt. Es ist anzunehmen, daß der »goldene Fallschirm« diese Firma aus dem Markt für Firmenübernahmen ausschließt.

Die Kartellbehörde muß entscheiden, ob sie diesen Ausschluß gestatten will. Die obige Faustregel legt eine Antwort nahe. Wenn zumindest vier Firmen auf dem Markt bleiben, so besagt die Faustregel, wird der Markt wettbewerbsorientiert bleiben. Folglich sollte die Kartellbehörde den restriktiven Vertrag billigen. Als Faustregel gilt, daß private Restriktionen, die den Wettbewerb um den Eigentumserwerb an Unternehmen einschränken, dann unbedenklich sind, wenn sie effektiv eine Firma aus einem Markt entfernen, auf dem es mehr als vier Konkurrenten gibt. Unter solchen Bedingungen für einen funktionierenden Wettbewerb kann das Gesetz einen neutralen Rahmen für den Wettbewerb der Unternehmen untereinander schaffen und so das Ideal eines reinen Eigentumsrechts verwirklichen. Der Wettbewerb wird in der Folge bestimmen, ob der restriktive Vertrag unrestriktiven Verträgen unter- oder überlegen ist.

Nehmen wir beispielsweise an, das Gesetz gestatte den Unternehmen, mit ihren leitenden Angestellten Verträge abzuschließen, die Übernahmen und Umstrukturierungen beeinträchtigen. Einige Hersteller könnten sich eng mit Banken verbinden, so wie es in Deutschland der Fall ist. Andere Hersteller könnten mit einer Hauptbank und mit ihren Lieferanten ein Netzwerk bilden, wie es in Japan der Fall ist. Wieder andere könnten sich von Banken und Netzwerken fernhalten, wie es in Amerika der Fall ist. Gäbe es genügend Firmen dieser verschiedenen Typen, so würde der Wettbewerb zwischen ihnen im Laufe der Zeit entscheiden, welche Unternehmensform die effizienteste ist.

Ein solches Szenario geht von einem großen Markt für Unternehmenskontrolle aus, so daß verschiedene Unternehmenstypen nebeneinander existieren können. Um die gegenteilige Alternative zu untersuchen, wollen wir zu dem Beispiel der Flugliniengesellschaft zurückkehren, die eine feindliche Übernahme ausschließen möchte. Ändern wir jetzt die Voraussetzungen und nehmen wir an, daß weniger als vier Gesellschaften auf dem Markt für Unternehmenskontrolle verbleiben, nachdem eine der Gesellschaften restriktive Praktiken anwendet hat, um feindliche Übernahmen auszuschließen. Die Faustregel der »vier Firmen« für das Kartellrecht legt nahe, daß der Markt nicht wettbewerbsorientiert bleiben wird. Die Behörde sieht sich hier einer viel härteren Entscheidung gegenüber. Die Billigung des Vertrages wird den Wettbewerb unterminieren. Ein Verbot des Vertrages kann die Loyalität gegenüber Firmen unterminieren, die zur Lösung des Problems zwischen Auftraggeber und Auftragnehmer erforderlich ist. Für dieses Dilemma gibt es keine allgemeinverbindliche politische Lösung. Wenn der Markt für Unternehmen dünn ist, so ist ein neutraler Rahmen unmöglich. Das Gesetz muß dann eine Politik verfolgen, die entsprechende Verträge erzwingt oder abschafft.

Unglücklicherweise liefern weder Theorie noch empirische Forschung dem Gesetzgeber klare Richtlinien. Die Unterschiede zwischen den amerikanischen, deutschen und japanischen Systemen sind trotz intensiver politischer Debatten unzureichend analysiert und erforscht worden. Bei diesem Stand der Dinge können die Fachleute über die beste Politik nur Mutmaßungen anstellen. Meines Erachtens sollten Gesellschaften je nach ihrem Entwicklungsstand innerhalb der Geschichte der Branche private oder Publikumsgesellschaften sein. Scheiternde Firmen, die umstrukturiert werden müssen, brauchen die Entschlossenheit und Beweglichkeit privater Eigentümer, während florierende und expandierende Firmen den Zugang zu öffentlichen Mitteln brauchen. Ich würde daher vorschlagen, daß ein optimaler gesetzlicher Rahmen den Übergang von einer öffentlichen zu einer privaten Organsationsform und umgekehrt gestatten sollte. Diese Anmerkungen geben aber nur einen Hinweis auf die Themen in einem komplexen Sachverhalt.[6]

---

[6] Meine Analyse empfiehlt beispielsweise das Aufkaufen einer schlecht gehenden Firma durch das Management *(leveraged buy-out)*. Dennoch wurden solche Transaktionen als »ultimativer Insider-Handel« bezeichnet.

Die Eigentumstheorie in Anwendung auf die post-kommunistischen Länder

Die kommunistischen Revolutionen in Europa bewirkten mehr als eine Reglementierung von Privateigentum, sie versuchten vielmehr, dieses abzuschaffen. Es wurden nicht alle Formen des Privateigentums abgeschafft, aber das private Eigentum als eine Organisationsform in großen Unternehmen wurde in allen kommunistischen Ländern eliminiert. Die Eigentumstheorie liefert uns eine Interpretation der daraus resultierenden Folgen, die ich kurz umreißen möchte. Das Ziel des staatlichen Sozialismus unter Stalin war es, dem Diktator die vollständige Verfügungsmacht über das Wirtschaftleben einschließlich der Unternehmensstrukturen, Ämter, Rollen, des Personals und der materiellen Ressourcen zu verschaffen. Wenn man Eigentum mit der freien Verfügungsbefugnis über Ressourcen gleichsetzt, dann besaß Stalin alles.

Er übte seine Kontrolle mittels zentraler Planung aus, die darin besteht, Befehle mit Drohungen zu untermauern. Die Wirtschaftstheorie der Abschreckung gewährt Einblick in die Rationalität der zentralen Planung unter Stalin. Eine vollkommen rationale, im Eigeninteresse handelnde Person wird einen Befehl dann mißachten, wenn der aus der Mißachtung resultierende Vorteil die erwartete Sanktion übersteigt.[7] Die erwartete Sanktion entspricht der Höhe der Strafe mal ihrer Wahrscheinlichkeit. Um die Wahrscheinlichkeit einer Bestrafung zu erhöhen, braucht man mehr Polizei, Gerichte, Staatsanwälte und so weiter, was kostspielig ist. Bei Wirtschaftskriminalität sind die Kosten besonders hoch, da es schwer ist, die Straftäter zu erwischen. Verglichen damit ist eine Kugel im Kopf billig. Der Staat kann auch einfach davon profitieren, daß er den Übeltäter versklavt. Eine wirksame Abschreckung bei Wirtschaftsvergehen verlangt eine extrem harte Bestrafung, etwa Erschießung oder Versklavung, die mit geringer Wahrscheinlichkeit und wenig Unterscheidungsvermögen angewendet wird (Becker, 1968). Die Abschreckungstheorie besagt, daß Terror die Kosten zur Durchsetzung der zentralen Planung minimiert. Stalin setzte den Zentralplan offensichtlich mit geringen Kosten für die Regierung und erschreckenden menschlichen Kosten durch.

Das stalinistische Modell der mit Hilfe von Terror durchgesetzten Zentralplanung wurde in unterschiedlichen Graden von Sektor und Land erfüllt. Sein Tod schuf Raum für widerstreitende Parteien und eine menschlichere

[7] Ich unterstelle Risikoneutralität des Auftragnehmers.

Politik. Die Eigentumstheorie erklärt, wie das Wachstum der Parteien und der Rückgang des Terrors in Osteuropa zu den sinkenden wirtschaftlichen Wachstumsraten in den 70er Jahren, die in den 80er Jahren zur Stagnation führten, beitagen konnten.

Wie erklärt, ist Terror ein zweckmäßiger Weg zur Durchsetzung einer Zentralplanung. Nachdem der Terror aufgegeben worden war, wurde die Durchsetzung der Zentralplanung zu kostspielig und der Zentralplan verlor seine Schlagkraft. Als der einzelne Diktator mehreren im Wettstreit liegenden Parteien wich, hatte niemand mehr die Verfügungsbefugnis über die Gesamtwirtschaft. Sie gehörte niemandem; vielmehr waren die Eigentumsrechte zerstreut. Bei Unternehmen, die im Sozialeigentum standen, waren Macht und Profit nicht in einer Person oder kleinen Gruppe vereint. Politik ersetzte die Verfügungsbefugnis, Kollektiventscheidungen traten an die Stelle von Einzelentscheidungen, und Anordnungen wurden durch Kontrolle ersetzt.

Die im Sozialeigentum stehenden Unternehmen unterlagen verschiedenen Arten von Kontrolle, die je nach Zeit und Ort gemäß den politischen Strömungen variierte (Olson, 1992). Ein ungarischer Fachmann hat argumentiert, daß es politischen Zwecken diente, die Eigentumsrechte für ungarische Unternehmen im Vagen und Ungewissen zu belassen. Nach seiner Ansicht gehörten sie niemandem (Sajo, 1990). Seine Erkenntnisse erinnern an eine kroatische Redewendung: »Wir wissen, was Sozialeigentum nicht ist, aber nicht, was es ist«.

Wenn die Eigentumsrechte zersplittert und unsicher sind, dann setzen die Menschen ihre Energien eher dafür ein, sich Eigentum zu sichern, als welches zu produzieren. Die Spieltheorie zeigt im allgemeinen, daß die Unsicherheit über Berechtigungen Energien von der Produktion zur Redistribution umlenkt. Dieses Ergebnis läßt sich mit Hilfe eine Analogie erklären. Als in Amerika mit dem Anzapfen von Ölquellen begonnen wurde, gehörte das Öl laut Gesetz demjenigen, der es an die Oberfläche gepumpt hatte. Mit anderen Worten, das Öl im Boden gehörte niemandem, das an die Oberfläche gebrachte Öl gehörte demjenigen, der es in Besitz hatte. Folglich versuchten Ölfirmen um die Wette, so schnell wie möglich so viel Öl wie möglich aus dem Boden zu ziehen. Öl im Boden ist analog zu Sozialeigentum zu sehen, insofern als es niemandem eindeutig gehört. Folglich wetteifern die Menschen in den post-kommunistischen Ländern in aufwendiger Weise darum, das Eigentum aus der sozialen Bindung zu befreien und es in privates Eigentum zu überführen.

Das Wettrennen um die Aneignung von Sozialeigentum ist eine Ursache für die spontane Disintegration sozialistischer Unternehmen. Nach 1989 beschleunigte sich die Disintegration so sehr, daß sie zum Zusammenbruch vieler Staaten führte. Die Spieltheorie sagt uns warum. Wenn der gesetzliche Rahmen für das Vertragsrecht unterentwickelt ist, so daß Versprechen schwer durchzusetzen sind, treten langfristige Beziehungen als ein Mittel zur Koordination von Verhalten an die Stelle von Verträgen (Cooter und Landa, 1984; Cooter, 1989). Der Austausch in langfristigen Beziehungen vollzieht sich so, daß man sich gegenseitig einen Gefallen erweist nach dem Prinzip »wie du mir, so ich dir« oder »ich kraule dir den Rücken, wenn du mir den Rücken kraulst«. Ein Mechaniker erweist etwa einem Fahrer den »Gefallen«, seinen Lastwagen zu reparieren, er erhält aber später eine Kiste Orangen aus dem Lastwagen als »Geschenk«. Wirtschaftlich Handelnde betreiben Tausch und führen dabei gleichzeitig Buch, um sicherzustellen, daß sie so viel erhalten, wie sie gegeben haben.

Der staatliche Sozialismus ersetzte also die Marktwirtschaft durch weniger effiziente langfristige politische Beziehungen. Im System der Reziprozität tritt ein Problem auf, wenn die Parteien sehen, daß dieses zu Ende geht. Wenn sich das Ende nähert, so bezweifeln die wirtschaftlich Handelnden, ob ihnen die Gefallen, die sie anderen erweisen, jemals vergolten werden. Folglich sind sie nicht länger bereit, anderen Gefallen zu erweisen. Geht der Glaube an die Zukunft des Sozialeigentums verloren, so werden dadurch die reziproken Beziehungen unterminiert, die es am Leben erhalten haben. Technisch gesehen führen Spiele zu kooperativen Lösungen, wenn sie fortlaufend wiederholt werden, während die Zusammenarbeit zusammenbricht, sobald sich das Spiel seinem Ende nähert (das »Endspiel-Problem«).

Welcher Kapitalismus?

Die Führer post-kommunistischer Länder sehen in der Privatisierung den einzigen Ausweg aus ihrem derzeitigen Dilemma. Ich kann hier nicht auf alle Aspekte der Privatisierung eingehen und werde mich deshalb auf das Unternehmenseigentum konzentrieren. Viele post-kommunistische Länder haben festgestellt, daß Sozialeigentum zu einem verantwortungslosen Management führte. Daraus folgerten sie, daß ein Aktienmarkt das Problem automatisch beseitigen würde, was eine falsche Annahme ist. Der Fehler liegt darin, daß nicht zwischen dem Kauf von Aktien und dem Kauf einer Gesellschaft unterschieden wird. Wie schon erklärt, verfügen die Manager von kapitalistischen Gesellschaften über Mittel, um sich von äußerem

Druck abzuschotten, so daß sie ineffektive oder verantwortungslose Politik betreiben können. Hat eine Firma einen Eigentümer mit einer kontrollierenden Mehrheit, so kann diese Person oder dieses Unternehmen die Manager dazu zwingen, verantwortlich zu handeln, während verstreute Aktionäre dies nicht können.

Deutschland, Japan und die USA bieten jeweils verschiedene Modelle zur Beaufsichtigung von Managern an. Wie schon erklärt wurde, sind die Kontrolle ausübenden Aktionäre in Deutschland die Banken, in Japan die Hauptbank der Gesellschaft zusammen mit den Lieferanten. In den USA ist es den meisten Finanzinstituten, wie etwa Handelsbanken, nicht gestattet, eine kontrollierende Aktienmehrheit innezuhaben. In den USA hat sich statt dessen das Modell der feindlichen Übernahme durch einen Konkurrenten entwickelt, so daß hier der Markt die Manager beaufsichtigt. Die post-kommunistischen Länder sehen sich also vor der Frage: «Welcher Kapitalismus?«

Es gibt keinen neutralen Rahmen für Wettbewerb, der diese Frage beantworten könnte. Sie muß vielmehr durch Gesetz und Politik beantwortet werden. Ein neutraler Rahmen ist deshalb unmöglich, weil der potentielle Markt für die Kontrolle über Gesellschaften nicht groß genug ist, um das gesamte Spektrum alternativer Formen der Finanzierung und Kontrolle miteinander in Wettbewerb treten zu lassen. Bei einer Privatisierung müssen die Rollen der Handelsbanken, Emissionsbanken, Investmentfonds, Versicherungsgesellschaften und Rentenfonds vorab skizziert sein. Institutionelle Anleger werden vermutlich die Kontrolle, die sie über den Verwaltungsrat ausüben, während der Privatisierung in keiner Weise aufgeben. Der Pfad, der beim Übergang zum Kapitalismus beschritten wird, wird also vermutlich einen entscheidenden Einfluß auf das Endergebnis haben.

Die derzeitige wirtschaftliche Krise in den post-kommunistischen Ländern verlangt nach einer politischen Lösung. Die Privatisierungsstellen werden zwangsläufig auf die Politik reagieren. In Kroatien beispielsweise wurde der Direktor des Privatisierungsfonds vom Präsidenten der Republik ernannt, und der Fond erhält Zugang zu den vom Staat zur Verfügung gestellten Steuereinnahmen. Die enge Verbindung von Politik und Finanz schafft viele Möglichkeiten für politische Günstlingswirtschaft und Korruption bei der Zuteilung der Investitionsmittel. Die Ungewißheit über Eigentumsrechte multipliziert die Chancen für politische Vermögensumverteilungen und unterminiert das Vertrauen der Anleger.

Auf lange Sicht müssen die staatlichen Privatisierungsfonds aufgelöst oder in Emissionsbanken umgewandelt werden, die von der Politik getrennt sind und nach den Prinzipien des Handels operieren. In der Zwischenzeit wird die Privatisierung zum Teil evolutionär, zum Teil geplant verlaufen. Betonung und Richtung der Privatisierung werden sich verschieben, wenn sich die politischen Ströme umkehren, die Wähler mehr Erfahrungen mit dem Kapitalismus gewonnen haben, neue Themen in den Vordergrund treten und sich die öffentlichen Prioritäten verändern. Der Platz erlaubt es mir hier nicht, eine wirtschaftliche Analyse der Gesetzgebung vorzunehmen. Eine solche Analyse ließe aber Pessimismus hinsichtlich der Wahrscheinlichkeit aufkommen, daß die Privatisierung auch nur annähernd zu einem reinen Eigentumsrecht führen wird.

Zusammenfassung und Schlußfolgerung

Privateigentum besteht aus einem Paket von Rechten, die dem Eigentümer die freie Verfügungsbefugnis über den Gebrauch von Ressourcen gewähren. Freie Verfügungsbefugnis bedeutet, daß der Eigentümer anderen oder dem Staat gegenüber nicht verantwortlich ist. Diese Privatsphäre ist ein Aspekt der Freiheit und ein Bollwerk gegen Tyrannei. Außerdem liefert das Privateigentum Anreize für Effizienz und Innovation. Ein reines Eigentumsrecht fördert die Effizienz, indem es Kosten und Vorteile der Ressourcennutzung internalisiert, den Handel in Schwung bringt und effiziente Unternehmen fördert.

Einige Unternehmen können im Eigentum eines einzelnen stehen, während andere ihrer Natur nach dem Eigentum einzelner nicht zugänglich sind. Freie Verfügungsbefugnis und Entscheidung sind Aspekte des Unternehmenseigentums, während Politik und Kollektiventscheidungen Aspekte von nicht im Eigentum stehenden Unternehmen sind. Privateigentum und Kapitalismus sind keine ausreichenden Bedingungen, um die Form einer Unternehmensorganisation festzulegen. Privateigentum und Kapitalismus schreiben keine bestimmte Form vor, liefern aber im Idealfall einen Rahmen für den Wettbewerb alternativer Formen untereinander.

In der Praxis kann dieser Rahmen nicht vollständig neutral sein, da die Märkte für Unternehmen dünn und kaum auf natürliche Weise wettbewerbsorientiert sind. Privatisierung in den post-kommunistischen Ländern muß über die Einrichtung von Finanzinstituten durch Gesetz erfolgen, die bestimmte Methoden zur Auswahl von unternehmerischen Führungspersönlichkeiten favorisieren. Deutschland, Japan und die USA bieten hierfür alternative Modelle an.

Eine wirtschaftliche Analyse des Gesetzgebungsvorgangs läßt Skepsis aufkommen, ob Privatisierung auch nur annähernd zu einem reinen Eigentumsrecht führen wird. Die Regierung reagiert auf die sich verändernden politischen Strömungen und richtet die Gesetzgebung auf Effizienz hinsichtlich des Zustands und des Neubeginns aus. Der Schutz des Eigentums vor politischer Umverteilung, die das Vertrauen der Anleger unterminiert, verlangt nach einem starken unabhängigen Gerichtswesen.

Verfassungshistoriker der Vereinigten Staaten haben bestimmte Augenblicke der Geschichte ermittelt, in denen die Politiker und die Öffentlichkeit in der Lage waren, sich über ein unmittelbares Eigeninteresse zu erheben und auf eine größere Vision zu reagieren (Ackermann, 1977; 1984). Diese Theorien postulieren im Effekt ein Verhalten, das sich außerhalb des wirtschaftlichen Modells des Eigeninteresses bewegt und zur Schaffung eines verfassungsrechtlichen Rahmens für Kapitalismus und Demokratie führt. Die größte Hoffnung für die Privatisierung in Osteuropa besteht darin, daß diese Länder einen solchen Augenblick ihrer Geschichte gerade jetzt erleben werden.

Menschliche Natur und Wirtschaftspolitik: Lektionen für Osteuropa[1]

Robert H. Frank

Die Gesellschaft United Technologies veröffentlichte einmal eine Anzeige im *Wall Street Journal* mit dem Wortlaut »Wenn vierzig Millionen Leute an eine törichte Idee glauben, so bleibt es dennoch eine törichte Idee«. Genau so eine Idee diente als Rechtfertigung für die wirtschaftliche Rolle des Staates in den kapitalistischen und marxistischen Wirtschaftssystemen des zwanzigsten Jahrhunderts.

In jedem dieser Systeme galt der Staat als wichtige Kraft zum Schutz der Menschen vor der Ausbeutung, die privaten unbeschränkten Märkten nachgesagt wurde. Natürlich gab es in den beiden System drastische Unterschiede bei den vom Staat zur Erreichung seiner Ziele angewandten Methoden. Die kommunistischen Staaten waren unmittelbare Eigentümer der Produktionsmittel, während die kapitalistischen Regierungen den Kapitaleignern überwältigende Vorschriften auferlegt haben. Aber die motivierende Idee war in beiden Fällen dieselbe: die Unterdrückten vor der Ausbeutung durch mächtige Wirtschaftseliten zu schützen.

Wie die jüngsten Erfahrungen in Osteuropa und der Sowjetunion zu beweisen scheinen, ist Staatseigentum kein gangbarer Weg zum Schutz der Menschen vor Ausbeutung oder vor sonstiger Beeinträchtigung. Verglichen damit hat sich die Reglementierungsmethode des modernen Westens als der effektivere Weg zur Organisation des Wirtschaftslebens erwiesen. Und doch ist auch diese Methode, die auf der unkritischen Übernahme des Ausbeutungsarguments basiert, in sich selbst zutiefst brüchig. Ich werde darstellen, daß unser gegenwärtiges Verständnis der Wirtschaft und der menschlichen Natur auf eine vollkommen andere, wenn auch nicht weniger wichtige Rolle des Staates im Wirtschaftsleben verweist. Diese Rolle besteht darin, die Menschen nicht vor der Ausbeutung durch die Kapitaleigner, sondern vor zerstörerischem Wettbewerb untereinander zu schützen.

---

[1] Der Aufsatz stützt sich hauptsächlich auf Material aus meinem Buch *Choosing the Right Pond* von 1985. Ich danke den Konferenzteilnehmern, insbesondere Michael McGuire für ihre hilfreichen Kommentare zu früheren Entwürfen.

Gerade in einem Augenblick der Geschichte, in dem sich die meisten osteuropäischen Länder genötigt sehen, ihre aufstrebenden Wirtschaftssysteme nach westlichem Modell zu formen, ist es besonders wichtig, die Logik dieser staatlichen Rolle genau zu verstehen. Die westlichen Wirtschaftsinstitutionen verfügen zweifellos über attraktive Züge; übernähme Osteuropa diese Institutionen aber *in toto*, so würden sie damit eine Chance verpassen, die wahrscheinlich nicht wiederkommt.

Wettbewerb und Ausbeutung

Betrachtet man die Erfahrungen vieler Arbeiter zur Zeit der frühen industriellen Revolution, so mag die Vorstellung, daß Ausbeutung das alles überschattende Problem unregulierter privater Märkte sei, intuitiv ansprechend erscheinen. Lesen Sie dazu Upton Sinclairs anschaulichen Bericht über das Leben in einer Fleischverpackungsfabrik um die Jahrhundertwende:

> Einige arbeiteten an den Stampfmaschinen, wobei es jedoch selten vorkam, daß einer die vorgegebene Geschwindigkeit lange beibehalten konnte ohne aufzugeben, sich zu vergessen und ein Stück der Hand abgehackt zu bekommen. Da waren die »Hochzieher«, wie sie genannt wurden, deren Aufgabe darin bestand, den Hebel zu bedienen, der das tote Vieh vom Boden hob. Sie liefen auf einem Dachbalken entlang und blickten durch Dunst und Dampf nach unten; und da die Architekten des alten Durham den Schlachtraum nicht für die Bequemlichkeit der Hochzieher erbaut hatten, mußten sie sich alle paar Schritte bücken, um unter einem Balken hindurchzuschlüpfen, der sich etwa einen Meter über demjenigen befand, auf dem sie entlang liefen; dadurch gewöhnten sie sich das Bücken so sehr an, daß sie nach ein paar Jahren wie Schimpansen herumliefen. Am schlimmsten waren jedoch die Besamer dran und diejenigen, die in den Küchenräumen Dienst taten. Diese Leute konnte man Besuchern nicht zeigen, denn der Geruch eines Besamers hätte jeden normalen Besucher in hundert Meilen Umkreis in die Flucht geschlagen. Die Männer, die in den dampferfüllten Räumen mit den großen Bottichen arbeiteten, die oben offen waren und sich etwa auf Bodenhöhe befanden, waren besonders von dem Risiko bedroht, in diese Bottiche hineinzufallen; wenn man sie herausfischte, war nicht mehr viel Sehenswertes von ihnen übriggeblieben. Manchmal wurden sie auch tagelang übersehen und gingen dann mit Ausnahme ihrer Knochen als »Reines Durham-Schmalz« in die Welt hinaus (Sinclair, 1906: 106).

Die elenden Bedingungen, unter denen Fabrikarbeiter arbeiteten, im Gegensatz zu den oft opulenten Bedingungen, unter denen die Eigentümer lebten, haben es vermutlich schwer gemacht, nicht zu glauben, daß Eigentümer Arbeiter ausbeuten. Aus diesem Glauben heraus haben die meisten westlichen Nationen Vorschriften für Arbeitsverhältnisse geschaffen, die sich mit Sicherheit, Löhnen, Arbeitszeit und anderen Charakteristika befassen. Manche europäische Staaten haben sogar Vorschriften erlassen, um die Demokratie am Arbeitsplatz zu verstärken. Dennoch bleiben

Ungereimtheiten was die Vorstellung anbelangt, daß es solcher Vorschriften bedarf, um die Ausbeutung durch Arbeitgeber mit einer starken Marktposition einzudämmen.

Eine Schwierigkeit rührt von dem Argument der Wirtschaftswissenschaftler her, wonach ein Wettbewerb um Arbeitskräfte die Firmen dazu ansporne, das optimale Maß an sozialen Annehmlichkeiten am Arbeitsplatz zu schaffen. Nehmen wir an, die Einrichtung und Aufrechterhaltung einer solchen Annehmlichkeit – etwa eine Sicherheitseinrichtung an einer Maschine – kostet $ 50 im Monat, und die Arbeitnehmer werden sie mit $ 100/M. honoriert, so muß die Firma die Einrichtung anbringen, will sie ihre Arbeitnehmer nicht an den Konkurrenten verlieren, der diese Einrichtung bietet. Würde ein solcher Konkurrent dem Arbeitnehmer $ 60/M. weniger zahlen, als er gegenwärtig verdient, so würde das die Einbaukosten der Sicherheitseinrichtung mehr als wettmachen, der Arbeitgeber würde dem Arbeitnehmer aber ein Ausgleichspaket bieten, das um $ 40/M. besser liegt, als das des derzeitigen Arbeitgebers.

Diesem Argument halten Kritiker entgegen, daß es in der Praxis sehr wenig Wettbewerb auf dem Arbeitsmarkt gibt. Unzureichende Informationen, Immobilität der Arbeitskräfte und andere Unvollkommenheiten schaffen Umstände, unter denen den Arbeitskräften wenig anderes übrigbleibt, als alle Bedingungen zu akzeptieren, die ihr Arbeitgeber ihnen anbietet. Der Historiker John Mitchell bringt dies in einem frühen Bericht über die amerikanische Arbeiterbewegung deutlich zum Ausdruck:

> ...unter normalen Umständen kann der einzelne unorganisierte Arbeiter mit dem Arbeitgeber nicht vorteilhaft über den Verkauf seiner Arbeitskraft verhandeln. Da der Arbeiter keine Geldreserven hat und seine Arbeitskraft sofort verkaufen muß, da er außerdem nicht über Marktkenntnisse und Verhandlungsgeschick verfügt und schließlich nichts außer seiner Arbeitskraft zu verkaufen hat, während der Arbeitgeber Hunderte oder Tausende von Leuten beschäftigt und leicht ohne die Dienste einer bestimmten Einzelperson auskommt, ist er, wenn er in eigenem Namen und für sich alleine verhandelt, entschieden im Nachteil (Mitchell, 1903: 2f).

Solche Ansichten klingen auf einer bestimmten Ebene wahr, und doch gehen sie im wesentlichen an der Argumentation der Wirtschaftswissenschaftler vorbei, die offen zugeben, daß Firmen ihre Arbeiter in jeder ihnen möglichen Weise ausnutzen werden. Die Schwierigkeit ist aber, daß die Gier möglicher Konkurrenten ihre Chancen, das zu tun, stark im Zaum hält. Liegt das Problem darin, daß der Arbeitnehmer noch nichts von der Sicherheitseinrichtung weiß, die ihm fehlt, so ist es ein starker Anreiz für die Konkurrenzfirma, ihn darauf aufmerksam zu machen. Liegt das Problem darin, daß der Arbeitnehmer nicht an den Ort der Konkurrenzfirma ziehen kann, so kann diese eine Zweigniederlassung in der Nähe der ausgebeuteten Arbeitskräfte errichten. Abgekartete Verträge zur Beschränkung eines solchen Wettbewerbs haben sich als schwer durchführbar erwiesen, da jede Firma ihren Profit erhöhen kann, wenn sie die Vereinbarung umgeht.

Es gibt in der Tat eine große Mobilität der Arbeitskräfte zwischen den Firmen. Häufig treten neue Firmen in die Märkte der bestehenden Firmen ein oder Kartellvereinbarungen erweisen sich als reichlich instabil. Die Informiertheit ist nie vollkommen, wenn aber ein neuer Arbeitgeber in der Stadt bessere Bedingungen anbietet, dann spricht sich dies früher oder später herum.

Gelänge es trotz solcher Überwachungsmechanismen einigen Firmen doch noch, ihre Arbeitskräfte auszubeuten, indem sie niedrigere Löhne zahlen als die Konkurrenz, so würden wir erwarten, daß diese Firmen relativ hohe Gewinne erzielen. In der Tat läßt sich jedoch das genaue Gegenteil beobachten. Jahr für Jahr liegt der größte Profit bei denjenigen Firmen, die die *höchsten* Löhne zahlen.

Wir stehen vor einem Rätsel. Die Angst vor Ausbeutung durch mächtige Wirtschaftseliten hat eine Gruppe von Ländern dazu verleitet, eine Organisationsform zu wählen, die zum Bankrott führte, während eine andere sich umfassenden und kostspieligen Reglementierungen verschrieben hat. Und doch sprechen die Beweise dafür, daß Ausbeutung an sich kein großes Problem sein kann. Im nächsten Abschnitt behaupte ich, daß das, was man traditionellerweise als die Symptome der Ausbeutung betrachtete – unsichere Arbeitsbedingungen, lange Arbeitszeiten, Entfremdung, undemokratische Organisationsformen und ähnliches – das Ergebnis interpersonalen Wettbewerbs unter den Konsumenten ist. Der Umstand, daß solche Bedingungen nicht das Ergebnis von Ausbeutung sind, macht diese nicht weniger problematisch; er legt aber eine Reihe von Abhilfemaßnahmen nahe, die wesentlich direkter und effizienter wären, als die gegenwärtig im Westen angewendeten.

Besorgnis über die relative Stellung

Seit den Zeiten von Adam Smith behaupten Wirtschaftswissenschaftler, daß im Eigeninteresse handelnde Einzelpersonen, die auf freien, wettbewerbsorientierten Märkten miteinander Handel treiben, wie von unsichtbarer Hand dazu geführt werden, die Ressourcen der Gesellschaft möglichst effizient auszunutzen. Hinter dieser Annahme steht die Schlüsselbehauptung, daß der Mensch seine Befriedigung in erster Linie aus der absoluten

Menge der von ihm konsumierten Güter und Dienstleistungen bezieht, wobei die Begriffe »Güter und Dienstleistungen« weit zu fassen sind und nicht nur solche Konsumgegenstände umfassen wie Nahrungsmittel, Transportmittel und Unterkunft, sondern auch Dinge wie Sicherheit, Freizeit und andere weniger konkret erfaßbare Annehmlichkeiten des Lebens. Es wird sich zeigen, welch entscheidende Rolle diese Annahme bei der oben kurz skizzierten Argumentation spielt, die darstellte, wie der Wettbewerb zu einem optimalen Maß an Sicherheit, Demokratie und anderen Arbeitsplatzbedingungen führt.

Es läßt sich nicht leugnen, daß ein höheres Maß an Konsum den Menschen befriedigt. Alles, was Biologie, Psychologie, Soziologie und der gesunde Menschenverstand uns an Hinweisen liefern können, deutet darauf hin, daß Konsum weder die einzige, ja noch nicht einmal die wichtigste Quelle menschlicher Zufriedenheit ist. Dagegen gibt es zwingende Beweise dafür, daß Unterschiede im Maß an Zufriedenheit sich weit besser anhand der Unterschiede eines relativen, als eines absoluten Konsumniveaus erklären lassen (vgl. Frank, 1985: Kap. 2).

In Disziplinen wie den Wirtschaftswissenschaften, der Biologie, der Psychologie und anderen, die den Menschen als ein nach Befriedigung strebendes Wesen einstufen, liefert die Auflistung der verschiedenen Quellen menschlicher Befriedigung in der Tat eine Beschreibung der menschlichen Motivationsstruktur. Schließen wir uns der biologischen Sichtweise an, die besagt, daß die menschliche Motivation durch die evolutionären Kräfte der natürlichen Auslese geformt wurde, so überrascht es uns nicht, daß dem Menschen das relative Maß an Besitz von Ressourcen so wichtig ist. Auch bei einer Hungersnot ist immer *etwas* Nahrung vorhanden, wobei die Frage, wer diese erhält im großen und ganzen davon abhängt, wer relativ am meisten Wohlstand innehat. Die Besorgnis um die relative Stellung ist auch insofern adaptiv, als sie die Menschen dazu ansporn zu beobachten, wie sie im Vergleich zu ihren Konkurrenten abschneiden und ihre Bemühungen hochzuschrauben, wenn sie zurückfallen.[2]

Auch in Zusammenhang mit interpersonalem Handel ist die Besorgnis um den relativen Wohlstand hilfreich. Betrachten wir beispielsweise ein elegantes Experiment, das als »ultimatives Verhandlungsspiel« *(ultimatum bargaining game)* bekannt ist (Guth *et al.*, 1982). An dem Spiel nehmen zwei

[2] Die Alternative, fortlaufend mit maximalem Einsatz zu arbeiten, ist weniger effektiv, da Menschen dazu neigen, ihre Energie unter Umweltbedingungen zu wahren, die nicht stressend sind, um sie dann einzusetzen, wenn das Überleben unmittelbarer bedroht ist.

Mitspieler teil, der »Vorschlagende« und der »Antwortende«. Zuerst erhält der Vorschlagende eine bestimmte Geldsumme (nehmen wir an, $ 100). Nun muß er einen Vorschlag unterbreiten, wie das Geld zwischen ihm und dem Antwortenden aufgeteilt werden soll. Der Antwortende hat zwei Möglichkeiten: nimmt er an, so erhält jede der Parteien den vorgeschlagenen Betrag; lehnt er ab, erhält keine Partei etwas und die $ 100 gehen an den Experimentator zurück.

Glaubt der Vorschlagende, daß der Antwortende nur an absolutem Wohlstand interessiert ist, so ist seine eigene Strategie zur Wohlstandsmaximierung klar: er wird $ 99 für sich selbst vorschlagen und $ 1 für den Antwortenden (nur glatte Dollarsummen sind erlaubt). Trifft die Annahme des Vorschlagenden zu, so wird der Antwortende das einseitige Angebot annehmen, denn er wird sich sagen, daß $ 1 besser ist als nichts.

Aber nehmen wir an, der Vorschlagende glaubt, daß dem Antwortenden nicht nur das absolute, sondern auch das relative Wohlstandsniveau wichtig ist. In diesem Fall könnte der Antwortende das einseitige Angebot ablehnen, obwohl er absolut gesehen davon profitieren würde, weil er nämlich die relative Situation abscheulich findet. Die Ironie liegt darin, daß die Annahme, dem Antwortenden wäre relativer Wohlstand wichtig, dazu führt, den Betrag, den der Vorschlagende dem Antwortenden bietet, beträchtlich in die Höhe zu treiben. Durch den Umstand, daß dem Antwortenden der relative Wohlstand wichtig ist, wird er zu einem wesentlich effektiveren Handelspartner.

Michael McGuire und seine Mitarbeiter haben gezeigt, daß die relative Stellung sogar fundamentale biochemische Prozesse im Nervensystem beeinflussen kann (McGuire *et al.*, 1982; Raleigh *et al.*, 1984). In einer Studie mit 19 Gruppen erwachsener Grüner Meerkatzen, fanden McGuire und andere heraus, daß das dominierende Gruppenmitglied in jeder Gruppe eine ungefähr um 50 Prozent erhöhte Konzentration des Neurotransmitters Serotonin aufwies, das Stimmung und Verhalten in vielerlei Hinsicht beeinflußt. Sie konnten auch zeigen, daß dieser Unterschied die Folge und nicht die Ursache des hohen Status war.[3] Innerhalb bestimmter

[3] Um dies zu bewerkstelligen, trennten sie die anfänglich dominierenden Tiere von der Gruppe ab und brachten sie in einen Einzelkäfig. Kurz danach begründete jeweils ein anderes Individuum seine Dominanz in der Gruppe. Nach etwa 72 Stunden stieg die Serotoninkonzentration des aktuell dominanten Tiers auf die Werte an, die das vorher dominante Tier aufwies. Gleichzeitig fiel die Serotoninkonzentration bei dem vorher dominanten Tier auf das Niveau des untergeordneten Status. Wurde das ursprünglich

Grenzen führt eine erhöhte Serotoninkonzentration zu einem gesteigerten Wohlgefühl. Serotoninmangel führt zu Schlafstörungen, Reizbarkeit und antisozialem Verhalten. McGuire und seine Kollegen fanden auch bei den Leitern von Studentenschaften und Sportmannschaften erhöhte Serotoninwerte.

Zusätzliche Beweise für die Wichtigkeit der relativen Stellung konnten durch Glücksumfragen erbracht werden, wie sie über einen längeren Zeitraum in verschiedenen Ländern durchgeführt wurden. Diese Umfragen, bei denen die Menschen gefragt wurden, ob sie sich »sehr glücklich«, »einigermaßen glücklich« oder »unglücklich« einschätzen, zeigten, daß zu einem gegebenen Zeitpunkt das Glücksniveau innerhalb eines Landes stark mit der Stellung zusammenhängt, die jemand bei der Einkommensverteilung in diesem Land einnimmt. Dieselben Umfragen konnten beim durchschnittlichen Glücksniveau keine langfristigen Trends nachweisen, auch nicht in Ländern, in denen die Einkommen im Laufe der Zeit beständig angestiegen sind. Die Glücksumfragen konnten auch beim Vergleich verschiedener Länder zu einem bestimmten Zeitpunkt kaum einen Zusammenhang zwischen dem durchschnittlichen Einkommensniveau in einem Land und dem durchschnittlichen von den Bürgern angegebenen Glücksniveau feststellen.

Diese Umfragen stimmen also mit der Ansicht überein, daß die relative Stellung eine viel wichtigere Determinante für das Glücksniveau eigener Beurteilung darstellt, als die absolute Stellung auf der Einkommensskala. Wenngleich Glücksumfragen nur subjektive Antworten liefern, gibt es Beweise dafür, daß sie ein wirkliches Phänomen messen. So haben beispielsweise zahlreiche andere Studien eine deutliche Übereinstimmung zwischen dem angegebenen Glücksniveau und dem erkennbaren physiologischen und verhaltensmäßigem Wohlbefinden nachgewiesen.[4]

Man kann also zusammenfassend sagen, daß die von den verschiedenen Disziplinen gelieferten Beweise die starke Vermutung aufkommen lassen, daß die relative wirtschaftliche Stellung eine wichtige Determinante

dominante Tier zur Gruppe zurückgebracht, stellte es seine Dominanz wieder her, wobei die Serotoninkonzentration bei dem ursprünglich und dem in der Zwischenzeit dominanten Tier entsprechend reagierte.

[4] Leute, die angeben nicht glücklich zu sein, neigen beispielsweise eher zu Kopfschmerzen, Herzklopfen, Verdauungsbeschwerden und verwandten Störungen. Diejenigen, die sich als sehr glücklich einschätzen, neigen eher dazu, soziale Kontakte zu Freunden herzustellen. Ein detaillierterer Überblick über solche Hinweise findet sich bei Frank (1985), Kapitel 2.

menschlicher Zufriedenheit ist. Theoreme der konventionellen Wirtschaftswissenschaften, die von einer unsichtbaren Hand sprechen, leiten sich von Modellen ab, die das Gegenteil behaupten, nämlich, daß den Menschen die relative wirtschaftliche Stellung überhaupt nicht wichtig wäre. Wenn die tatsächliche Erfahrung gezeigt hat, daß freie Märkte nicht immer das hervorbringen, was am wünschenswertesten ist, so schiebt man die auftretenden Diskrepanzen häufig einer Ausbeutung durch mächtige Wirtschaftseliten in die Schuhe. Im nächsten Abschnitt lege ich dar, daß sich solche Diskrepanzen am plausibelsten als verhaltensmäßige Folge der menschlichen Besorgnis um ihre relative Stellung erklären lassen. Diese unterschiedliche Interpretation hat, wie wir sehen werden, wichtige Folgen für die Rolle des Staates im Wirtschaftsleben.

Das Wettrüsten für die Stellung

Wenn man Hockeyspieler als Einzelpersonen frei entscheiden läßt, so tragen sie fast nie Schutzhelme. Ohne Helm sind die Gewinnchancen höher, vielleicht weil man etwas besser sehen und hören kann oder weil man vielleicht die Gegner einschüchtert (die möglicherweise denken es wäre zu riskant, jemanden herauszufordern, der so verwegen ist, keinen Helm zu tragen). Gleichzeitig erhöht sich ohne Helm die Verletzungsgefahr. Schätzen die Spieler die besseren Gewinnchancen höher ein, als die zusätzliche Sicherheit, so ist es vernünftig, keine Helme zu tragen. Legen jedoch alle Spieler ihre Helme ab, so bleibt das Wettkampfgleichgewicht zwischen den Teams genau so, als würden alle Helme tragen. Mit Hilfe dieser Beobachtungen läßt es sich erklären, warum die meisten Spieler in starkem Maße Vorschriften befürworten, die die Helmbenutzung verlangen (Schelling, 1978).

Das Helmproblem ist ein Beispiel für ein *Wettrüsten für die Stellung*. Die Entscheidung, einen Helm zu tragen, hat nicht nur für die Person wichtige Auswirkungen, die ihn trägt, sondern auch für diejenigen, mit denen sie in Wettbewerb liegt. Wie sich dies in solchen Situationen für den einzelnen auszahlt, hängt teilweise von der relativen Stellung ab, die er in einer bestimmten Hierarchie einnimmt. Was bei Hockeyspielern zählt, ist nicht ihre absolute Spielfähigkeit, sondern ihre Leistung in Relation zu ihren Gegnern.

Eines der extremsten Beispiele für ein Wettrüsten zum Ausbau der Stellung ist das militärische Wettrüsten der Nationen. Jahrzehntelang haben die USA und die Sowjetunion hunderte von Milliarden Dollar für hochentwickelte atomare Rüstung aufgewendet, deren Einsatz so schreckliche Folgen auslösen würde, daß man gar nicht darüber nachdenken möchte. Beiden Seiten wäre es besser ergangen, wenn sie diese Summen nicht investiert hätten. Aber da ein sicheres, durchsetzbares Waffenkontrollabkommen fehlte, konnte sich keine Nation zurückhalten, aus Angst, die andere könnte weitermachen.

Auf fast allen Lebensschauplätzen finden wir Vorschriften, deren Zweck es ist, das Wettrüsten für die Stellung einzudämmen. Die meisten Sportverbände haben Beschränkungen eingeführt, was den Umfang der Teamlisten, die Entschädigung für Teammitglieder, die Zahl von Übungen, die Auswahlkriterien für potentielle Teammitglieder, die zum Konsum zugelassenen Tabletten und natürlich die Verhaltensweisen anbelangt, die während eines Wettkampfes zulässig sind.

Pokerspieler begrenzen die Einsätze, die sie verwetten können. Im Handel schreiben wir oft die Größe und Plazierung von Anzeigetafeln vor und mancherorts auch die zulässigen Ladenöffnungszeiten. In der politischen Arena beschränken die Vorschriften über die Wahlkampffinanzierung die Beträge, die von amerikanischen Präsidentschaftskandidaten ausgegeben werden dürfen.

Ein ähnliches Wettrüsten zeigt sich beim Streit um relative wirtschaftliche Stellungen. Nehmen wir zur Veranschaulichung des ganzen einmal an, daß den Menschen die relaltive wirtschaftliche Stellung deshalb wichtig wäre, weil sie mitbestimmend dafür ist, wie gut sie für ihre Kinder sorgen können. Für die meisten Eltern ist es wichtig, ihren Kindern einen guten Lebensstart zu ermöglichen. Einer der wichtigsten Schritte, um Kindern einen erfolgreichen Lebensstart verschaffen zu können, ist es, dafür zu sorgen, daß sie mit einer guten Ausbildung in den Arbeitsmarkt eintreten. Eine »gute« Ausbildung ist ebenso wie ein »schneller« Läufer ein relativer Begriff. Gelingt es also einigen Familien, ihre Kinder auf bessere Schulen zu schicken, so fühlt sich der Rest von uns genötigt, dies ebenfalls zu tun. Und doch können nach einfachen Rechengesetzen nur zehn Prozent unserer Kinder das oberste Zehntel der Schulplätze belegen, unabhängig davon, wie tapfer sich jede Familie auch bemühen mag.

Da im System der öffentlichen Schulen in Amerika die Qualität von Ausbildung und Wohngegend eng verknüpft ist, schließt das Streben nach Ausbildungsvorteilen auch das Bemühen mit ein, in die bestmögliche Umgebung zu ziehen. Die Familien nehmen oft viel Mühsal auf sich – lange Arbeitszeiten, Annahme riskanter Arbeitsplätze, Verzicht auf Urlaub und

Ersparnisse fürs Alter und so weiter – um das Geld zusammenzukratzen, das einen Umzug in einen besseren Schulbezirk ermöglicht. Aus gesellschaftlicher Sicht führen diese Opfer jedoch großenteils zu nichts. Der Totempfahl Ausbildung hat wie andere Hierarchie auch nur eine bestimmte Anzahl von Kerben an der Spitze.

Sicherheitsvorschriften

Um das Dilemma zu veranschaulichen, das ein Wettrüsten um die Stellung aufwirft, wollen wir annehmen, daß Meier und Müller eine repräsentative »Gemeinschaft« bilden und jeder der beiden die Wahl hat, an einem »sicheren« Arbeitsplatz für $ 500 pro Monat oder an einem »unsicheren« Arbeitsplatz für $ 550 pro Monat zu arbeiten. Das niedrigere Gehalt an der sicheren Arbeitsstelle spiegelt die Kosten wider, die für den Einbau und die Wartung zusätzlicher Sicherheitseinrichtungen aufgewendet wurden. Die einzige Folge der Arbeit an der unsicheren Arbeitsstelle ist eine um zehn Jahre verminderte Lebenserwartung.

Nehmen wir weiter an, daß Meier und Müller sich unabhängig voneinander entscheiden und die Arbeitsstelle wählen, die den größten Nutzen verspricht. Meier und Müller teilen die gleichen Präferenzen; die Zufriedenheit, die ihnen eine Arbeitsstelle bietet, hängt von drei Faktoren ab: 1. absolutes Einkommen; 2. relatives Einkommen; und 3. Sicherheit am Arbeitsplatz. Meiers Nützlichkeitsgleichung hat die Form $N = X + R + S$, wobei

X = Meiers monatliches Einkommen in Dollar;

R = Meiers Zufriedenheit mit seiner relativen Stellung = 200, wenn Meiers Einkommen das von Müller übersteigt, 0, wenn beide das gleiche Einkommen haben und – 200, wenn Meiers Einkommen niedriger liegt als das von Müller;

S = 100, wenn Meier einen sicheren Arbeitsplatz hat, 0, bei einem unsicheren Arbeitsplatz.

Für Müllers Nützlichkeitsgleichung gelten die entsprechenden symmetrischen Definitionen.

Legt man diese Möglichkeiten und Nützlichkeitsgleichungen zugrunde, so ergeben sich die vier in Tabelle 1 skizzierten Kombinationsmöglichkeiten für die Nützlichkeit.

Tabelle 1: Wahl der Arbeitsplatzsicherheit, wenn das relative Einkommen von Bedeutung ist.

	Müllers Wahl	
	sicherer Arbeitsplatz zu $ 500/M.	unsicherer Arbeitsplatz zu $ 550/M.
Sicherer Arbeitsplatz zu $ 500/M.	N = je 600 (für jeden das Zweitbeste)	N = 750 für Müller 400 für Meier (am besten für Müller, am schlechtesten für Meier)
Meiers Wahl Unsicherer Arbeitsplatz zu $ 550/M.	N = 400 für Müller, 750 für Meier (am besten für Meier, am schlechtesten für Müller)	N = je 550 (für jeden das Drittbeste)

Die der Tabelle 1 zugrundeliegende Nützlichkeitsgleichung zeigt uns, daß der sicherere Arbeitsplatz jedem Arbeiter $ 100/M. wert ist. Da die Kosten für diese zusätzliche Sicherheit nur $ 50/M. betragen, könnte man meinen, der sicherere Arbeitsplatz wäre für jeden die beste Wahl. Die Ergebnisse in Tabelle 1 setzen Meier und Müller jedoch dem Dilemma von Gefangenen aus, so daß man nicht darauf vertrauen darf, daß sich die aus sozialer Sicht optimale Wahl herauskristallisieren wird. Nehmen wir beispielsweise an, Müller wählte den sicheren Arbeitsplatz. Dann würde Meier das beste Ergebnis erzielen, wenn er den unsicheren Arbeitsplatz wählte. Damit gäbe er eine Sicherheit auf, die für ihn mehr als $ 100/M. wert ist, während er nur $ 50/M. mehr Einkommen erzielte. Bei diesem Vorgehen würde er auch einen Stellungsvorteil gegenüber Müller erzielen, der (nach der angenommenen Nützlichkeitsgleichung) $ 200/M. wert ist und so den Verlust der Sicherheit mehr als wettmachen würde. Nehmen wir andererseits an, daß Müller den unsicheren Arbeitsplatz gewählt hätte. Für Meier wäre es dann ebenfalls besser, den unsicheren Arbeitsplatz zu wählen. Auf diese Weise erzielte er das für sich drittbeste Ergebnis, während der sichere Arbeitsplatz zur schlechtmöglichsten Kombination geführt hätte. Kurzgesagt, was immer Müller tut, Meier erzielt ein besseres Ergebnis, wenn er den unsicheren Arbeitsplatz wählt.

Die Anreize, denen sich Müller gegenübersieht, sind genau dieselben. Auch er fährt besser, wenn er den unsicheren Arbeitplatz wählt, unabhängig davon, was Meier tut. Folglich wird jeder, wenn er unabhängig und im Eigeninteresse wählt, den unsicheren Arbeitplatz wählen, wobei dies zu einem schlechteren Ergebnis führt, als wenn beide den sicheren Arbeitsplatz gewählt hätten. Die Schwierigkeit liegt wie bei jedem Dilemma, dem sich ein Gefangener ausgesetzt sieht, darin, daß es sich für keinen Spieler, der allein handelt, auszahlt, die Alternative zu wählen, die für beide am besten wäre. Aus dieser Situation heraus läßt sich leicht verstehen, warum Meier und Müller eine bindende Vereinbarung, an einem sicheren Arbeitsplatz zu arbeiten, befürworten würden.

Jetzt läßt sich auch leicht erkennen, warum Kritiker, die die Wichtigkeit der Stellung ignorieren, den Schluß ziehen könnten, daß es der Sicherheitsvorschriften bedarf, um die Arbeitskräfte vor Ausbeutung zu schützen.[5] Schließlich lassen sich Arbeitskräfte tatsächlich durch äußeren Druck dahingehend manipulieren, daß sie Arbeitsplätze annehmen, die weniger sicher sind als die, die sie »wirklich« wollen. Dieser Druck aber kommt nicht von den Arbeitgebern, sondern vom eigenen Wunsch der Arbeitskräfte, ihre Position auf der wirtschaftlichen Leiter zu wahren oder zu verbessern.

Ist es plausibel, daß Arbeitskräfte ihr Leben riskieren, um ihre relative wirtschaftliche Stellung zu verbessern? Die meisten Menschen wollen ganz eindeutig Krankheit und Verletzung vermeiden. Sie wollen aber auch, daß ihre Kinder mit den Normen der Gemeinschaft mithalten (oder über sie hinauswachsen) können, was die Ausbildung oder andere wichtige Vorteile

---

[5] Es ist gleichermaßen leicht einzusehen, warum freie Marktwirtschaftler, die die Wichtigkeit der Stellung ignorieren, den Schluß ziehen, daß bei Sicherheitsvorschriften alle schlechter wegkämen. Vor der Reglementierung, so würden sie argumentieren, war es die freie Wahl des einzelnen, an einem unsicheren Arbeitsplatz zu arbeiten. Aus dieser Wahl scheint zu folgen, daß die zusätzliche Sicherheit dem einzelnen Arbeiter weniger als $ 50/M. wert war. Die offensichtliche Folgerung ist schließlich, daß Sicherheitsvorschriften die Arbeitnehmer beeinträchtigen, weil sie sie dazu bringen, eine Sicherheit zu kaufen, die diesen weniger wert ist als sie kostet. Der Fehler dieser Argumentation liegt in der Annahme, die Wahl des einzelnen sei immer Ausdruck zugrundeliegender Präferenzen. Wenn die Stellung von Bedeutung ist, dann kann uns die Wahl einzelner einfach nicht sagen, wie sie sich mit dem Gesamtergebnis ihrer Wahlen fühlen.

anbelangt. Die Menschen fühlen sich auch stark motiviert, den Konsumgewohnheiten ihrer Nachbarn nachzueifern. Die Annahme eines riskanteren Arbeitsplatzes bedeutet oft, daß jemand in die Lage versetzt wird, eine Anzahlung für ein Haus in einem besseren Schulbezirk zu leisten oder nicht länger den ältesten Wagen im Wohnblock fahren zu müssen.

Die Bereitschaft von Arbeitnehmern, für ein zusätzliches Gehalt ein Risiko auf sich zu nehmen, läßt sich deutlich anhand der Praktiken der Atomkraftwerksindustrie veranschaulichen, wo gelegentlich radioaktive Abfälle beseitigt werden müssen. Diese Aufgabe bringt eine beachtliche Geldprämie ein – man wird dabei aber auch in erheblichem Maß gefährlicher Ionenstrahlung ausgesetzt. Dennoch gibt es eine Menge bereitwilliger Bewerber, die begierig darauf sind, diese Aufgaben zu übernehmen. Die Bundesvorschriften beschränken das Maß, in dem die Arbeitnehmer der Strahlung ausgesetzt werden dürfen. Wenn sie diese Grenze überschreiten und »ausbrennen«, so erhalten sie einen Bonus. Die Reinigungsarbeiter, die in der Branche als »Glühwürmchen« bekannt sind, brennen ohne Ausnahme aus und würden sich bereitwillig auch noch höheren Strahlendosen aussetzen, wären da nicht die bundesweit festgelegten Grenzwerte. Sie berichten selbst, daß es wert ist, das Risiko einzugehen, um dafür ihren Familien zusätzliche Vergünstigungen bieten zu können. Insofern viele dieser Vergünstigungen jedoch mit der Stellung zu tun haben, sind die individuellen Belohnungen für das Risiko auf zweifelhafte Weise aufgebläht.

Wenn wir sehen, daß es unseren Kindern gut geht, so ist dies für uns eine Quelle tiefer Befriedigung. Genauso gilt dies für ein Leben bis ins hohe Alter. Jeder würde gern beide Ziele erreichen. Wenn Menschen höhere Löhne erzielen können, indem sie Gesundheits- und Sicherheitsrisiken auf sich nehmen, stehen die beiden Ziele in unmittelbarem Konflikt. Dieser Konflikt wird durch kollektive Vereinbarungen abgeschwächt, welche die Risiken limitieren, die eingegangen werden dürfen. Solche Vereinbarung wären auch in solchen Gesellschaften attraktiv, die völlig frei von jeglicher Ausbeutung sind.

Begrenzung der Arbeitswoche

Eine ganze Reihe anderer Reglementierungen, die sich auf Arbeitsverhältnisse beziehen, kann wesentlich plausibler und logischer mit Hilfe stellungsmäßiger Besorgnis als mit Ausbeutung erklärt werden. Einen solchen Fall stellt auch die Arbeitswoche dar. In den Vereinigten Staaten fordert das

Gesetz für gerechte Arbeitsrichtlinien (*Fair Labor Standards Act*), daß Arbeitgeber eine 50-prozentige Lohnprämie zu entrichten haben, wenn Arbeitnehmer mehr als acht Stunden täglich oder 40 Stunden wöchentlich arbeiten. Diese Vorschrift schränkt Überstunden stark ein. In vielen anderen westlichen Ländern findet man eine ähnliche Gesetzgebung.

Für die traditionellen Wirtschaftsmodelle, die davon ausgehen, daß Arbeitnehmern ihre relative Stellung nicht wichtig ist, ist nicht ersichtlich, warum irgendjemand solche Vorschriften befürworten sollte. Wenn die Arbeitnehmer ungern länger arbeiteten, dann würde der Wettbewerb auch ohne Vorschriften dazu führen, daß eine Überstundenvergütung gezahlt würde. Wenn Arbeitnehmer im Gegensatz dazu gerne lang arbeiten, würden sie vermutlich kein Gesetz unterstützen, das Arbeitgeber davor abschreckt, sie lange arbeiten zu lassen. Für die konventionellen Wirtschaftsmodelle für den Arbeitsmarkt ist ein Überstundengesetz daher entweder schädlich oder irrelevant.

Gesteht man aber zu, daß die Stellung wichtig ist, so taucht ein klares Motiv für die Begrenzung der Arbeitswoche auf. Jemand, der zusätzliche Stunden am Arbeitsplatz verbringt, steigert dadurch sein Einkommen, sowohl in absoluter, wie auch in relativer Hinsicht. Wiederum bedeutet hier das Vorwärtsschreiten des einen, daß andere relativ gesehen zurückfallen. Um nicht zurückzufallen, fühlen sich die anderen genötigt, ebenfalls länger zu arbeiten. Letztendlich heben sich diese Bemühungen weitgehend auf.

Leute, die täglich bis 21:00 Uhr arbeiten, können mehr produzieren und konsumieren als diejenigen, die nur bis 17:00 Uhr arbeiten. Der ersten Gruppe bleibt aber viel weniger Zeit, die sie mit Familie und Freunden verbringen kann. Da der Lohn dafür, über mehr Güter zu verfügen, großenteils die Stellung betrifft, ist der kollektive Gegenwert für längere Arbeitsstunden geringer, als es dem einzelnen erscheinen mag. So ist leicht einzusehen, warum die Leute solche gesetzlichen Vereinbarungen bevorzugen, die sie dazu veranlassen, um 17:00 Uhr nach Hause zu gehen, und das auch in einer Gesellschaft, in der sich keine Spur von Ausbeutung findet.

Gesetzlich verordnete Demokratie am Arbeitsplatz

Adam Smith hat als erster formell anerkannt, welche ungeheuren Produktivitätsgewinne aus der Teilung und Spezialisierung von Arbeit resultieren. Smith veranschaulichte die Grundidee anhand der folgenden Beschreibung der Arbeit in einer kleinen schottischen Nagelfabrik:

Ein Mann zieht den Draht heraus, ein anderer begradigt ihn, ein dritter schneidet ihn, ein vierter spitzt ihn, ein fünfter schleift ihn an der Spitze, damit dort ein Kopf angebracht werden kann; den Kopf herzustellen erfordert zwei oder drei verschiedene Arbeitsgänge...Ich habe einen kleinen Betrieb dieser Art gesehen, in dem nur zehn Leute beschäftigt waren...die, wenn sie sich anstrengten, zwölf Pfund Nägel pro Tag herstellen konnten. Ein Pfund umfaßt mehr als viertausend Nägel mittlerer Größe. Diese zehn Personen konnten also täglich mehr als achtundvierzigtausend Nägel herstellen. Man könnte also sagen, daß jeder einzelne ein Zehntel von achtundvierzigtausend Nägeln am Tag herstellt, also viertausendachthundert Nägel pro Tag. Hätten alle einzeln und unabhängig voneinander gearbeitet, ohne daß einer in diesem speziellen Geschäft ausgebildet worden wäre, so hätte der einzelne zwanzig, vielleicht aber auch nur einen einzigen Nagel pro Tag herstellen können...« (Smith, 1910: 5)

Aber sogar Smith erkannte, daß eine solche Fragmentierung von Arbeitsplatzaufgaben einen hohen psychologischen Tribut von den Arbeitnehmern fordern kann. Es wurde zu einem der Zentralthemen von Marx, daß eben dieser Tribut eine weitere Manifestation der wirtschaftlichen Ausbeutung sei. Die folgende Passage – beinahe ein Jahrhundert nach der Veröffentlichung von Smiths *Der Reichtum der Nationen (The Wealth of Nations)* verfaßt – bringt dies zum Ausdruck:

Alle Mittel zur Produktionsentwicklung verwandeln sich in Mittel zur Dominierung und Ausbeutung der [Arbeiter]; sie verstümmeln den Arbeiter zu einem menschlichen Fragment, degradieren ihn zum Anhängsel einer Maschine, zerstreuen den Rest von Reiz in seiner Arbeit und verwandeln diese in eine verhaßte Plage... (Marx, 1936: 708f.).

Soweit solche Kritik am industriellen Leben wahr erscheint, fordert sie die traditionellen Argumente westlicher Wirtschaftswissenschaftler hinsichtlich Wohlergehen und Wettbewerb deutlich heraus. Die Teilung und Spezialisierung von Arbeit erhöht, wie Adam Smith behauptete, die Produktivität, was es den Firmen wiederum ermöglicht, höhere Löhne zu zahlen. Gleichzeitig macht diese Fragmentierung das Leben unangenehmer. Das bestmögliche Ergebnis läge also in einem Kompromiß. Wir sollten weiterhin die Aufgaben soweit aufteilen, bis der aus der letzten Teilung resultierende Lohngewinn die zusätzlichen psychologischen Unannehmlichkeiten, die diese mit sich bringt, hinreichend kompensiert hat. Wie im Falle der Sicherheitseinrichtung behaupten die traditionellen Wirtschaftsmodelle, daß der Wettbewerb zu diesem optimalen Maß an Spezialisierung führen würde.

Wenn die Kritiker dann feststellen, daß das Ausmaß der Spezialisierung unangemessen hoch erscheint, so schließen sie daraus, daß die Arbeitsmärkte überhaupt nicht kompetitiv sind und die Arbeitnehmer auch hier Opfer einer Ausbeutung durch mächtige Wirtschaftseliten würden. Diese Schlußfolgerung greift aber einfach nicht. Ist den Arbeitnehmern nicht nur ihr absolutes, sondern auch ihr relatives Einkommen wichtig, dann sieht die wirtschaftliche Theorie zunächst kein optimales Maß an Spezialisierung voraus. Wie bei den Wahlmöglichkeiten hinsichtlich des Sicherheitsniveaus gilt auch bei den Wahlmöglichkeiten hinsichtich der Spezialisierung, daß der einzelne hier eine Chance sieht, sein relatives Einkommen zu verbessern, indem er weniger wünschenswerte Arbeitsbedingungen akzeptiert. Lassen sich aber alle Arbeitnehmer auf diesen Handel ein, so bleibt das relative Einkommen des einzelnen das gleiche wie zuvor. So wird leicht ersichtlich, warum die Leute Gesetze befürworten, wie sie in Deutschland und anderswo in Westeuropa verabschiedet wurden (vgl. Coleman, 1990: Kap. 16), die ein höheres Maß an Arbeitnehmerkontrolle über die Arbeitsbedingungen in einer Firma vorschreiben. Auch hier wird die Attraktivität solcher Gesetze plausibler, wenn man sie mit dem Wettrüsten für die Stellung und nicht mit der Ausbeutung durch mächtige Wirtschaftseliten in Verbindung bringt.

Ersparnisse

Mit Hilfe des Wettrüstens für die Stellung lassen sich auch viele andere Einrichtungen außerhalb des Arbeitsplatzes erklären. Staatliche Rentenprogramme sind hierfür ein Beispiel. Marktkritiker behaupten oft, daß solche Programme notwendig seien, da die Konsumenten andernfalls auf manipulative Werbung hereinfallen und all ihre Ersparnisse fürs Alter ausgeben würden. Die Konsumenten würden sich aber auch in einer Gesellschaft zu den gleichen Programmen hingezogen fühlen, in der kein Konsument durch Werbung ausgebeutet wird.

Das Argument ist hier im wesentlich das gleiche, wie in den anderen genannten Fällen. Eltern haben die Wahl, einen Teil ihres gegenwärtigen Einkommens fürs Alter zu sparen oder dieses Einkommen jetzt für ein Haus in einem besseren Schulbezirk oder für eine andere Art von Konsum auszugeben. Genauso wie bei der Entscheidung über Sicherheit oder Länge der Arbeitswoche läßt der Stellungsdruck oft die zweite Option zwingend erscheinen. Die Gesamtwirkung solcher Entscheidungen ist jedoch häufig anders als beabsichtigt. Geben alle mehr Geld für ein Haus in einem besseren Schulbezirk aus, so führt dies beispielsweise nur dazu, daß die Preise für diese Häuser in die Höhe schnellen. Bei einem solchen Ablauf bewegt sich keiner in der Ausbildungshierarchie vorwärts, und doch bleiben den Eltern letztlich weniger Ersparnisse für ihren Ruhestand. Als einzeln Handelnde haben sie jedoch keine echte Alternative, es sei denn, sie schickten ihre Kinder in weniger begehrte Schulen.

Staatliche Rentenprogramme mildern dieses Dilemma, da sie einen Teil des Einkommens einbehalten, der nicht ausgegeben werden kann. Solche Programme helfen auch bei der Lösung einiger »Gefangenen-Dilemmas«. Stellungssuchende wissen beispielsweise, daß sie bei Interviews »gut aussehen« sollten. Wie eine gute Ausbildung ist auch eine geschmackvolle Erscheinung ein relativer Begriff. Gut auszusehen bedeutet, besser auszusehen als andere und läßt sich am leichtesten dadurch erreichen, daß man mehr als die meisten anderen für Kleidung ausgibt. Die Falle ist aber, daß die Rechnung für jeden gilt. Dies führt im Ergebnis zu einer nutzlosen Eskalation der Summen, die die Leute aufwenden müssen, nur um nicht schäbig auszusehen. Aus kollektiver Sicht wäre es vernünftiger, mehr zu sparen und weniger für Kleidung auszugeben. Für den einzelnen, der für sich handelt, würde sich dieser Schritt jedoch nicht auszahlen. Staatliche Rentenprogramme, die einen Teil unseres Einkommens schützen, halten die Leute davon ab, in dieser und in ähnlichen Situationen zu viel auszugeben. Sparprogramme dieser Art wären auch in einer Gesellschaft attraktiv, in der es keine Spur von wirtschaftlicher Ausbeutung gäbe.

Alternativen für eine direkte Reglementierung

Kritiker des Systems der freien Marktwirtschaft interpretieren unsichere Arbeitsplätze und entfremdende Arbeitsbedingungen als unvermeidliche Ergebnisse der Ausbeutung durch mächtige Wirtschaftseliten. Diese Ansicht hat in den verschiedenen Wirtschaftssystem zu verschiedenen Reaktionen geführt: die kommunistischen Länder übernahmen das unmittelbare Eigentum an den Produktionsmitteln, während ihre kapitalistischen Gegenspieler eine Reihe von Vorschriften für Arbeitsverhältnisse erließen.

Die Erfahrung hat gezeigt, daß die Methode, Vorschriften zu erlassen im Gegensatz zum Staatseigentum ein wirtschaftliches Überleben wahrscheinlicher macht. Wenn die Probleme aber, wie ich behaupte, eine Folge des Wettrüstens für die Stellung sind, so wäre es ein großer Zufall, wenn sich die durch das unzutreffende Ausbeutungsmodell motivierten Vorschriften als optimal erweisen würden.

Die Erfahrungen des Westens mit solchen Vorschriften haben gezeigt, daß es in der Tat oft schwierig ist, Ziele wie größere Sicherheit am Arbeitsplatz durch Vorschriften und Regelungen zu erreichen, die von Bürokraten entworfen werden und die dann die Aktivitäten privater Firmen bestimmen sollen. Als Beispiel dient die folgende Passage, die sich mit Sicherheitserfordernissen für Leitern befaßt und wörtlich aus dem Handbuch der amerikanischen Behörde für Sicherheit und Gesundheit am Arbeitsplatz (*US Occupational Safety and Health Administration*) über Normen für Arbeitsplatzsicherheit von 1976 entnommen wurde:

> Die allgemeine Neigung der Holzsparren soll bei flachen Sprossen kleinerer Maße nicht steiler als 1 von 12 betragen, außer bei Leitern mit weniger als 10 Fuß Länge, bei denen die Neigung nicht steiler als 1 von 10 sein sollte. Die Neigung der Holzsparren sollte in Gebieten mit örtlicher Abweichung nicht steiler als 1 von 12 oder 1 von 10 sein, wie oben ausgeführt. Querstreben, die nicht steiler sind als 1 von 10 sind, sind bei allen Leitern anstelle der Neigung 1 von 12 zuläßig, wenn diese steilere Konstruktion gewählt wurde, um die Leiter gegenüber Leitern von kleinen Maßen mindestens um 15 Prozent zu verstärken. Örtliche Abweichungen der Holzsparren, die mit sonstigen zulässigen Normabweichungen verbunden sind, sind erlaubt (Zit. n. Smith, 1976: 11f.).

Diese nebulöse Passage entstammt einem Abschnitt des genannten Behördenhandbuchs, das den Leitern 30 zweispaltig bedruckte Seiten widmet. Man kann sich leicht vorstellen, daß Firmenmanager es für das beste halten könnten, jeden Versuch zu unterlassen, diese Vorschriften zu meistern und statt dessen lieber alle gegenwärtigen Aktivitäten aufgeben, bei denen Leitern erforderlich sind.

Im allgemeinen stellt sich bei allen Vorschriften das Problem, daß die Gegebenheiten in den Firmen so individuell verschieden sind, daß kein Vorschriftenkatalog, wie ausgefeilt er auch sein mag, die Kosten und Gewinne alternativer Produktionsmethoden erfassen kann. Reglementierung hat eindeutig nicht die katastrophalen Folgen wie direktes Staatseigentum, es ist aber auch nicht sicher, ob sie eine Verbesserung bringt oder einfach nichts bewirkt.

Sind die zur Lösung anstehenden Probleme nicht eine Folge der Ausbeutung, sondern des Wettrüstens der einzelnen untereinander um ihre Stellung, dann liegt eine viel direktere und weniger beschwerliche Lösung auf der Hand. Wenn wir von der Interpretation eines Wettrüstens für die Stellung ausgehen, so liegt das Problem darin, daß die stelllungsbezogenen Konsumgüter auf irreführende Weise attraktiv sind. Die Leute nehmen beispielsweise höhere Sicherheitsrisiken auf sich, in der Hoffnung, ihre relative Stellung bei der Konsumverteilung zu verbessern, nur um dann entdecken zu müssen, daß die relative Stellung unverändert bleibt, wenn alle diesen Schritt tun. Ein allgemeines wirtschaftliches Prinzip besagt, daß die wirksamste Lösung für ein Problem, das darin besteht, daß eine Tätigkeit zu attraktiv ist, die Besteuerung dieser Aktivität ist, wodurch der Anreiz sich darauf einzulassen, vermindert wird.

Besteuerung ist aus zwei Gründen wirksamer als unmittelbare Reglementierung. Einmal benötigen die Bürokraten bei der Besteuerung anders als bei einer Reglementierung keine detaillierten Kenntnisse über Produktions- und Konsumalternativen. Zum zweiten zieht eine Reglementierung Kosten für die unterschiedslose Beschneidung schädlicher Aktivitäten bei allen Parteien nach sich, während sich bei einer Besteuerung die Kosten in den Händen derjenigen Parteien konzentrieren, die diese Aktivitäten in der am wenigsten kostspieligen Weise verringern können. Besteuert man den stellungsbezogenen Konsum, so lenkt man die entsprechenden Anreize in die gewünschte Richtung, während gleichzeitig dem einzelnen genug Raum bleibt, um seine eigenen Gegebenheiten zu berücksichtigen.

Wie entscheidend diese Vorteile sind, läßt sich am folgenden Beispiel veranschaulichen, bei dem Besteuerung und Reglementierung als Mittel zur Eindämmung von Umweltverschmutzung verglichen werden. (Aktivitäten, die Verschmutzung verursachen sind insofern mit stellungsbezogener Konsumtätigkeit zu vergleichen, als sie ebenfalls schädliche Auswirkungen – »negative Externalität«, wie die Wirtschaftswissenschaftler sagen – gegenüber anderen haben). Nehmen wir an, den Firmen X und Y stünden fünf verschiedene Produktionsabläufe zur Wahl, die mit unterschiedlichen Kosten und unterschiedlicher Schadstoffemission verbunden sind. Die bei diesen Methoden täglich entstehenden Kosten, sowie die gleichzeitig erzeugten Tonnen an Rauch sind in Tabelle 2 aufgeführt.

Tabelle 2: Kosten und Emissionen bei fünf verschiedenen Produktionsabläufen

Methode (Rauch)	A(4t/T)	B(3t/T)	C(2t/T)	D(1t/T)	E(0t/T)
Kosten für Firma X	100	190	600	1200	2000
Kosten für Firma Y	50	80	140	230	325

Wenn die Schadstoffemission weder reglementiert noch besteuert wird, so wird jede Firma A wählen, die preiswerteste der fünf Methoden, und jede wird pro Tag 4 Tonnen an Schadstoffen ausstoßen, was einer Gesamtverschmutzung von 8t/Tag entspricht. Nehmen wir an, der Stadtrat möchte die Rauchemission um die Hälfte drosseln. Um dieses Ziel zu erreichen, werden zwei Optionen in Erwägung gezogen. Die erste läge in einer unmittelbaren Reglementierung – von beiden Firmen wird verlangt, ihre Emissionen um die Hälfte zu verringern. Die Alternative wäre, jede Tonne des pro Tag ausgestoßenen Rauchs mit der Steuer S zu belegen. Wie hoch müßte S sein, um die Emissionen um die Hälfte drosseln zu können? Wie hoch lägen bei den beiden Alternativen die vergleichsweisen Gesamtkosten für die Gesellschaft?

Wird von den Firmen gefordert, ihre Schadstoffemission um die Hälfte zu reduzieren, so müssen beide von Methode A zu Methode C übergehen. Dies würde im Ergebnis 2t/Tag an Verschmutzung pro Firma bedeuten. Die Umstellungskosten betrügen bei Firm X 600/Tag – 100/Tag = 500/Tag, bei Firma Y betrügen sie 140/Tag – 50/Tag = 90/Tag, was für die beiden Firmen zusammen Kosten von 590/Tag bedeuten würde.

Wie werden nun die beiden Firmen auf eine Steuer S pro Verschmutzungstonne reagieren? Zunächst werden sie sich fragen, ob ein Umsteigen von Methode A zu Methode B ihre Kosten pro Tag stärker erhöhen würde, als S. Falls dies nicht der Fall ist, lohnt es sich umzusteigen, denn Methode B, die 1 Tonne weniger Rauch erzeugt, erspart den Firmen täglich S an Steuern. Sind die zusätzlichen Kosten der Methode B im Vergleich zu A höher als S, so werden die Firmen nicht umsteigen. Denn es ist billiger, bei A zu bleiben und zusätzlich S an Steuern zu bezahlen. Zahlt sich ein Umsteigen von A nach B aus, so werden sich die Firmen weiter fragen, ob dies auch für ein Umsteigen von B zu C zutrifft. Sie werden solange umsteigen, bis die zusätzlichen Kosten der nächsten Methode nicht länger niedriger liegen, als S.

Zur Verdeutlichung wollen wir annehmen, es würde eine Steuer von 50/Tonne erhoben. Dann würde Firma X bei Methode A bleiben, da diese 90/Tag weniger kostet als Methode B, nur eine Tonne/Tag mehr Rauch erzeugt und so nur 50/Tag an zusätzlichen Steuern mit sich bringt. Firma Y dagegen würde auf Methode B umsteigen, da diese 30/Tag mehr kostet, aber 50/Tag an Steuern erspart. Firma Y wird aber nicht auf C umsteigen, da diese Methode 60/Tag mehr kostet als B und nur 50/Tag an zusätzlichen Steuern erspart. Bleibt Firma Y bei A und steigt Firma Y auf B um, so erreichen wir eine gesamte Verschmutzungsreduzierung von nur 1 Tonne/Tag. Eine Steuer von 50/Tonne führt also nicht zur gewünschten Verschmutzungsreduzierung.

Die Lösung besteht darin, die Steuer solange zu erhöhen, bis wir das gewünschte Ergebnis erhalten. Was geschieht bei einer Steuer von 91/Tonne? Diese Steuer wird X dazu bewegen, Methode B anzuwenden, Firma Y Methode D zu wählen. Die Gesamtemission würde den gewünschten Wert von 4 Tonnen/Tag erreichen. Die Kosten betragen für Firma X 190/Tag – 100/Tag = 90/Tag, für Firma Y 230/Tag – 50/Tag = 180/Tag. Die Gesamtkosten für beide Firmen belaufen sich also auf nur 270/Tag oder

320/Tag weniger, als veranlaßte man die Firmen, ihre Verschmutzung um die die Hälfte zu reduzieren.[6] Die Besteuerungsmethode führt bei niedrigstmöglichen Gesamtkosten zum erwünschten Ergebnis, weil sie die Verschmutzungsreduzierung auf die Firma Y konzentriert, die diese Aufgabe auf billigere Weise erledigen kann als Firma X.

Die Besteuerung stellungsbezogenen Konsums würde, verglichen mit alternativer unmittelbarer Reglementierung, was Sicherheit, Arbeitszeit und andere Merkmale der Arbeitsverhältnisse anbelangt, entsprechende Vorteile bringen. Wenn relativer Konsum wichtig ist, so folgt daraus, daß der Konsum jedes einzelnen gegenüber den anderen eine negative Externalität zeitigt – eine Externalität, die das logische Äquivalent der Verschmutzung wäre. Steigert jemand seinen Konsum, so hebt er, vielleicht unmerklich, den Konsumstandard für die anderen an. Wie der britische Wirtschaftswissenschaftler Richard Layard es einmal ausdrückte: »In einer armen Gesellschaft beweist ein Mann seiner Frau, daß er sie liebt, indem er ihr eine Rose schenkt, in einer reichen Gesellschaft muß er ihr jedoch ein Dutzend Rosen schenken.«

Nehmen sie etwa die Entscheidung eines jungen Mannes darüber, welche Größe der Diamant haben soll, den er seiner Verlobten schenken will. Da dieses Geschenk als Unterpfand seines Versprechens dient, muß der Diamant, den er erwirbt, teuer genug sein, um zu schmerzen. Ist der Mann Amerikaner, so wird sein Juwelier ihm erklären, daß es üblich ist, zwei Monatsgehälter für Stein und Fassung hinzulegen. Verdient er $ 36.000 pro Jahr, so muß er $ 6.000 anlegen, um nicht als Geizhals zu gelten.

Aus gesamtwirtschaftlicher Sicht wäre es im Ergebnis besser, wenn Schmuck mit 500 Prozent besteuert würde. Der Preis eines Diamanten, der jetzt $ 1.000 kostet, würde mit Steuern auf $ 6.000 ansteigen. Der Kauf des kleineren Diamanten würde für den jungen Mann die gleiche wirtschaftliche Härte bedeuten wie vorher. Und da dies für das Geschenk wesentlich ist, würde die Steuer dieses Ziel nicht wirklich gefährden. Ebensowenig hätte die Verlobte des jungen Mannes einen wirklichen Verlust. Denn alle würden jetzt kleinere Diamanten kaufen und der kleinere Stein könnte die gleiche Befriedigung vermitteln wie der größere. Auf der Plusseite erhielte

[6] Beachten Sie, daß die von der Firma entrichteten Steuern nicht in unsere Berechnung der sozialen Kosten der Besteuerungsalternative einbezogen wurden, da dieses Geld der Gesellschaft nicht verloren geht. Es kann verwendet werden, um solche Steuern zu vermindern, die sonst den Bürgern auferlegt werden müßten.

der Staat zusätzliche $ 5.000 zur Finanzierung seiner Ausgaben. Einziger Verlierer wäre das Diamantenkartell von deBeers in Südafrika, das $ 5.000 weniger verdienen würde als vor der Steuer.

Die Normen, nach denen annehmbare Schulen, Häuser, Autos, Ferien und eine Menge anderer wichtiger Budgetpunkte beurteilt werden, sind unentwirrbar mit den Beträgen verbunden, die andere Leute dafür ausgeben. Da der Einzelkonsument bei seiner Wahl stellungsmäßige Externalität nicht miteinbezieht, erscheinen Güter dieser Art dem einzelnen viel anziehender, als der Gesellschaft insgesamt. Aus den gleichen Gründen, aus denen es oft wirksam ist, die Verschmutzung zu besteuern, kann es wirksam sein, viele dieser Konsumformen zu besteuern. Was die Effektivität anbelangt, so wären solche Steuern ein attraktiver Ersatz für bestehende Reglementierungen und Steuern, die einer wirksamen Ressourcenaufteilung im Wege stehen.

Um Mißverständnissen vorzubeugen, sollte ich deutlich machen, daß aus meinen hier vorgelegten Argumenten nicht zu folgern ist, daß eine Besteuerung stellungsbezogenen Konsums alle bestehenden Formen wirtschaftlicher Reglementierung ersetzen könnte oder sollte. Es ist jedoch meine Meinung, daß solche Steuern oftmals ein attraktiver Ersatz für die besonderen Vorschriften wären, die in der Tat dem Schutz der Arbeitnehmer vor Ausbeutung dienen sollen. Ausbeutung ist jedoch keineswegs die einzige logische Erklärung, die für wirtschaftliche Reglementierungen vorgebracht wird. Einige Arten von Sicherheitsvorschriften wurden beispielsweise als Mittel zur Reduzierung von Informationskomplexität verteidigt; andere Vorschriften, besonders solche, die sich auf jüngere und weniger gebildete Arbeitnehmer beziehen, streben den Schutz der Arbeitnehmer vor den Folgen ihrer eigenen Entscheidungen an. Die Besteuerung stellungsbezogenen Konsums wäre sicher nicht die optimale politische Antwort auf diese Probleme.

Die Einführung einer Besteuerung für stellungsbezogenen Konsum

Vorschläge, den stellungsbezogenen Konsum zu besteuern, beschwören ein Spektrum von abschreckender Komplexität herauf: Bürger, die für jeden getätigten Kauf einen Beleg aufbewahren müßten, Politiker und Produzenten, die darum schachern, welche Produkte als stellungsbezogene Konsumgüter zu klassifizieren sind und so weiter. Dennoch, ein System zur Besteuerung stellungsbezogenen Konsums würde uns nicht mehr Komplexität aufbürden, als die üblichen Einkommensteuersysteme. Die Notwendigkeit, Ausgabebelege aufzubewahren, kann leicht vermieden werden, wenn man den Gesamtkonsum als Differenz zwischen dem derzeitigen Einkommen und den derzeitigen Ersparnissen berechnet. Dann besteht einfach keine Notwendigkeit, die Wertsummen aller erworbenen Gegenstände zu addieren. Auch die Debatte, welche stellungsbezogene Güter sind und welche nicht, läßt sich mit Hilfe eines genormten Abzugs vermeiden, indem man etwa die ersten $ 20.000 der jährlichen Konsumausgaben von der Besteuerung ausnimmt. Diese Konstruktion würde gleichzeitig zwei Zwecken dienen: sie würde nicht-stellungsbezogene Konsumgüter (etwa Notwendigkeiten wie Nahrung, einen Grundstock an Kleidung, Obdach und Transport) vor Besteuerung schützen; und sie würde das Steuersystem progressiv gestalten. Wie jede andere Steuer fordert eine Steuer auf stellungsbezogenen Konsum die politische Arena zur Debatte über besondere Ausnahmen heraus. Diese Steuer ist jedoch nicht komplexer als bestehende Steuern, wie sie in den Vereinigten Staaten und in Europa Anwendung finden.

Schlußbemerkungen

Wie schon eingangs erwähnt, sahen die kapitalistischen und kommunistischen Länder des zwanzigsten Jahrhunderts ihre wirtschaftliche Rolle in erster Linie im Schutz ihrer Bürger vor der Ausbeutung durch mächtige Wirtschaftseliten. Ich behaupte, daß die Probleme, die zu dieser Anschauung führten, überhaupt nicht von einer Ausbeutung, sondern vom stellungsbezogenen Wettrüsten der einzelnen herrührten. Diese Interpretation legt den Schluß nahe, daß die aufstrebenden Marktwirtschaften Osteuropas viel besser beraten wären, wenn sie die Reglementierungsmethode, der sich die meisten westlichen Länder verschrieben haben, zugunsten der Alternative einer Besteuerung stellungsbezogenen Konsums verwerfen würden. Indem sie das auslösende Problem, das zu den irrtümlich der Ausbeutung zugeschriebenen Zuständen geführt hat, unmittelbar angeht, erzielt die Besteuerungsmethode die gewünschten Ergebnisse bei niedrigstmöglichen Kosten.

»Die Marktordnung arbeitet nach dem Prinzip eines Spiels, in dem Geschicklichkeit und Chancen kombiniert werden, und bei dem das Endergebnis für jeden einzelnen genauso gut von völlig außerhalb seiner Kontrolle liegenden Umständen abhängen kann wie von seiner Geschicklichkeit oder Anstrengung.«
F.A. von Hayek

Das Prinzip Wettbewerb

Ein gemeinsames Gesetz der Evolution für Biologie, Ökonomie und Wirtschaftsrecht?[1]

Michael Lehmann

I. Das Prinzip Wettbewerb im Deutschen und Europäischen Wirtschaftsrecht, insbesondere im Kartellrecht

A. Die Entwicklung im ausgehenden 19. Jahrhundert und die Rechtsprechung des Reichgerichts

Als Charles Darwin im Jahre 1859 in seinem Werk »On the origin of species« den Mechanismus der Evolution, das Gesetz der natürlichen Auslese, erstmalig wissenschaftlich exakt formulierte, befand sich die wirtschafts- und rechtswissenschaftliche Kartellrechtsdiskussion noch in ihren ersten Anfängen. Niemand wäre auf die Idee gekommen, die biologischen Erkenntnisse Darwins für die Ausgestaltung einer Wettbewerbsordnung fruchtbar werden zu lassen. Statt dessen beschäftigte sich z. B. der angesehene Verein für Socialpolitik mit Fragen der Vereinbarkeit von Patent-Monopolen und Kartellen mit dem seinerzeit noch relativ jungen Rechtsprinzip der *Gewerbefreiheit* (Pohl, 1979: 209ff.; Machlup, 1962: 231 ff.; Kartte und Holtschneider, 1981: 193ff.). So entsprach es auch der damals herrschenden Meinung in der Nationalökonomie (Rittner, 1989: 116), wenn das RG[2] noch vor der Jahrhundertwende ausgeführt hat: »Verträge der in Rede stehenden Art können somit vom Standpunkt des durch die Gewerbefreiheit geschützten allgemeinen Interesses aus nur dann beanstandet werden, wenn sich im einzelnen Falle aus besonderen Umstän-

[1] Zuerst veröffentlicht in Juristen-Zeitung, 2, 1990, 61–67.
[2] RGZ 38, 155 (aus dem Jahr 1897) – »Sächsischer Holzstoff-Fabrikanten-Verband«; s. auch RGZ 28, 238 (aus dem Jahr 1890).

den Bedenken ergeben, namentlich wenn es ersichtlich auf die Herbeiführung eines tatsächlichen Monopols und die wucherische Ausbeutung der Konsumenten abgesehen ist, oder dieser Folgen doch durch die getroffenen Vereinbarungen und Einrichtungen thatsächlich herbeigeführt werden.« Eine Kartellbildung vollzog sich vor allem auf dem Gebiet der Produktion von homogenen Gütern[3], wie z. B. Kohle und Eisen. Gab es im Jahr *1875 erst vier*, waren es im Jahr 1890 bereits 106 und im Jahr *1905 schon 385 Kartelle* mit einer Beteiligung von etwa 12000 Betrieben (Pohl, 1979: 211, 215; Treue, 1979: II, 26ff). Kartellorganisationsrecht, also im wesentlichen Gesellschaftsrecht, verdrängte fast vollständig jeglichen Ansatz eines wettbewerbsfördernden Kartellrechts (Flechtheim, 1923). An die Stelle der individuellen unternehmerischen Entscheidungsfreiheit trat die Verbandsräson, Kartelle und Syndikate beherrschten das Marktgeschehen so sehr, daß der Wettbewerb praktisch ausgeschlossen wurde (Pohl, 1979: 217). In Deutschland entsprach diese Rechtssituation auch der herrschenden Meinung in der Volkswirtschaftslehre (Pohl, 1979: 235). Man sollte dies vor dem Hintergrund würdigen, daß in den USA das Antitrust-Recht seinen Beginn bereits im Jahre 1890 mit dem Sherman Act, also mit einem Verbot einer wettbewerbsbeschränkenden contract, trust or conspiracy, und im Jahr 1940 mit dem Clayton Act und dem FTC Act genommen hatte (Blechmann, 1988: 11ff.).

B. Weimarer Republik und Nazi-Regime

Erst nach dem Ersten Weltkrieg und im Gefolge der großen Depression der zwanziger Jahre kam es in Europa zu einer Renaissance des theoretischen Liberalismus bei den Nationalökonomen (Becker, 1965: 35ff.; Clark, 1940: 241), welche zusammen mit dem Druck der Öffentlichkeit den Gesetzgeber zum Handeln zwangen; es wurde die Kartellverordnung vom 2.11.1923 erlassen[4]. Diese Notverordnung führte zu einer Legalisierung der Kartelle, so daß anschließend die Organisation der deutschen Wirtschaft in Zwangskartellen als eine konsequente Fortsetzung dieser Wirtschaftspolitik betrachtet werden kann. Damals zeigte sich, daß die Konzentration wirtschaftlicher Macht in den Händen einiger Unternehmer der Erreichung von

[3] Auch heute sind verbotene Kartelle vor allem im Bereich der Produktion homogener Güter, z. B. von Zement, besonders oft anzutreffen, vgl. nur Der Spiegel 5/1989: 94: »Zementfirmen wurden, wieder einmal, bei unzulässigen Absprachen ertappt. Jetzt drohen Millioneneinbußen.«

[4] Notverordnung vom 2.11.1923, RGBl. I: 1067, 1090 (Callmann, 1934).

monokratisch bestimmten politischen Zielen nur förderlich sein kann; Kartellrecht dient nicht nur der Rahmensetzung für eine Wirtschaftsordnung, sondern auch der ökonomischen Gewaltenteilung und Dezentralisierung in einem marktwirtschaftlich ausgerichteten Rechtsstaat (Kauper, 1980: 408ff., 416f.; Hoppmann und Mestmäcker, 1974: 7ff.; Emmerich, 1989: 5). Biologisch gewendet, nur eine gewisse Vielfalt und Variabilität von Unternehmern und Unternehmen scheint dem Fortgang der Evolution förderlich zu sein.

C. Das Gesetz gegen Wettbewerbsbeschränkungen (GWB)

Nach dem Zweiten Weltkrieg[5] wurden zunächst 1947 die Dekartellisierungsgesetze der Alliierten erlassen, und ab 1948 arbeitete der Josten-Ausschuß[6] an der Vorbereitung eines Kartellgesetzes. Dieser Entwurf ließ deutlich ordoliberale Ansätze der Freiburger Schule (Heinemann, 1989) erkennen, weil z. B. auf das Leitbild der »vollständigen Konkurrenz« abgestellt wurde. Wegen materieller Unstimmigkeiten mit dem neuen Regierungskonzept einer »Sozialen Marktwirtschaft« i.S. von Müller-Armack[7], konnte sich dieser Entwurf und damit ein nahezu absolutes Kartellverbot ohne jeden Ausnahmebereich nicht durchsetzen. Der neue Bundeswirtschaftsminister Erhard wollte aber seinen marktwirtschaftlichen Kurs gerade durch eine gesetzliche Verankerung des freien Leistungswettbewerbs absichern und betrachtete daher das zu entwerfende Wettbewerbsgesetz als eine Krönung der marktwirtschaftlichen Ordnung, als das Grundgesetz der Wirtschaft schlechthin[8].

Der Kartellreferent im BMWi, Dr. E. Günther, mußte daher ab 1949 insgesamt 15 Entwürfe erarbeiten, bis schließlich 1951 das GWB im Kabinett verabschiedet werden konnte. Wegen des Fehlens von Fusions- und Entflechtungsvorschriften (»deconcentration«) übermittelte die Alliierte

[5] Vgl. Ziff. 12 der Potsdamer Konferenz von 1945:«At the earliest practicable date, the German economy shall be decentralized for the purose of eliminating the present excessive concentration of economic powers as exemplified in particular by cartels, syndicates, trusts and other monopolistic arrangements.«

[6] Josten war langjähriger Leiter des Kartellreferats im Reichswirtschaftsministerium und nach 1946 Beauftragter für Preisbildung beim Länderrat; der Kommission gehörte u. a. Franz Böhm an (Kartte und Holtschneider, 1981: 202 ff.).

[7] Vgl. Müller-Armack (1947: 96ff.); s. auch darstellend Blum (1969: 90ff.); Müller-Armack war zunächst Abteilungsleiter, dann Staatssekretär im BMWi.

[8] Vgl. Stenographische Berichte des 1. Deutschen Bundestages, 220. Sitzung vom 26.6.1952: 9749 A, 9750 D.

Hohe Kommission dem BMWi einen von den Amerikanern entworfenen Entwurf eines GWB, worauf im deutschen Entwurf der Ausnahmebereich zu § 1 GWB reduziert und eine Fusionskontrolle eingefügt wurde. Der folgende Regierungsentwurf enthielt von dem generellen Kartellverbot in § 1 nur noch drei Ausnahmen, nämlich für Konjunkturkrisen-, Rationalisierungs- und Exportkartelle. Die einleitende Gesetzesbegründung machte das ordoliberale Konzept dieses Entwurfes deutlich: »Das Gesetz geht von der durch die wirtschaftswissenschaftliche Forschung erhärteten wirtschaftspolitischen Erfahrung aus, daß die Wettbewerbswirtschaft die ökonomischste und zugleich demokratischste Form der Wirtschaftsordnung ist und daß der Staat nur insoweit in den Marktablauf lenkend eingreifen soll, wie dies zur Aufrechterhaltung des Marktmechanismus oder zur Überwachung derjenigen Märkte erforderlich ist, auf denen die Marktform des vollständigen Wettbewerbs nicht erreichbar ist.« (Kartte und Holtschneider, 1981: 207). Auch an anderer Stelle wird die »Marktform des vollkommenen Wettbewerbs mit dem Marktpreis als Steuerungsfaktor des Wirtschaftsablaufs« erwähnt (Kartte und Holtschneider, 1981: 207). Dieser und die nachfolgenden Regierungsentwürfe wurden jedoch erneut kritisiert; z. B. Böhm begründete dies damit, daß der »Regierungsentwurf durch die Verhandlungen mit dem BDI...nur mehr als ein getarntes Mißbrauchsgesetz angesehen werden könne« (Robert, 1976: 289). Das schließlich am 1.1.1958 in Kraft getretene GWB entsprach, trotz der gelegentlichen Verwendung von ordoliberalen termini und des Leitbilds der Marktform der vollständigen Konkurrenz i.S. von W. Eucken, den Vorstellungen der Freiburger Schule nur noch recht wenig; die Enttäuschung der Ordoliberalen, aber auch der Anhänger der »Sozialen Marktwirtschaft« einschließlich von Ludwig Erhard war groß: »Meine Konzeption von dem Kartellgesetz, wie sie ja auch in der Regierungsvorlage zum Ausdruck gekommen war, deckt sich ganz bestimmt nicht völlig mit der jetzt erarbeiteten Lösung.«[9]

Hervorzuheben ist, daß der Gesetzgeber eine *Definition des Wettbewerbs* (vgl. Fikentscher, 1983: 194f; ablehnend Emmerich, 1989: 13f), also ein normatives Leitbild für die deutsche Wettbewerbspolitik, vermieden hat. Er ließ damit bewußt oder unbewußt Raum für eine umfangreiche wissenschaftliche Diskussion von Ökonomen und Juristen über das »Wesen des Wettbewerbs«, die bis heute nicht abgeschlossen ist (vgl. Schmidt, 1987: 1ff.;

[9] Erhard, L., Stenographische Berichte des 2. Deutschen Bundestags: 13246 D; vgl. die weiteren Einzelheiten bei Kartte und Holtschneider (1981: 207ff). Vgl. abstrakt zu den rechtspolitischen Möglichkeiten einer »Kartellgesetzgebung«, Fikentscher (1983: II, 232f.).

Fikentscher, 1983: 186ff.; Emmerich, 1989: 5ff.; Möschel, 1983: 41ff.) und vielleicht auch nie gänzlich abgeschlossen werden darf, damit genug Freiraum für den evolutiven Wettbewerb der wissenschaftlichen Meinungsvielfalt zum Kartellrecht erhalten bleibt.

D. Die Novellen zum GWB und die wettbewerbstheoretische Grundlagendiskussion

a) Die GWB-Novellen

Seit 1957 ist das GWB durch insgesamt vier Novellen fortgeschrieben worden (Jens, 1981: 172), und ein fünfter Novellierungsvorschlag befindet sich gegenwärtig in der rechtspolitischen Diskussion[10]– Inhaltlich besonders wichtig war die zweite Novelle von 1973, denn sie brachte die Schaffung einer Fusionskontrolle gem. §§ 23 ff. GWB, die grundsätzliche Aufhebung der Preisbindung der zweiten Hand gem. §§ 15 ff. GWB und die Einführung eines Verbots von abgestimmten Verhaltensweisen gem. § 25 GWB (Karrte und Holtschneider, 1981: 210ff.).

Schon wenige Jahre nach der Einführung des GWB setzte eine Diskussion über ein neues wettbewerbspolitisches Leitbild ein, weil man erkannt hatte, daß das Konzept der vollständigen Konkurrenz zu realitätsfremd war. Man bemühte sich um eine stärkere Betonung der dynamischen Funktion des Wettbewerbs.

b) Die Kantzenbach/Hoppmann-Kontroverse

Damals wurde das Konzept eines funktionsfähigen, wirksamen Wettbewerbs i. S. von E. Kantzenbach (1967; vgl. Schmidt, 1987: 13; Fikentscher, 1983: 191 ff.) zum Mittelpunkt der wettbewerbstheoretischen Auseinander-

[10] Vgl. den Regierungsentwurf WuW 1989, 209 ff.; zur sehr umstrittenen Bewertung der Notwendigkeit einer weiteren Novellierung vgl. die unterschiedlichen Beiträge in Helmrich (1988, 365ff.); besonders kritisch wird die zunehmende »Handelsstrukturpolitik« bewertet; s. nur Möschel, W. JZ 1988: 889: »Die gegenwärtig diskutierten Pläne zu einer fünften GWB-Novelle laufen partiell auf ein Einzelhandelsschutzgesetz hinaus«; ablehnend auch Monopolkommission, Die Konzentration im Lebensmittelhandel, Sondergutachten 14, 1985, sowie Hauptgutachten VII, 1988: 17; Emmerich, V., Die fünfte GWB-Novelle, AG 1989: 261 ff. Wettbewerbs- und Kartellrecht sollten nicht zu Schutzinstrumenten für bestimmte bestehende Handelsstrukturen denaturiert werden; dies wäre contraevolutiv, vgl. Lehmann (1977: 580ff., 633ff.); Schricker und Lehmann (1987: 1ff.). Das evolutive Entdeckungsverfahren Wettbewerb sollte auch auf der Handelsstufe wirken können; s. auch Emmerich, WuW 1989: 363ff.

setzungen, welches zeitweilig auch vom BKartA und vom BMWi übernommen worden ist (Kartte und Holtschneider, 1981: 211 ff., 213; Kartte, 1969). Beeinflußt durch J.N. Clark (Kantzenbach und Kallfass, 1981: 105ff.; Kartte, 1969) geht Kantzenbach von fünf gesamtwirtschaftlichen Funktionen des Wettbewerbs aus; drei statischen: funktionelle Einkommensverteilung nach Marktleistungen, Leistungsangebot nach Käuferpräferenzen, optimale Allokation der Produktionsfaktoren, und zwei dynamischen: Anpassungsflexibilität der Produktionskapazitäten und technischer Fortschritt. Vor diesem strukturtheoretischen Hintergrund meint Kantzenbach (1967: 105, 108ff.), der Wettbewerb könne sich weder bei atomistischer Konkurrenz im Polypol noch in einem engen Oligopol optimal entfalten; die Wettbewerbspolitik sollte daher die Etablierung und Entfaltung von weiten Oligopolen auf allen Märkten anstreben; nur so könnte eine optimale Wettbewerbsintensität erreicht werden.

Dieses workability-Konzept haben vor allem indirekt von Hayek (1971: 30ff.; 1972: 25ff.; 1968) und besonders prononciert Hoppmann (1966: 286ff.; 1973: 161ff.; s. auch Kantzenbach, 1967: 193ff.; Kaufer, 1966: 481ff.; Fikentscher, 1983: 194; Emmerich, 1989: 11) kritisiert. Jene bis heute nicht vollständig ausdiskutierte Kantzenbach/Hoppmann-Kontroverse ist von interdisziplinärem Interesse, denn sie kann als ein Wendepunkt der Wettbewerbstheorie zu einem evolutorisch offenen, sich kybernetisch selbst regulierenden System[11] betrachtet werden. Während Kantzenbach von inhaltlich ex ante festgelegten Zielfunktionen des Wettbewerbs ausgeht und dabei bestimmte Beziehungen zwischen Marktstruktur, Marktverhalten und Marktergebnis postuliert, knüpft Hoppmann mit seinem neoklassischen Wettbewerbsverständnis an den Begriff der Wirtschafts- und Wettbewerbsfreiheit i. S. von Adam Smith[12] an. Freilich, ging es im Freiheitskonzept von A. Smith um die Bekämpfung des Merkantilismus, verfolgt Hoppmann einen system- und sozialtheoretischen Ansatz und koinzidiert inso-

---

[11] Vgl. zum »autopoetischen Reproduktionsvermögen« aus völlig anderer, nämlich rechtssoziologischer Sicht Luhmann (1986); vgl. dazu auch Schmid (1986: 513ff.).

[12] Ideengeschichtlich läßt sich eine klare Verbindungsline zwischen A. Smith, W. Eucken und E. Hoppmann aufzeigen, vgl. Rechtenwald (1974): LXII: »Smiths Empfehlungen lassen sich in wenigen Sätzen zusammenfassen. Sie sind in Deutschland von Walter Eucken klarer gefaßt, weiterentwickelt und ergänzt (etwa durch die Forderungen nach einer aktiven Wettbewerbs-Kartellpolitik des Staates) und nach dem Zweiten Weltkrieg im Rahmen der Sozialen Marktwirtschaft auch mit großem Erfolg praktiziert worden.« Hoppmanns Wettbewerbskonzept wird daher auch als Neuklassik bezeichnet, vgl. Schmidt (1987: 17). Auch v. Hayek fühlt sich seinerseits besonders W. Eucken verbunden, vgl. seine Antrittsvorlesung in Freiburg 1962 (Hayek, 1969: 2f.).

weit mit Mestmäker (Hoppmann und Mestmäcker, 1974: 7ff.) und Fikentscher (1983: 130ff.; 1958: 29ff., 163ff.). Diese Wettbewerbsfreiheit umfaßt sowohl die Wahlfreiheit der Nachfrager (»Konsumentensouveränität«) als auch die Freiheit der Anbieter zur Entwicklung von wettbewerbsfördernden Innovationen und Imitationen. Demgemäß ist der Markt das Aktionsfeld für alle Wettbewerbsakteure (Anbieter und Nachfrager [Lehmann, 1985: 255ff., 264ff.]), welche innerhalb einer allgemeinen rechtlichen Rahmenordnung und aufgrund von bestimmten Verhaltensregeln spontan interagieren.

c) Der Einfluß von v. Hayek

Dieses wirtschaftstheoretische Evolutionskonzept hat v. Hayek schon im Jahr 1946 angedeutet (Hayek, 1976: 122ff.)[13] und später durch seine Theorie des »Wettbewerb als Entdeckungsverfahren« (Hayek, 1968)[14] weiterentwickelt. V. Hayek wendet sich zunächst gegen jede Anmaßung von Wissen, welches das Modell des vollkommenen Wettbewerbs (Fikentscher, 1983: 187ff.) impliziert:

»Aber dieses Wissen, von dem angenommen wird, daß es gegeben ist und man davon ausgehen kann, ist einer der Hauptpunkte, bei denen die Tatsachen nur im Verlauf des Wettbewerbsprozesses aufgedeckt werden. Dieses scheint mir einer der allerwichtigsten Punkte zu sein, wo die Theorie des Wettbewerbsgleichgewichts schon am Ausgangspunkt die Hauptaufgabe, die nur der Prozeß des Wettbewerbs lösen kann, als nicht bestehend annimmt.« (Hayek, 1976: 127; s. auch Hayek, 1976a: 49ff.).

Im »Entdeckungsverfahren« (Hayek, 1968: 3 und 10)[15] finden sich sodann die folgenden dieses Modell inhaltlich näher erläuternden Passagen:

»Demgegenüber ist es nützlich, sich ins Gedächtnis zu rufen, daß überall dort, wo wir uns des Wettbewerbs bedienen, dies nur damit gerechtfertigt werden kann, daß wir die wesentlichen Umstände nicht kennen, die das Handeln der im Wettbewerb Stehenden

---

[13] Joerges (1981) möchte diesen Ansatz für die gesamte Rechtsentwicklung und -fortbildung verallgemeinern, wenn er vom »Entdeckungsverfahren Praxis« spricht. Der Soziobiologe E.O. Wilson (1979), wendet dieses Prinzip auf die Naturwissenschaften an. Aus primär philosophischer Sicht ist zu erwähnen Vollmer (1983).

[14] In diesem Zusammenhang solte auch Schumpeters »Prozeß der schöpferischen Zerstörung« berücksichtigt werden: »Der Kapitalismus ist also von Natur aus eine Form oder Methode der ökonomischen Veränderung und ist nicht nur nie stationär, sondern kann es auch nie sein. Dieser evolutionäre Charakter des kapitalistischen Prozesses ...« (Schumpeter, 1950: 135).

[15] Hayek rekurriert dabei auch ausdrücklich auf das »brillante Erstlingswerk« Schumpeters (1908) und den dort (S. 97f.) entwickelten Begriff des »methodologischen Individualismus«.

bestimmen. Im Sport und bei Prüfungen, dür Gedichte und nicht zuletzt in der Wissenschaft, wäre es offensichtlich sinnlos, einen Wettbewerb zu veranstalten, wenn wir im voraus wüßten, wer der Sieger sein wird. Daher möchte ich, wie ich im Titel dieses Vortrags zum Ausdruck gebracht habe, den Wettbewerb einmal systematisch als ein Verfahren zur Entdeckung von Tatsachen betrachten, die ohne sein Bestehen entweder unbekannt bleiben oder doch zumindest nicht genutzt werden würden...

Diese wechselseitige Anpassung der individuellen Pläne wird dabei durch einen Vorgang zustande gebracht, den wir, seitdem die Naturwissenschaften auch begonnen haben, sich mit spontanen Ordnungen oder »selbst-organisierenden Systemen« zu befassen, gelernt haben, als negative Rückkoppelung zu bezeichnen. Ja, wie es jetzt auch informierte Biologen erkennen, hat lange bevor Claude Bernhard, Clark Maxwell, Walter B. Cannon oder Norbert Wiener die Kybernetik entwickelten, Adam Smith die Idee ebenso klar in seinem Volkswohlstand gesehen. Die unsichtbare Hand, die die Preise reguliert, drückt offenbar diese Vorstellung aus. Was Smith sagt ist im wesentlichen, daß auf einem freien Markt die Preise durch negative Rückkoppelung bestimmt werden.«

Aus späteren Werken (Hayek, 1967: 11ff.) geht deutlich hervor, daß Hayek ganz allgemein jeden von ihm so bezeichneten »französischen konstruktivistischen Rationalismus« einem »englischen Liberalismus« hintansetzt, der zu einer »evolutionären Interpretation aller Kultur- und Geistesphänomene führt« und auf der Einsicht in die »Begrenztheit der menschlichen Verstandeskräfte« beruht. Nicht »taxis«, eine von Menschen gemachte Ordnung, sondern »kosmos«, eine aufgrund evolutiver Mechanismen spontan gewachsene Ordnung bestimmt den Gang der Geschichte (Hayek, 1980: 59): »Der Mensch ist und wird niemals der Herr seines Schicksals sein. Gerade seine Vernunft schreitet immer weiter voran und führt ihn ins Unbekannte und Unvorhergesehene, wo er neue Dinge lernt.« (Hayek, 1981: 236)[16].

F.A. v. Hayeks Großvater väterlicherseits war Biologe (Machlup, 1977: 12)[17], was plausibel machen kann, daß er wie kein anderer Wettbewerbstheoretiker (Hirshleifer, 1977; 1984: 77ff.) zuvor die Evolutionstheorie in sein Denken mit einbezogen hat; dies scheint mir einer der Gründe zu sein, warum v. Hayek und Hoppmann aus der Kontroverse mit Kantzenbach inzwischen wohl als Sieger hervorgegangen sind (vgl. Emmerich, 1989: 11ff.; Fikentscher, 1983: 194; Möschel, 1983: 46ff.; Schmidt, 1987: 17ff.).

---

[16] Gegenwärtig sollte man diese Erkenntnis vor allem mit der Frage der gesetzlichen Kontrolle der Gentechnik in Zusammenhang bringen; vgl. dazu Nicklisch (1989: 1ff.); aus philosophischer Sicht Jonas (1987:), S. 115: »Unsere so völlig enttabuisierte Welt muß angesichts ihrer neuen Macharten freiwillig neue Tabus aufrichten«; zusammenfassend Damm und Hart (1987: 183ff., 215).

[17] Sein Großvater mütterlicherseits war Staatsrechtler, sein Vater war Mediziner, seine Brüder wurden Naturwissenschaftler.

d) Die Bedeutung der Chicago-School

Auffallende Parallelen finden sich aber auch zwischen v. Hayek und der Chicago-School (Schmidt und Rittaler, 1986; Schmidt, 1987: 22ff.), wobei v. Hayek freilich die engen Fesseln eines rein ökonomischen Effizienzkonzepts längst gesprengt hat. Als gemeinsame Ausgangspunkte lassen sich aber der methodologische Individualismus aufzeigen, das Fortschreiten von der Mikro- zur Makroökonomie und die sehr langfristige, aber stets dynamisch-evolutiv orientierte Betrachtungsweise. Auch Ansätze der property-rights-Lehre finden sich bereits bei v. Hayek (1969: 161ff., 174).

Als gemeinsame Schlüsselfigur kann man dafür wohl Schumpeter (1950)[18] aufzeigen, der sowohl die Entwicklung der Wirtschaftstheorie in Europa als auch in den USA maßgeblich beeinflußt hat[19]. Welchen Einfluß die Grundgedanken der Chicago-School letztlich auf die Weiterentwicklung des deutschen und europäischen Kartellrechts haben werden (Möschel, 1988: 885ff., 892f.; Mestmäker, 1984: 34ff.), ist gegenwärtig noch völlig offen; feststeht, daß die Chicago-People kräftig Öl in die gegenwärtig in Europa allseits aufflammende Privatisierungs- und Deregulierungsdebatten gießen; und feststeht weiterhin, daß die Chicago-School die Methodenlehre des Rechts um eine weitere, meines Erachtens sehr wichtige Facette bereichert hat, die ökonomische Analyse des Rechts, die sich inzwischen auch in Europa einen festen Platz in der Methodendiskussion erobern konnte[20]. Daß diese Denkrichtung bereits konkrete gesetzgeberische Früchte trägt, könnte man gegenwärtig im Zusammenhang mit der Diskussion um die 5. GWB-Novelle nur hinsichtlich der Reduzierung der Ausnahmebereiche unseres Kartellrechts gem. §§ 99 ff. GWB behaupten; jedes Einzelhandelsstrukturschutzdenken verstößt demgegenüber diametral gegen diese Lehren. Auch die aktuellen Fragestellungen im Zusammenhang mit der Schaf-

---

[18] Man kann sagen, daß die Austrian Economics im Gewande der »economic analysis« und des »public choice« wieder nach Europa zurückgekehrt sind.

[19] Letzteres konnte ich einer Bemerkung von H. Demsetz entnehmen, der auf einer public-choice-Konferenz meinte, die amerikanischen Wirtschaftswissenschaftler hätten alle »unseren Schumpeter« gelesen, ohne ihn aber dann später zitiert zu haben; s. auch Commons (1924), der auf Böhm-Bawerk verweist.

[20] Nach anfänglich etwas vorsichtiger Rezeption, vgl. etwa Horn (1976: 307ff.), gibt es heute in Deutschland nur noch ganz vereinzelt grundsätzlich kritische Stimmen, vgl. dazu Fezer, K. H., Juristen-Zeitung, 1986: 817 ff.; Juristen-Zeitung, 1988: 223 ff.; dagegen Ott und Schäfer, Juristen-Zeitung, 1988: 213 ff. Zur ökonomischen Analyse des deutschen Wirtschaftsrechts vgl. etwa Lehmann (1983); Schäfer und Ott (1986); Adams (1985); Behrens (1986).

fung und richtigen Dimensionierung einer Europäischen Fusionskontrolle[21] sind vom Denken der Chicago-School unbeeinflußt.

e) Contestable Markets

Last not least muß noch das relativ neue amerikanische Wettbewerbskonzept der contestable markets (Bain, 1967; Baumol, 1982: 1ff.; Baumol, Panzar, Willig, 1982; Spence, 1983: 981ff.; Braulke, 1983: 945ff.; Aschinger, 1984: 217ff.; Hutter, 1986; Weizsäcker, 1980), der »angreifbaren Märkte«, Erwähnung finden, welches unser kartellrechtliches Denken und Urteilen in den letzten Jahren ähnlich wie die Chicago-School schon bis zu einem gewissen Grad beeinflußt hat[22]. Etwa die Berücksichtigung des Gedankens des »potentiellen Wettbewerbs«[23] sowie ganz allgemein die analytischen Konzepte »no barriers of entry or exit« und die Beachtung von versunkenen Kosten, »sunk costs«, zeigen, daß diese amerikanischen Ansätze für eine in sich geschlossene Industrietheorie auch schon in der deutschen Wirtschaftstheorie und Ökonomik einen gewissen Einfluß gewonnen haben.

E. Zusammenfassung zum deutschen Kartellrecht

Das GWB schreibt positiv weder einen bestimmten Wettbewerbsbegriff vor, noch beruht es auf einem statisch fixierten Wettbewerbsmodell; zweifelsohne war bei Erlaß des GWB der Einfluß der Freiburger Schule besonders maßgebend, ohne daß dies aber zu einer Festschreibung des

---

[21] Vgl. BR-Drucks. 22/89 v. 18. 1. 1989, Geänderter Vorschlag einer Verordnung (EWG) des Rates über die Kontrolle von Unternehmenszusammenschlüssen; vgl. dazu Ebenroth und Hauschka (1989: 62ff.); vgl. auch Arbeitskreiskartellrecht beim BKartA., Tagung vom 10. 11. 1988: »Fusionskontrolle im gemeinsamen Markt«; s. auch Monopolkommission, Hauptgutachten 1986/1987, Die Wettbewerbsordnung erweitern, 1988: 15ff. Vgl. jetzt die Verordnung (EWG) Nr. 4064/89 des Rates vom 21.12.1989 über die Kontrolle von Unternehmenszusammenschlüssen.

[22] Vgl. insbesondere das 6. Hauptgutachten der Monopolkommission 1984/5, Gesamtwirtschaftliche Chancen und Risiken wachsender Unternehmensgrößen, 1986: 14ff.; vgl. dort auch die vorsichtig ablehnende Stellungnahme zur Chicago-Schule: »Gesicherte empirische Erkenntnisse, die eine grundlegende Umorientierung der deutschen Wettbewerbspolitik nach dem amerikanischen Vorbild nahelegen würden, kann sie (d.h. die Monopolkommission, der Verf.) zum gegenwärtigen Zeitpunkt nicht erkennen.«

[23] Bei § 22 GWB zu berücksichtigen sind: »die rechtlichen und tatsächlichen Schranken für den Marktzutritt anderer Unternehmen«; nach der gegenwärtig anstehenden GWB-Novelle soll nunmehr auch die Umstellungsflexibilität der Unternehmen berücksichtigt werden, vgl. a. a. O., Fn. 25.

Modells der »vollständigen Konkurrenz« geführt hätte. Das GWB ist vielmehr offen und elastisch genug ausgearbeitet worden, daß es den evolutiven Fortgang der Wirtschaftstheorie und Ökonomik integrieren und zumindest nachzuvollziehen versuchen kann. Offene, generalklauselartige Rechtsbegriffe, wie z. B. »Beschränkung des Wettbewerbs«, »marktbeherrschende Unternehmen«, »Mißbrauch von Marktrecht« oder »unbillige Behinderung« ermöglichen dies ebenso sehr wie eine relativ gut gelungene Ausbalancierung von hoheitsrechtlichen Eingriffsbefugnissen der Kartellbehörden mit privatrechtlichen Ansprüchen der Wettbewerber.

F. Das Wettbewerbsmodell des EG-Kartellrechts

Das EG-Recht enthält, anders als das deutsche Verfassungsrecht[24], eine ausdrückliche Verpflichtung zur aktiven Erhaltung des Wettbewerbs, denn gemäß Art. 3 lit. f. EWGV umfaßt die Tätigkeit der Gemeinschaft u. a. auch: »Die Errichtung eines Systems, das den Wettbewerb innerhalb des gemeinsamen Marktes vor Verfälschungen schützt«; weitere Einzelheiten sind vor allem den Art. 30 ff., 36, 85, 86 zu entnehmen. Leitgedanke ist die Schaffung eines EG-Binnenmarktes, eines Gemeinsamen Marktes, der durch die marktwirtschaftlich-dezentralisiert getroffenen Entscheidungen seiner freien und gleichen Wirtschaftssubjekte, also von Anbietern und Nachfragern gleichermaßen gesteuert wird (Fikentscher, 1983: I, 545, 547f.; Mestmäcker, 1974: 176ff.; Gleiss und Hirsch, 1978: 26f.).

Grundpfeiler dieses Gebäudes sind die vier besonderen Marktfreiheiten des Gemeinschaftsrechts: Freier Waren-, Dienstleistungs-, Kapital- und Zahlungsverkehr; als wirtschaftspersonenrechtliche Freiheitsaspekte kommen hierzu noch die Freizügigkeit und die Niederlassungsfreiheit für alle Wirtschaftssubjekte in der EG (Fikentscher, 1983: I, 539f., 547ff.). Zusammenfassend betrachtet kann die Wirtschaftsverfassung der EG nicht als neoliberal bezeichnet werden; die Agrarmarktregelungen sind alles andere als wettbewerbsfördernd. Es handelt sich vielmehr um eine »mixed economy« auf der Grundlage einer Marktwirtschaft (Fikentscher, 1983: I, 546), wobei die wettbewerbswirtschaftlichen Elemente deutlich überwiegen.

[24] Kritisch dazu Lehmann (1983: 18f); zur Lehre von der sog. »offenen Wirtschaftsverfassung« vgl. grundlegend BVerfGE, 4, 7ff., 17.

II. Das Prinzip Wettbewerb: Evolutionsbiologie, Ökonomik, Wirtschaftsrecht. Ein interdisziplinärer Erklärungsansatz

A. Adam Smith als Ökonom und Soziobiologe?

Adam Smith, der Vater der klassischen Volkswirtschaftslehre, ging zunächst in seiner »Theory of Moral Sentiments«[25] vom »self-interest«, der »self-love« des Menschen aus; das menschliche Sinnen und Trachten ist von Geburt bis zum Tode vom Streben nach einer Verbesserung der eigenen ökonomischen Situation und des sozialen Ranges geprägt. Dieser »Egoismus« wird von drei Schranken in Schach gehalten, des »sympathy«, dem Mitgefühl der Menschen, der freiwilligen Anerkennung von gemeinsamen *Regeln der Ethik* und Gerechtigkeit und dem staatlich gesetzten Recht; in dem »Wohlstand der Nationen« (Smith, 1776; dt. Ausgabe 1974) kommt noch eine vierte Schranke hinzu, die ökonomische Konkurrenz, das Erwerbsstreben und der Kapitaleinsatz der anderen Marktteilnehmer (Smith, 1974: 296ff.). Das Prinzip Wettbewerb wird zu einem dialektischen Instrument, es gewährt und beschränkt die Handlungsfreiheiten jedes Individuums in einer auf Gleichordnung beruhenden Lebensgemeinschaft. Smith (1974: 603ff.; Recktenwald, 1974: XLIVff.) skizzierte zudem vier gesellschaftliche Perioden und Stadien der Menschheitsentwicklung, vier verschiedene Arten der produktiven Tätigkeit des Menschen, sich seinen Lebensunterhalt zu verdienen, mit dazu korrespondierenden unterschiedlichen Formen des Eigentums: Die Jagd, das nomadisierende Hirtentum, der Ackerbau und die »moderne Tausch- oder Handels-Wirtschaft«.

Auf der untersten Entwicklungsstufe erwirbt der einzelne seinen Unterhalt, indem er jagt und »die Früchte des Bodens« sammelt; die Lebensgemeinschaften sind klein und überschaubar, eine vergrößerte Familie. Privates Eigentum ist noch relativ unbedeutend; dieses bedarf keines Sonderschutzes durch einen Staat unter Androhung von Zwangsmitteln. In nomadisierenden Hirtenvölkern rührt der Lebensunterhalt aus der Domestizierung

[25] Smith (1759), dt. Ausgabe nach der letzten Auflage (1977); dies ist u. a. auch auf den Einfluß seines akademischen Lehrers in Glasgow, des Philosophen Francis Hutcheson zurückzuführen; aber A. Smith war später als Steuerinspektor in Schottland auch einer der ersten Wirtschaftstatsachenforscher seiner Disziplin, denn er ging häufig über Märkte und beobachtete dabei sehr kritisch das Verhalten der Marktteilnehmer; diese Beobachtungen gingen auch in sein Alterswerk, die sechste Auflage der »Theory«, 1789, ein.

von Tieren, was eine Vergrößerung des Familienverbandes und das Aufsuchen neuer, weitläufiger Weideplätze erfordert. Das Halten von Herden führt zu Privateigentum an Vieh, eine spezifische Form des »Besitzes«, der sich relativ beliebig vergrößern läßt. Daraus entstehen zwangsläufig Ungleichheiten in einer Gemeinschaft, Spannungen zwischen arm und reich, so daß es einer gemeinsamen Einrichtung, einer »zivilen Regierung« bedarf, die mächtig genug ist, den Respekt einer Eigentumsordnung durchzusetzen[26]. Angehäuftes Vermögen kann zudem vererbt werden, so daß Über-/Unterordnungen nicht nur durch das Eigentum selbst, sondern auch durch Geburt entstehen können; dadurch kann Ansehen und Macht einzelner Familien vergrößert werden (Smith, 1974: 604). Im dritten Entwicklungsstadium folgt die Kultivierung des in Besitz genommenen Bodens, dessen Erbfolge gesetzlich, z. B. durch Erstgeburtsrecht und Fideikommiß, geregelt ist. Ein Großgrundbesitzer ist ökonomisch relativ autark, während die ökonomische und rechtliche Abhängigkeit der Besitzlosen sehr hoch ist. Konsequenterweise entwickeln sich paternalistische Beziehungen, denn der Feudalherr ist Gesetzgeber, Richter und militärischer Beschützer für seine Untertanen, und »Rechtsprechung« wird zu »einer ganz beachtlichen Einnahmequelle« (Smith, 1974: 605f.).

In einer »modernen Tausch- oder Handels-Wirtschaft« kann sich der einzelne durch Arbeitsteilung und Spezialisierung in der Produktion[27] sowie nachfolgenden Austausch der Güter, welche durch ein Geldsystem verrechenbar gestellt werden können, die »notwendigen und angenehmen Dinge des Lebens« verdienen; indem ein Wirtschaftssubjekt für die Gewährung und Nutzung von Arbeitskraft, Boden und Kapital zum Einsatz bei der Produktion ein monetäres Entgelt verlangen kann, wird es wesentlich unabhängiger, freier. An die Stelle von einseitigen Abhängigkeiten zwischen den verschiedenen Bevölkerungsschichten und Ständen in einer agrarwirtschaftlichen Feudalgesellschaft tritt nunmehr in der Form des Tauschpreises für bestimmte Marktleistungen eine gegenseitige Abhängigkeit, ein hohes Maß an Reziprozität.

Die Dynamik dieser historischen Entwicklungen wird durch grundlegende Verhaltensänderungen des Menschen bestimmt, welcher beständig um die Absicherung seiner Existenz und die Verbesserung seiner wirtschaftlichen und sozialen Lage besorgt ist: Jagen und Sammeln werden abgelöst durch

[26] Vgl. dazu die Parallelen des public-choice-Ansatzes bei Buchanan (1984: 11ff.); aus deutscher Sicht vgl. Eschenburg (1977: 10ff.).
[27] Vgl. nur das berühmte Stecknadelbeispiel bei Smith (1977: 9ff.).

die Domestikation von Tieren, die Kultivierung des Bodens und schließlich durch eine »große Revolution« in Form der Einführung der »modernen Tausch- und Marktwirtschaft«; Verhaltensänderungen, die jeweils zu weitreichenden Konsequenzen für die neu zu entwickelnden, ihnen angemessenen Rechts-, Sozial- und politischen Ordnungssysteme geführt haben. Diese analytischen Einsichten stellen eine außerordentlich intuitive »Meisterleistung« (Recktenwald, 1974: XLIX) von Adam Smith dar, hat er doch gewisse Grundsätze der Property-Rights-Theorie (North und Thomas, 1973: 19ff.) und der Soziobiologie vorweggenommen[28].

B. Evolutionsbiologie und das Prinzip Eigennutz als Wettbewerbsfaktor

Auch die Soziobiologie (Wilson, 1975, 1979; Eibl-Eiblsfeld, 1984: 121f.) geht, als eine besondere Spielart der Evolutionsbiologie (Meier, 1988) und Ethologie, vom Eigennutz aus (Wickler und Seibt, 1981; Dawkins, 1978, 1987), wenn sie sich darum bemüht, allgemeingültige Gesetzmäßigkeiten aufzuzeigen, die für das Verhalten des Menschen ebenso wie für andere Lebewesen Gültigkeit beanspruchen können. Anders als bei Darwin geht dabei aber der Wettbewerb, der Kampf ums Überleben, nicht in erster Linie um die Erhaltung der eigenen Art, sondern um die Sicherung und möglichst weite Verbreitung der Gene jedes einzelnen Exemplars. Art und Ausmaß der gesellschaftlichen Kooperation bzw. der Konkurrenz richten sich nach der Zahl der identischen Gene, d. h. nach dem Grad der Verwandtschaft zwischen den Individuen. Diese Überlegungen sowie ökonomische Modellansätze, z. B. die cost-benefit-Analyse, können gleichermaßen die Fortpflanzungsstrategien von Löwen und die Staatenbildung von Bienen und Ameisen erklären (Wickler und Seibt, 1981: 85ff., 116ff.).

Wie bereits an anderer Stelle ausführlicher dargestellt (Lehmann, 1982: 1997ff.; 1986: 463ff., 466f.), könnte dieses Prinzip Eigennutz und seine Einbettung in ein Wettbewerbssystem als ein gemeinsamer Ausgangspunkt für eine interdisziplinäre Untersuchung aus biologischer, ökonomischer und wirtschaftsrechtlicher Sicht gewählt werden, denn gerade auch die

---

[28] Hayek (1979: 8f.) meint, der biologische Evolutionsgedanke von Charles Darwin sei auf den Einfluß seines Großvaters Erasmus und damit auf die Gedanken von Bernard Mandeville und David Hume über den kulturellen Auswahlprozeß zurückzuführen; aus wissenschaftlichen Notizen Darwins wissen wir, daß er selbst Hume gelesen hat. Auch A. Smith kann als Schüler von Hume betrachtet werden, der sein engster Freund in Edinburgh war.

Biologen haben längst die eigenen fachspezifischen Fesseln abgestreift und bemühen sich um gesellschaftsrelevante[29] Aussagen: »Unsere Gesellschaften beruhen auf dem Säugetierschema: Das Individuum kämpft vor allem für seinen persönlichen Fortpflanzungserfolg und dann für den seiner unmittelbaren Verwandten; eine darüber hinausgehende widerwillig geduldete Kooperation stellt einen Kompromiß dar, den man einging, um die Vorzüge der Gruppenzugehörigkeit genießen zu können.« (Wilson, 1979: 186). Das eigene, biologisch vitale Interesse jedes Lebewesens, zu überleben, sich fortzupflanzen und seine Lebensumstände verbessern zu wollen[30], führt zwangsläufig in einer Welt knapper Ressourcen zum Wettbewerb, zum Konkurrenzkampf des »surviving of the fittest«; und weiter, um es mit Darwin zu sagen: »Aus dem Kampf der Natur, aus Hunger und Tod geht also unmittelbar das Höchste hervor, das wir uns vorstellen können: die Erzeugung immer höherer und vollkommener Wesen.« (Darwin, 1963: 678). In der Rechtswissenschaft hat als erster Rudolph von Jhering diesen Gedanken auf die Evolution der Institutionen des Rechts übertragen: »Mit derselben Notwendigkeit, mit der sich nach der Darwinschen Theorie die eine Tierart aus der anderen entwickelt, erzeugt sich aus dem einen Rechtszweck der andere, und wenn tausendmal die Welt erschaffen würde, wie sie einmal ward, nach Milliarden Jahren müßte die Welt des Rechts stets dieselbe Gestalt an sich tragen, denn der Zweck hat für die Schöpfungen des Willens im Recht dieselbe unwiderstehliche Gewalt wie die Ursache für die Gestaltung der Materie (Jhering, 1916: I, IX).«

Das Prinzip Wettbewerb ist somit als ein Grundelement der Evolution zu betrachten, welches sich der Mensch vor allem immer dann zu Nutze machen sollte, wenn es gilt, Neuland unter den Pflug zu nehmen. Das Prinzip Wettbewerb kann als ein Entdeckungsverfahren zu Einsatz gebracht werden, wenn man sich darum bemüht, in einem dynamisch-evolutiv offenen System nach dem Neuen, Besseren des Morgen zu suchen, welches das Alte, Gute des Heute ablösen könnte oder sollte. Dieser Grundsatz gilt gleichermaßen für Biologen, Ökonomen und Juristen, auch wenn der erste mit Darwin von der natürlichen Zuchtwahl, der zweite mit Schumpeter von dem Prozeß der schöpferischen Zerstörung und der dritte

[29] Vgl. insbesondere Alexander (1979), welcher (S. XV) ausdrücklich auf die parallele Wissenschaftsausrichtung von Anthropologie und Evolutionsbiologie hinweist. Vgl. dazu auch Hirshleifer (1977, 1984).

[30] Darwin (1963), S. 677: »Und da die natürliche Zuchtwahl nur durch und für den Vorteil der Geschöpfe wirkt, so werden alle körperlichen Fähigkeiten und geistigen Gaben immer mehr nach Vervollkommnung streben.«

mit v. Hayek vom wirtschaftlichen Wettbewerb als Entdeckungsverfahren spricht. Das Prinzip Wettbewerb darf allerdings dann nicht zum Einsatz kommen, wenn »trial and error« für den Menschen und seine Gesellschaft eine Überlebensgefahr darstellen könnte.

C. Natürliche Evolution in der Biologie – kulturelle Evolution in der Jurisprudenz

Aber auch nur soweit gehen die interdisziplinären Gemeinsamkeiten. Denn der Biologe konstatiert im wesentlichen diese Gesetzmäßigkeiten der biologischen Evolution, er hat diese Prinzipien nicht erfunden, sondern nur entdeckt; der Ökonom vermag modellhaft gewisse Rahmenbedingungen aufzuzeigen, unter welchen das Prinzip Wettbewerb zur Steigerung der ökonomischen Effizienz führen kann (Kirchgässer und Pommerehne, 1988: 230ff.). Der Jurist, an gesellschaftsrelevante Interessenbewertungen gewöhnt, wird sofort die Frage aufwerfen, ob und inwieweit dieses Prinzip der Natur entlehnt und tel quel auf ein Gesellschaftssystem übertragen werden kann und darf. Anders formuliert, soll staatliche Normsetzung und Institutionenbildung die Naturgesetze nur nachzuempfinden versuchen, oder muß sich die Kulturerrungenschaft Recht nicht gerade um die Errichtung einer Metaebene bemühen? Soll und darf der staatlich geordnete Wettbewerb dem biologischen Kampf ums Überleben entsprechen?

Zweifelsohne sollte zumindest längerfristig ein Rechtssystem, genausowenig wie eine Religon, diametral gegen die Naturgesetze von Biologie und Ökonomie anzukämpfen versuchen; es kann weder das Rad der Evolution zurückdrehen noch ökonomisch meßbaren Werteverzehr, sprich Kosten, einfach negieren[31]. Das Recht müßte also zunächst von der Natur der zu regelnden Gegenstände ausgehen und könnte nach einem mehr oder weniger geglückten Versuch der Erkenntnis des Wesens der Dinge – der Jurist spricht hier von der »Natur der Sache«, betreibt aber viel zu wenig das mühsame Geschäft der Rechtstatsachenforschung[32] –, an ihre Ordnung im Rahmen eines »social engineering« denken. Dies wäre ein geradezu naturwissenschaftlicher »approach« einer Gesetzgebungslehre, welcher in

[31] Das einer Wettbewerbsordnung entzogene Agrarsystem der EG, welches diese schon fast an den volkswirtschaftlichen Ruin gebracht hat, mag hier als Beispiel genügen.

[32] Vgl. grundlegend Nußbaum (1968); vgl. als Ausnahme, welche die Regel bestätigt, Chiotellis und Fikentscher (1985); auch die deutsche Rechtssoziologie möchte sich die Hände nicht mit allzu viel Rechtstatsachenforschung schmutzig machen, vgl. dies kritisch darstellend Heldrich (1986: 74ff., 107f.).

der Traditions- und Kulturwissenschaft Jurisprudenz aber bislang nur selten angetroffen werden kann[33]. Tendenziell geht nämlich der Jurist von dem ihm geläufigen, abstrakten Ordungsschema eines historisch gewachsenen und daher nicht immer optimalen Rechtssystem aus und versucht neue Entwicklungen in dieses einzuordnen, wie z. B. die aktuelle Diskussion um den adäquaten Rechtsschutz von Computerprogrammen (Lehmann, 1988) oder der Gentechnologie[34] veranschaulichen können.

Der natürlichen Evolution kann daher die kulturelle Evolution (Hayek, 1979, 1981: III, 209ff.; Vanberg, 1984: 83ff.; Vogel, 1988: 193ff.) an die Seite gestellt werden, was vor allem darauf beruht, daß der Mench für ihn wertvolle Informationen nicht nur über Gene weitergeben kann. Von Hayek hat daher auch einige Soziobiologen heftig angegriffen (Pugh, 1977), weil sie sich nur auf primäre, d. h. genetisch verankerte, und sekundäre Werte, d. h. Produkte rationalen Denkens, beschränken wollen und dabei den viel schnelleren Vorgang der Entwicklung kultureller Einrichtungen vernachlässigen (Hayek, 1979: 10f.).

Neben den Wettbewerb der Gene tritt der Wettbewerb der gesellschaftlich tradierten Institutionen, wie z. B. der Wettbewerb zwischen verschiedenen Wirtschafts- oder Rechtssystemen. Ähnlich wie wir dies vorab für das GWB untersucht haben, sollte es daher auf allen Gebieten des Rechts evolutive Spielräume geben, d. h. der Gesetzgeber sollte bewußt gewisse Ventile, gewisse Türen der Rechtsfortbildung, gewisse Möglichkeiten eines systemimmanenten trial and error, vorsehen und z. B. auch, wie etwa aus dem EG-Recht bekannt[35], neue Vorschriften von Anfang an nach einer Erprobungsphase in der Praxis zur Wiedervorlage des Gesetzgebers bringen. Jede Rechtsdogmatik sollte sich, innerhalb der Grenzen der notwendigen Rechtssicherheit, dem Wettbewerb der Meinungsvielfalt stellen müssen und sich stets einer evolutiven Dynamik und Offenheit bewußt verpflichtet fühlen; es darf keine »heiligen Kühe« des Rechts, auch auf dem Gebiet des

[33] Die UWG-Novelle 1987 ist zum Teil durch rechtstatsächliche Untersuchungen zum Verbraucherschutz vorbereitet, die dadurch gewonnenen Erkenntnisse vom Gesetzgeber aber nur sehr bruchstückhaft umgesetzt worden, vergleiche dazu Lehmann (1987: 199ff., 211f.); so auch Helsper (1989).

[34] Vgl. Beier, Crespi, Straus (1986); s. a. Biotechnologie und Gewerblicher Rechtsschutz, GRUR Int. 1987: 285ff.

[35] Vgl. etwa die Verpflichtung, alle fünf Jahre einen Bericht zur Praxis der neuen Produzentenhaftung zu erstellen, vgl. Richtlinie des Rates vom 25. 7. 1985 zur Angleichung der Rechts- und Verwaltungsvorschriften der Mitgliedstaaten über die Haftung für fehlerhafte Produkte, ABLEG Nr. L 210/29, v. 7. 8. 1985, vgl. dort Art. 21.

BGB[36], geben. Das Prinzip der Gewaltenteilung, ausreichende Instanzenzüge und zumindest subsidiär unbestimmte, generalklauselartige Rechtsbegriffe im materiellen Recht[37] können dafür sorgen, daß genug Beurteilungsspielräume eröffnet sind, welche dem Rechtsanwender in der Praxis eine evolutive Rechtsfortbildung ermöglichen können. Juristen sollten sich klar vor Augen halten, daß sie selbst in Abstimmung mit den beteiligten und betroffenen Kreisen die Rechtsevolution produzieren müssen; im Recht gibt es anders als in der Biologie und Ökonomie insofern keine selbst wirkenden Mechanismen (Lehmann, 1986: 476f.).

III. Zusammenfassung

Das Prinzip Wettbewerb kann als Entdeckungsverfahren auf dem Gebiet der Biologie, der Ökonomie und der Jurisprudenz gleichermaßen den Gang der Evolution vorantreiben; während es in der Natur und im Wirtschaftsleben beim Vorhandensein gewisser ökologischer und ökonomischer Rahmendaten selbständig funktioniert, muß die Rechtswissenschaft die eigene, autopoetische Evolutionsfähigkeit pflegen und gezielt fördern. Der Wettbewerb der juristischen Ideen und Lösungsmöglichkeiten muß daher in einem Rechtssystem institutionell verankert werden; eine interdisziplinäre Öffnung der Jurisprudenz sowie die Rechtsvergleichung können dabei wertvolle Hilfestellungen geben. Auch die aktuellen Rechtsvereinheitlichungsbemühungen in Europa sollten insoweit als eine Chance für die Evolution unseres Rechtssystems betrachtet werden. Das Prinzip Wettbewerb ist so alt wie die Natur und der Mensch selbst und es ist daher verwunderlich, daß es als Rechtsinstitut erstmals im 19. Jahrhundert anerkannt und bis heute im Wirtschaftsleben noch nicht allseits befriedigend umgesetzt worden ist.

---

[36] Die »große« Schuldrechtsreform findet heute via AGB-Gesetz, insbesondere im Rahmen der Generalklausel der Inhaltskontrolle gem. § 9 AGBG statt; der Richter muß sich daher hier oft geradezu überfordert fühlen; vgl. zur Schuldrechtsreform, um die es in letzter Zeit fast bedrückend still geworden ist, Engelhard (1984: 1201ff.).

[37] Vgl. dazu die häufig geübte Technik des BGB § 823: »...das Leben, den Körper, die Gesundheit, die Freiheit, das Eigentum oder ein sonstiges Recht eines anderen ...«

Autorenverzeichnis

Paul Bohannan, Professor of Anthropology and Law, University of Southern California, Los Angeles, CA, USA

Robert Cooter, Professor of Law and Economics, University of California at Berkeley, Berkeley, CA, USA

George Fletcher, Professor of Law, Columbia University, New York, NY, USA

Robert Frank, Professor of Economics, Cornell University, Ithaca, NY, USA

Gordon Getty, Unternehmer, San Francisco, CA, USA

Michael Lehmann, Professor of Law, Max-Planck-Institut, München, Germany

Roger Masters, Professor of Government, Dartmouth College, Hanover, NH, USA

Michael T. McGuire, M. D., Professor of Psychiatry, University of California at Los Angeles, CA, USA

Lionel Tiger, Professor of Anthropology, Rutgers University, New Brunswick, NJ, USA

Alfonso Troisi, Professor of Psychiatry, II University of Rome, Roma, Italy

Bibliographie

Ackermann, B. A., *Private Property and the Constitution.* New Haven, 1977.

Ackermann, B. A., The Storrs Lectures: Discovering the Constitution. *Yale Law Journal*, 93, 1984, 1013–1072.

Adams, M., *Ökonomische Analyse der Gefährdungs- und Verschuldenshaftung*. Heidelberg, 1985.

Alexander, R. D., *Darwinism and Human Affairs.* London, 1979.

Alexander, R. D., *The Biology of Moral Systems.* New York, 1987.

Alexander, R.D. and G. Borgia, Group Selection, Altruism and the Level of Organization of Life. *Annual Review of Ecology and Systematics*, 9, 1978, 449–474.

Aschinger, G., Contestable Markets. Ein neuer Weg zur Charakterisierung des Wettbewerbs und der Industriestruktur. *Wirtschaftswissenschaftliches Studium*, 1984.

Axelrod, R. und W. D. Hamilton, The Evolution of Cooperation. *Science*, 211, 1981, 1390–1396.

Axelrod, R. und D. Dion, The Further Evolution of Cooperation. *Science*, 242, 1988, 1385–1389.

Baer, R., M. Goldman, R. Juhnke, Factors Affecting Prosocial Behavior. *Journal of Social Psychology*, 103, 1977, 209–216.

Bain, J. S., *Barriers to New Competition. Their Character and Consequences in Manufacturing Industries.* Cambridge 1967.

Barash, D., *Sociobiology and Behavior.* New York, 1982.

Barzel, Y., *Economic Analysis of Property Rights.* Cambridge, N.J., 1989.

Baumol, W. J., Contestable Markets: An Uprising in the Theory of Industrial Structure, 72, *American Economic Review*, 1982.

Baumol, W. J., S. C. Panzar, R. D. Willig, *Contestable Markets and the Theory of Industry Structure*. New York, 1982.

Baums, T., Höchststimmrechte. *Die Aktiengesellschaft*, 1990, 221–242.

Baums, T., Banks and Corporate Control. John M. *Olin Working Papers in Law and Economics*. School of Law, University of California at Berkeley, 90–1, 1991.

Becker, G., Crime and Punishment: An Economic Approach. *Journal of Political Economy*, 76, 1968, 169–217.

Becker, H. P., *Die soziale Frage im Neoliberalismus, Analyse und Kritik*. Heidelberg, 1965.

Behrens, P., *Die ökonomischen Grundlagen des Rechts*. Tübingen, 1986.

Beier, F.-K., R. S. Crespi, J. Straus, *Biotechnologie und Patentschutz*. Paris, 1986.

Bente, G., S. Frey, J. Treeck, Taktgeber der Informationsverarbeitung. *Medien Psychologie*, 2, 1989, 137–160.

Berger, B. und P. L. Berger, *The War Over The Family: Capturing the Middle Ground.* Garden City, 1984.

Bernstam, M. und P. Swan, The State As the Marriage Partner of Last Resort: New Findings on Minimum Wage, Youth Joblessness, Welfare, and Singel Motherhood in the United States, 1960–1980, *Domestic Studies Program, Hoover Institution*, Stanford Universität, Stanford, CA, 1986.

Bersheid, E. and E. Walster, *Interpersonal Attraction*. Reading, 1978.

Besemeres, J. F., *Socialist Population Policies: The Political Implications of Demographic Trends in the USSR und Eastern Europe*. White Plains, NY, 1980.

Birdwhistell, R. L., *Kinesics and Context*. Philadelphia, 1970.

Black, E., Shareholder Passivity Reexamined. *Michigan Law Review*, 89, 1991, 520–608.

Blechmann, M. D., US Antitrust Recht, *Frankfurter Kommentar, GWB*, Bd. 1, Köln, 1982.

Blum, R., *Soziale Marktwirtschaft – Wirtschaftspolitik zwischen Neoliberalismus und Ordoliberalismus*. Tübingen, 1969.

Blume, L. and D. Rubinfeld, Compensation for Takings: An Economic Analysis. *California Law Review*, 72, 1984, 569–624.

Blurton-Jones, N., Tolerated Theft: Suggestions about the Ecology and Evolution of Sharing, Hoarding, and Scrounging. In: Glendon Schubert and Roger D. Masters (Hrsg.), *Primate Politics*. Carbondale, 1991, 170–187.

Bott, E., *Family and Social Network: Roles, Norms, and External Relationships in Ordinary Urban Families*. London, 1957.

Braulke, M., Contestable Markets – Wettbewerbskonzept mit Zukunft? *Wirtschaft und Wettbewerb*, 1983.

Buchanan, J. M., *Die Grenzen der Freiheit. Zwischen Anarchie und Leviathan*. Tübingen, 1984.

Callmann, R., *Das deutsche Kartellrecht*. Berlin, 1934.

Casson, R. W., Schemata in Cognitive Anthropology. *Annual Review of Anthropology*, 12, 1982, 429–462.

Chiotellis, A. und W. Fikentscher, *Rechtstatsachenforschung. Methodische Probleme und Beispiele aus dem Schuld- und Wirtschaftsrecht*. Köln, 1985.

Clark, J. M., Toward a Concept of Workable Competition, *American Economic Review*, 30, 1940.

Coleman, J. S., *Foundations of Social Theory*. Cambridge, Mass., 1990.

Commons, J. R., *Legal Foundations of Capitalism*. New York, 1924.

Condor, W. S. und L. W. Sander, Neonatal Movement is Synchronized with Adult Speech: Interactional Participation and Language Acquisition. *Science*, 183, 1974, 99–101.

Conquest, R., *The Last Empire: Nationality and the Soviet Future*. Stanford, 1986.

Cooter, R. D., Inventing Property: Economic Theories of Market Property Applied to Papua New Guinea. *Olin Foundation Working Paper*, University of Virgina, 88–5, 1989.

Cooter, R. D., The Structural Approach to Adjudicating Social Norms: Evolution of the Common Law Reconsidered. *John M. Olin Working Papers in Law and Economics*. School of Law, University of California at Berkeley, 90–5, fall 1990.

Cooter, R. D. and J. Landa, Personal v. Impersonal Trade and the Optional Size of Clubs. *International Review of Law and Economics*, 4, 1984, 15–22.

Cooter, R. D. and Ulen T., *Law and Economics*. Glenview, 1988.

Cooter, R. D., Cooperation, Competition, and Common Law's Evolution. Paper presented at the Gruter Institute Conference »Ethology of Law: Competition and Trust in German and American Law«, Bad Homburg, Mai 1989.

Cooter, R. D. and J. Gordley (Hrsg.), Symposium: Economic Analysis in Civil Law Countries – Past, Present, Future. *International Review of Law and Economics*, 11, 1991, 261–63.

Cooter, R. D. and B. J. Freedman, The Fiduciary Relationship: Its Economic Character and Legal Consequences. *New York University Law Review*. Erscheint in Kürze.
Cowan, F. and L. Gray, *Privatization in the Developing World*. New York, 1990.
Cox, H., M. Jens, K. Markert, (Hrsg.), *Handbuch des Wettbewerbs*. München, 1981.
Crosby, F. und M. Gonzales-Intal, *Felt Injustice and Undesired Benefits of Others*. ND.

Damm, R. und D. Hart, Rechtliche Regulierung riskanter Technologien. *Kritische Vierteljahresschrift für Gesetzgebung und Rechtswissenschaft*, 1987.
Darwin, Ch., *Die Entstehung der Arten durch natürliche Zuchtwahl*. Stuttgart, 1963.
Dawkins, R., *The Selfish Gene*. Oxford, 1976. Dt. *Das egoistische Gen*. Berlin, 1978.
Dawkins, R., *Der blinde Uhrmacher. Ein neues Plädoyer für den Darwinismus*. München, 1987.
Diamond, J. M., Borrowed Sexual Ornaments. *Nature*, 349, 1991, 105.
Dowd, M., The Politics of Beauty At Work: Yes, But Can She Make Them Swoon? *New York Times*, 26. Mai 1991.
Dunbar, R. I. M., *Primate Social Systems*. Ithaca, N.Y., 1988.

Easterbrook, F. und D. Fischel, *The Economic Structure of Corporate Law*. Cambridge, Mass., 1991.
Ebenroth, C. und Hauschka, Zusammenschlußkontrolle nach der geplanten EG-Fusionskontrollverordnung. *Zeitschrift für Rechtspolitik*, 1989.
Eibl-Eibesfeld, I., *Die Biologie des menschlichen Verhaltens. Grundriß der Humanethologie*. München, 1984.
Eibl-Eibesfeld, I., *Human Ethology*. New York, 1989.
Eisenberg, M. A., *The Nature of the Common Law*. Cambridge, Mass., 1988.
Ekman, P. and H. Oster, Facial Expressions of Emotion. *Annual Review of Psychology*, 30, 1979, 527–554.
Emmerich, V., Die fünfte GWB-Novelle. *Die Aktiengesellschaft*, 1989.
Emmerich, V., *Kartellrecht*. München 1988.
Engelhard, H. A., Zu den Aufgaben einer Kommission für die Überarbeitung des Schuldrechts. *Neue Juristische Wochenzeitschrift*, 1984.
Enquist, M. und O. Leimar, The Evolution of Fatal Fighting. *Animal Behavior*, 39, 1990, 1–9.
Epstein, R., *Takings: Private Property and the Power of Eminent Domain*. Cambridge, Mass., 1985.
Eschenburg, R., *Der ökonomische Ansatz zu einer Theorie der Verfassung*. Tübingen, 1977.

Ferejohn, J. und B. Weingast, Limitation of Statutes: A Strategic Theory of Interpretation. *International Review of Law and Economics*. Erscheint 1992.
Fikentscher, W., *Wettbewerb und gewerblicher Rechtsschutz*. München, 1958.
Fikentscher, W., *Wirtschaftsrecht*, Bd. II. München, 1983.
Fikentscher, W., *The Draft International Code of Conduct on the Transfer of Technology*. Weinheim, 1980.
Fischel, W. A. and P. Shapiro, A Constitutional Choice Model of Compensation for Takings. *International Review of Law and Economics*, 9, 1989, 115–128.
Fisher, R. A., *The Genetical Theory of Natural Selection*. Oxford, 1930.
Flechtheim, J., *Die rechtliche Organisation der Kartelle*. 1923.

Frank, R. H., *Choosing the Right Pond.* New York, 1985.

Frank, R. H., *Passions with Reason.* New York, 1988.

Frank, R. H., A Theory of Moral Sentiments. Paper presented at the Meeting of the *American Association for the Advancement of Science*, San Francisco, Januar 1989.

Frey, S. und G. Bente, Mikroanalyse medienvermittelter Informationsprozesse zur Anwendung zeitreihen-basierter Notationsprinzipien auf die Untersuchung von Fernsehnachrichten. *Kölner Zeitschrift für Soziologie und Sozialpsychologie*, Sonderheft 30 (Massenkommunikation), 1989, 515–533.

Frydman, R. M. und A. Rapaczynski, *Privatizing Privatization: Markets and Politics in Eastern Europe.* Exposé für ein Buch, Dezember, 1990.

Fudenberg, D. und E. Maskin, The Folk Theorem in Repeated Games With Discounting or With Incomplete Information. *Econometrica*, 54, 1986, 533–554.

Geiger, G., On the Evolutionary Origins and Function of Political Power. *Journal of Social Biological Structures*, 11, 1988, 235–250.

Gely, R. und P. Spiller, A Rational Choice Theory of the Supreme Court. *Journal of Law, Economics and Organization*, 6, 1990, 263–300.

Getty, G., The Hunt for *r*: One-Factor and Transfer Theories. *Social Science Information*, 28, 1989, 385–428.

Ghiselin, M. T., *The Economy of Nature and the Evolution of Sex.* Berkeley, 1974.

Ginsburg, B. E., Evolutionary Origins and Developmental Dynamics of Social Organization: Cooperation, Aggression, and Hierarchy. In: A. Somit und R. Wildemann (Hrsg.), *Democracy and Hierarchy: Biopolitical Theory.* Carbondale, 1989.

Gleiss, A. und M. Hirsch, *Kommentar zum EWG-Kartellrecht.* Heidelberg, 1978.

Gorbis, M. und N. Kozlov, Soviet Economy in Transition. *Report 7 91, SRI International.* Menlo Park, 1990.

Grey, T. C., The Disintegration of Property. In: J. R. Pennock und J. Chapman (Hrsg.), *Property.* Nomos XXII. New York, 1980.

Gruter, M. und R. D. Masters (Hrsg.), *Ostracism: A Social and Biological Phenomenon.* New York, 1986.

Gruter, M., *Law and the Mind.* Newbury Park, 1991.

Guth, W., R. Schmittberger, B. Schwarze, An Experimental Analysis of Ultimatum Bargaining. *Journal of Economic Behavior and Organization*, 3, 1982, 367–388.

Hadfield, G. K., Problematic Relations: Franchising and the Law of Incomplete Contracts. *Stanford Law Review*, 42, 1990, 927–992.

Hall, E. T., *The Silent Language.* Greenwich, 1959.

Hamilton, W. D., The Genetical Evolution of Social Behavior. *Journal of Theoretical Biology*, 7, 1964, 1–52.

Hamilton, W. D., The Moulding of Senescence by Natural Selection. *Journal of Theoretical Biology*, 12, 1966, 12–45.

Hamilton, W. D., Mate Choice Near or Far. *American Zoologist*, 30, 1990, 341–352.

Hamilton, W. D. und M. Zuk, Heritable True Fitness and Bright Birds: A Role for Parasites? *Science*, 218, 1982, 384–387.

Hawkes, N. (Hrsg.), *Tearing Down the Curtain.* London, 1990.

Hayek, F. A. v., Grundsätze einer liberalen Gesellschaftsordnung, *ORDO, Zeitschrift für Wirtschaftspolitik*, Bd. XVII, 1967.

Hayek, F. A. v., *Der Wettbewerb als Entdeckungsverfahren.* Kiel, 1968.

Hayek, F. A. v., Rechtsordnung und Handelsordnung, in: *Freiburger Studien*. Tübingen, 1969.

Hayek, F. A. v., Wirtschaft, Wissenschaft und Politik, in: *Freiburger Studien*. Tübingen, 1969a.

Hayek, F. A. v., *Die Verfassung der Freiheit*. Tübingen, 1971.

Hayek, F. A. v., *Die Theorie komplexer Phänomene*. Tübingen, 1972.

Hayek, F. A. v., Wirtschaftstheorie und Wissen (Vortrag, 1936), in: *Individualismus und wirtschaftliche Ordnung*. Salzburg, 1976.

Hayek, F. A. v., Der Sinn des Wettbewerbs (Vortrag, 1946), in: *Individualismus und wirtschaftliche Ordnung*. Salzburg, 1976 (a).

Hayek, F. A. v., *Die drei Quellen der menschlichen Werte*. Tübingen, 1979.

Hayek, F. A. v., *Recht, Gesetzgebung und Freiheit*, Bd. 1. München, 1980.

Hayek, F. A. v., *Recht, Gesetzgebung und Freiheit*, Bd. 3. München, 1981.

Heinemann, A., *Die Freiburger Schule und ihre geistigen Wurzeln*. München, 1989.

Heldrich, A., Die Bedeutung der Rechtssoziologie für das Zivilrecht. *Archiv für civilistische Praxis*, 186, 1986.

Helmrich, H. (Hrsg.), Wettbewerbspolitik und Wettbewerbsrecht. Zur Diskussion um die Novellierung des GWB. *Wirtschaft und Wettbewerb*, 1988.

Helsper, H., *Die Vorschriften der Evolution für das Recht*. Köln, 1989.

Hine, V. H., The Basic Paradigm of a Future Socio-Cultural System. *World Issues*, April/Mai 1977.

Hirshleifer, J., Economics from a Biological Viewpoint. *Journal of Law and Economics*, 20, 1977.

Hirshleifer, J., Evolution, spontane Ordnung und Marktwirtschaft, in: Koslowski, P., P. Kreuzer, R. Löw (Hrsg.), *Evolution und Freiheit*. Stuttgart, 1984.

Hirshleifer, J., *Economic Behavior in Adversity*. Chicago, 1987.

Hobsbawm, W. J., *Nations and Nationalism Since 1780: Programme, Myth, Reality*. Cambridge, 1990.

Hochschild, A. R., *The Managed Heart: Commercialization of Human Feelings*. Berkeley, 1983.

Holmes, S., No Consensus Found as Meeting Addresses Black Males' Problems. *New York Times*, 25. Mai, 1991.

Holmstrom, B. R. und J. Tirole, Theory of the Firm. In: R. Schmalensee und R. Willing (Hrsg.), *Handbook of Industrial Organization*. New York, 1989.

Hoppmann, E., Das Konzept der optimalen Wettbewerbsintensität. *Jahrbücher für Nationalökonomie und Statistik*, 179, 1966.

Hoppmann, E., Zur ökonomischen Begründung von Ausnahmebereichen. *Jahrbücher für Nationalökonomie und Statistik*, 187, 1973.

Hoppmann, E. und E. J. Mestmäcker, *Normzwecke und Systemfunktionen im Recht der Wettbewerbsbeschränkungen*. Tübingen, 1974.

Horn, N., Zur ökonomischen Rationalität des Privatrechts – die privatrechtstheoretische Verwertbarkeit der »Economic Analysis of Law«, *Archiv für civilistische Praxis*, 176, 1976.

Howell, N., *Demography of the Dobe !Kung*. New York, 1979.

Izard, C. E., E. A. Hembree, R. R. Hübner, Infants' Emotion Expressions to Acute Pain: Developmental Change and Stability of Individual Differences. *Developmental Psychology*, 213, 1987, 105–113.

Jens, U., Möglichkeiten und Grenzen rationaler Wettbewerbspolitik in Demokratien, in: H. Cox, M. Jens, K. Markert (Hrsg.), *Handbuch des Wettbewerbs*. München 1981.

Jensen, M. C. und Ruback, R. S., The Market for Corporate Control: The scientific Evidence. *Journal of Financial Economics*, 11, 1983, 5–50.

Jhering, R. v., *Der Zweck im Recht*. Leipzig, 1916.

Joerges, Ch., *Verbraucherschutz als Rechtsproblem*. Heidelberg, 1981.

Jonas, H., Ist erlaubt, was machbar ist? Bemerkungen zur neuen Schöpferrolle des Menschen. *Universitas* 2, 1987.

Kantzenbach, E., Das Konzept der optimalen Wettbewerbsintensität. *Jahrbücher für Nationalökonomie und Statistik*, 181, 1967.

Kantzenbach, E. und H. H. Kallfass, Das Konzept des funktionsfähigen Wettbewerbs – workable competition, in: H. Cox, M. Jens, K. Markert (Hrsg.), *Handbuch des Wettbewerbs*. München, 1981.

Kartte, W., *Ein neues Leitbild für die Wettbewerbspolitik*. Köln, 1969.

Kartte, W. und R. Holtschneider, Konzeptionelle Ansätze und Anwendungsprinzipien im Gesetz gegen Wettbewerbsbeschränkungen – Zur Geschichte des GWB, in: H. Cox, M. Jens, K. Markert (Hrsg.), *Handbuch des Wettbewerbs*. München 1981.

Kaufer, E., Kantzenbachs Konzept des funktionsfähigen Wettbewerbs. *Jahrbücher für Nationalökonomie und Statistik*, 179, 1966.

Kauper, T. E., The Goal of United States Antitrust Policy – The Current Debate. *Zeitschrift für die gesamten Staatswissenschaften*, 136, 1980.

Kirchgässner, G. und W. Pommerehne, Das ökonomische Modell individuellen Verhaltens: Implikation für die Beurteilung staatlichen Handelns. *Kritische Vierteljahresschrift für Gesetzgebung und Rechtswissenschaft*, 1988.

Knetsch, J. L., *Property Rights and Compensation*. Toronto, 1983.

Knetsch, J. L. und J. A. Sinden, The Persistence of Evaluation Disparities. *Quarterly Journal of Economics*, August 1987.

Kohn, H., *The Idea of Nationalism: A Study in its Origins and Background*. New York, 1944.

Krebs, D., The Challenge of Altruism in Biology and Psychology. In: C. Crawford, M. Smith, D. Krebs (Hrsg.), *Sociobiology and Psychology: Ideas Issues and Applications*. Hillsdale, 1987.

Krebs, D. und D. Miller, Altruism and Aggression. In: G. Lindzey und E. Aronson (Hrsg.), *Handbook of Social Psychology*. New York, 1985.

Krebs, J. R. und N. B. Davies, *An Introduction to Behavioural Ecology*. Oxford, 1987.

Kuehn, J., In M. Hilf (Hrsg.), *EG und Drittstaatsbeziehungen nach 1992*. Baden-Baden, 1991, 17–30.

Lehmann, M., Wettbewerbsrecht, Strukturpolitik und Mittelstandsschutz. *Gewerblicher Rechtsschutz und Urheberrecht*, 1977.

Lehmann, M. (Hrsg.), *Rechtsschutz und Verwertung von Computerprogrammen*. Köln, 1981.

Lehmann, M., Jurisprudenz, Ökonomie, Soziobiologie-Humanwissenschaften. Über die Notwendigkeit und Möglichkeit einer interdisziplinären Grundlagenforschung. *Betriebsberater*, 1982.

Lehmann, M., *BGB und HGB – eine juristische und ökonomische Analyse*. Stuttgart, 1983.

Lehmann, M., Das wirtschaftliche Persönlichkeitsrecht von Anbieter und Nachfrager, in *FS Hubmann*. Frankfurt, 1985.

Lehmann, M., Evolution in Biologie, Ökonomie und Jurisprudenz. *Rechtstheorie*, 17, 1986.

Lehmann, M., Die UWG-Neuregelungen 1987 – Erläuterungen und Kritik. *Gewerblicher Rechtsschutz und Urheberrecht*, 1987.

LeVine, R. A. und D. T. Campbell, *Ethnocentrism: Theories of Conflict, Ethnic Attitudes, and Group Behavior*. New York, 1972.

Liebcap, G. D., *Contracting for Property Rights*. Cambridge, 1989.

Lofland, L. H., *A World of Strangers: Order and Action in Urban Public Space*. New York, 1973.

Lorenz, K., *Studies in Animal and Human Behavior*. Cambridge, Mass., 1970–71.

Luhmann, N., *Ökologische Kommunikation*. Frankfurt, 1986.

Machlup, F., Patentwesen, in: *Handwörterbuch der Sozialwissenschaften*. Stuttgart, 1962.

Machlup, F., *Würdigung der Werke von F. A. von Hayek*. Tübingen, 1977.

Maine, H. S., *Ancient Law: Its Connection with the Early History of Ideas, and its Relation to Modern Ideas*. New York, 1879[3].

Margolis, H., *Selfishness, Altruism, and Rationality*. Cambridge, 1982.

Marx, K., *Das Kapital*. New York, Modern Library, 1936 (1856).

Masters, R. D., *The Nature of Politics*. New Haven, 1989 (a).

Masters, R. D., Gender and Political Cognition. *Politics and the Life Sciences*, 8, 1989, 3–39 (b).

Masters, R. D., Ethnic and Personality Differences in response to TV Images of Leaders. Paper presented to 1991 meeting of *American Political Science Association*, Washington Hilton Hotel, Washington, D.C., August 29, 1991 (a).

Masters, R. D., Individual and Cultural Differences in Response to leaders: Nonverbal Displays. *Journal of Social Issues*, 47, 1991, 151–165 (b).

Masters, R. D. und D. G. Sullivan, Facial Displays and Political Leadership in france. Beh. Process., 19, 1989, 1–30 (c).

Masters, R. D., S. Frey, G. Bente, Dominance and Attention: Images of Leaders in German, French, and American TV News. *Polity*, 25, 1991, 373–394.

Masters, R. D. und M. Gruter (Hrsg.), *Sense of Justice*. Newbury Park, 1992.

Mayr, E., *Toward a New Philosophy of Biology: Observations of an Evolutionist*. Cambridge, Mass., 1988.

McGuire, M., M. Raleigh, G. Brammer, Sociopharmacology. *Annual Review of Pharmacological Toxicology*, 22, 1982, 643–661.

Mehler, J., Language Comprehension: The Influence of Age, Modality, and Culture. Paper presented at the 37th Annual Meeting of the *Orton Dyslexia Society*, Philadelphia, Pa., November 1986.

Meier, H. (Hrsg.), *Die Herausforderung der Evolutionsbiologie*. München, 1988.

Mestmäker, E. J., *Europäisches Wettbewerbsrecht*. München, 1974.

Mestmäker, E. J., *Der verwaltete Wettbewer*b. Tübingen, 1984.

Michelman, F. I., Property, Utility, and Fairness: Comments on the Ethical Foundations of »Just Compensation« Law. *Harvard Law Review*, 80, 1967, 1165–1258.

Michelman, F. I., Property as a Constitutional Right. *Washington and Lee Law Review*, 38, 1981, 1097–1114.

Mitchell, J., *Organized Labor*. Philadelphia, 1903.

Möschel, W., *Recht der Wettbewerbsbeschränkungen*. Köln, 1983.
Möschel, W., Privatisierung, Deregulierung und Wettbewerbsordnung. *Juristen-Zeitung*, 1988.
Müller-Armack, A., *Wirtschaftslenkung und Marktwirtschaft*. Freiburg, 1947.
Munzer, S. R., *A Theory of Property*. Cambridge, 1990.

Nicklisch, F., Rechtsfragen der modernen Bio- und Gentechnologie. *Betriebsberater*, 1989.
North, D. C. und R. P. Thomas, *The Rise of the Western World. A New Economic History*. Cambridge, 1973.
Nußbaum, A., *Die Rechtstatsachenforschung. Programmschriften und praktische Beispiele* (ab 1914), M. Rehbinder (Hrsg.), Berlin 1968.

Olson, M., *The Logic of Collective Action*. Cambridge, 1965.
Olson, M., The Hidden Path to a Successful Economy. In: C. Clague und G. Rausser (Hrsg.), *The Emergence of Market Properties in Eastern Europe*. Erscheint 1992.
Orbell, J. und R. M. Dawes, A »Cognitive Miser« Theory of Cooperators' Advantage. *American Political Science Review*, 85, 1991, 515–528.

Pohl, H., Die Entwicklung der Kartelle in Deutschland und die Diskussion im Verein für Socialpolitik, in: H. Coing und W. Wilhelm (Hrsg.), *Wissenschaft und Kodifikation des Privatrechts im 19. Jahrhundert*, Bd. VI. München, 1979.
Powers, W. T., *Behavior: The Control of Perception*. Chicago, 1973.
Priest, G. L., The Invention of Enterprise Liability: A Critical History of the intellectual Foundations of Modern Tort Law. *Journal of Legal Studies*, 14, 1985, 461–533.
Pugh, G. E., *The Biological Origin of Human Values*. New York, 1977.

Raleigh, M., M. McGuire, G. Brammer, A. Yuweiler, Social and Environmental Influences of Blood Serotonin Concentrations in Monkeys. *Archives of General Psychiatry*, 41, 1984, 405–410.
Recktenwald, H. C., in: *Würdigung des Werkes von A. Smith, Der Wohlstand der Nationen*. München, 1974.
Reynolds, V., S. Vincent, E. Falger, I. Vine (Hrsg.), *The Sociobiology of Ethnocentrism*. London, 1987.
Richler, M., »Inside – Outside«, *The New Yorker*, 23. September, 1991.
Rittner, F., *Einführung in das Wettbewerbs- und Kartellrecht*. Heidelberg, 1989[3].
Robert, R., *Konzentrationspolitik in der Bundesrepublik – Das Beispiel der Entstehung des GWB*. Berlin, 1976.
Roe, M. J., A Political Theory of Americal Corporate Finance. *Columbia*, 91, 1991, 10–67.
Rogers, A., *Birth, Death, and the Evolution of Initial Time Preference*. Unveröffentlichtes Manuskript, 1990.
Rogers, A., The Evolution of Time Preference. *Behavioral and Brain Sciences*. Im Druck 1991.
Romer, P. M., *The Role of Ideas in Promoting Economic Growth*. Unveröffentlichtes Manuskript, 1989.
Rose, C., The Commedy of the Commons: Custom, Commerce, and Inherently Public Property. *University of Chicago Law Review*, 53, 1985, 711–781.
Rose, C., Property as Wealth, Property as Propriety Compensation Justice. *Nomos*, XXXIII, 1990, 1–3.

Roszak, T., *Person/Planet: The Creative Disintegration of Industrial Society*. Garden City, 1978.

Rushton, J. P., D. W. Fulker, M. C. Neale, D. K. B. Nias, H. J. Eysenck, Altruism and Aggression: Individual Differences are Substantially Heritable. *Journal of Personality and Social Psychology*, 50, 1985, 1192–1198.

Sajo, A., Diffuse Rights in Search of an Agent: A Property Rights Analysis of the Firm in the Socialist Market Economy. *International Review of Law and Economics*, 10, 1990, 41–60.

Samuelson, P. A., *Economics*. New York, 1980.

Schäfer, H. B. und C. Ott, *Lehrbuch der ökonomischen Analyse des Zivilrechts*. Berlin, 1986.

Schelling, T., *Micromotives and Macrobehavior*. New York, 1978.

Schmid, S., Zur Einführung: Niklas Luhmanns systemtheoretische Konzeption des Rechts. *Juristische Schulung*, 1986.

Schmidt, I. und J. B. Rittaler, *Die Chicago School of Antitrust Analysis*. Baden-Baden, 1986.

Schmidt, I., *Wettbewerbspolitik und Kartellrecht*. Stuttgart, 1987.

Schricker, G. und M. Lehmann, *Der Selbstbedienungsgroßhandel*. Köln, 1987.

Schubert, G., *Evolutionary Politics*. Carbondale, 1989.

Schubert, G. und R. D. Masters (Hrsg.), *Primate Politics*. Carbondale, 1991.

Schumpeter, J., *Kapitalismus, Sozialismus und Demokratie*. Berlin, 1950.

Scott, J. F., The Role of the College Sorority in Endogamy, *American Sociological Review*, 30, 4, 1965.

Seneca, J. und M. K. Taussig, *Environmental Economics*. Englewood Cliffs, 1984.

Shavell, S., Risk Sharing and Incentives in the Principal and Agent Relationship. *Bell Journal of Economics*, 10, 1979, 55–73.

Shaw, R. P. und Y. Wong, *Genetic Seeds of Warfare*. Boston, 1989.

Sherman, P. W. und W. G. Holmes, Kin Recognition: Issues and Evidence. In: B. Holldobler und S. Lindauer (Hrsg.), *Experimental Behavioral Ecology. Fortschritte der Zoologie*, Bd. 31, Stuttgart, G. Fischer, 1985, 437–460.

Sheshido, Z., Comparative Business Systems: US–Japan. Zwei Vorträge, *Berkely Law School*, 1991.

Sinclair, U., *The Jungle*. New York, 1906.

Smith, A., *The Wealth of Nations*. New York, 1910 (1776).

Smith, R. S., Compensating Differentials and Public Policy: A Review. *Industrial and Labor Relations Review*, 32, 1977, 339–352.

Spence, M., Contestable Markets and the Theory of Industry Structure: A Review Article. *Journal of Economic Literature*, 21, 1983.

Stalin, J., *Marxism and the National Question: Selected Writings and Speeches*. New York, 1942 (1912).

Sullivan, D. G. und R. D. Masters, »Happy Warriors«: Leaders‘ Facial Displays, Viewers Emotions, and Political Support. *American Journal of Political Science*, 32, 1988, 345–368.

Terry, E., When the Big One Hit Tokyo...A Scienario for Global Economic Disaster. *World Press*, 36/12, Dezember 1989.

Thurow, L. C., *Investment in Human Capital*. Wadsworth, 1970.

Tiger, L., *The Manufacture of Evil: Ethics, Evolution, and the Industrial System*. New York, 1987.

Tiger, L., *The Persuit of Pleasure*. Boston, 1992.

Tirole, J., *The Theory of Industrial Organization*. Cambridge, 1988.

Tooby, J. und L. Cosmides, The Past Explains the Present. *Ethology and Sociobiology*, 11, 1990, 375–424.

Traugott, M. (Hrsg.), *Emile Durkheim on Institutional Analysis*. Chicago, 1977.

Treue, W., Expansion und Konzentration in der deutschen Volkswirtschaft (1866/71–1914), in: H. Coing und W. Wilhelm (Hrsg.), *Wissenschaft und Kodifikation des Privatrechts im 19. Jahrhundert*, Bd. VI. München, 1979.

Trivers, R. L., *Social Evolution*. Menlo Park, 1985.

Trivers, R. L., The Evolution of Reciprocal Altruism. *Quarterly Review of Biology*, 46, 1971, 35–57.

U.S. Bureau of the Census, *Statistical Abstract of the United States: 1990* (110. Auflage).

Underkuffler, L. S., On Property: An Essay. *Yale Review*, 100, 1990, 127–148.

Vanberg, V., Evolution und spontane Ordnung. Anmerkungen zu F. A. von Hayeks Theorie der kulturellen Evolution, in: FS E. Boettcher (H. Albert, Hrsg.), *Ökonomisches Denken und soziale Ordnung*. Tübingen, 1984.

Veevers, J., Voluntary Childness: A Critical Assessment of the Research, E. D. Macklin und R. H. Rubin (Hrsg.), *Contemporary Families and Alternative Lifestyles: Handbook on Research and Theory*. Beverly Hills, 1983.

Vogel, Ch., Gibt es eine natürliche Moral? Oder: wie widernatürlich ist unsere Ethik, in: Meier (Hrsg.), *Die Herausforderung der Evolutionsbiologie*, 1988.

Vollmer, G., *Evolutionäre Erkenntnistheorie*. Stuttgart, 1983.

Waldron, J., *The Right to Private Property*. Oxford, 1988.

Warnecke, A. M., *The Personalization of Politics: An Analysis of Emotion, Cognition, and Nonverbal Cues*. Senior Felloship Thesis, Dartmouth College, Hanover, NH, 1991.

Warnecke, A. M., R. D. Masters, G. Kempter, The Roots of Nationalism: Nonverbal Behavior and Xenophobia. Eingereicht an *Ethology and Sociobiology*.

Wasser, S. und D. Barash, Reproductive Suppression Among Female Mammals: Implications for Bio-medicine and Sexual Selection Theory, *Quarterly Review of Biology*, 58, 1983.

Weizsäcker, C. C. v., *Barriers to Entry: A Theoretical Treatment*. Berlin, 1980.

Wickler, W. und M. Seibt, *Das Prinzip Eigennutz. Ursachen und Konsequenzen sozialen Verhaltens*. München, 1981.

Williams, G. C., Pleiotropy, Natural Selection, and the Evolution of Senescence. *Evolution*, 11, 1957, 398–411.

Williamson, O. E., *Markets and Hierarchies*. New York, 1975.

Wilson, Edward O., *Sociobiology: The New Synthesis*. Cambridge, Mass., 1975.

Wilson, E. O., *Biologie als Schicksal. Die soziobiologischen Grundlagen menschlichen Verhaltens*. Berlin, 1979.

Wu, H. M. H., W. G. Holmes, S. R. Medina, G. P. Sackett, Kin Preference in Infant *Macaca Nemestrina*. Nature, 285, 1980, 225–277.

Young, M. und P. Willmott, *Family and Kinship in East London*, London, 1957.

Stichwortverzeichnis